AU NOM DU GANJO

DANS LA MÊME SÉRIE

K.-H. SCHEER
et CLARK DARLTON

AU NOM DU GANJO

PERRY RHODAN — 211

Fleuve Noir

Titres originaux :
Perry Rhodan Silberband n° 52 EXIL IM HYPERRAUM
Version révisée par Horst Hoffmann des épisodes originaux
DER DIEB VON GRUELFIN de William Voltz
DIE CLIQUE DER VERRÄTER de William Voltz
IM ZEICHEN DES GANJOS de H.G. Ewers
DAS ENDE DER ODIKON de William Voltz

Série dirigée
par Jean-Michel Archaimbault

*Traduit et adapté de l'allemand
par Michel Vannereux*

© Pabel-Moewig Verlag KG

© 2006 Fleuve Noir, département d'Univers Poche,
pour la traduction française

ISBN : 2-265-08055-1

CHRONOLOGIE GÉNÉRALE
DE LA SÉRIE ET RÉSUMÉ DU CYCLE EN COURS
« LES CAPPINS [1] *»*

Dates et événements

1971 : avec la fusée *Astrée*, Perry Rhodan se pose sur la Lune. Il y rencontre les Arkonides Thora et Krest, naufragés lors d'une expédition spatiale.

1972 : la supertechnologie arkonide permet la constitution de la Troisième Force et l'unification de l'Humanité terrestre.

1976 : l'être spirituel collectif qui règne sur la planète Délos accorde l'immortalité relative à Perry Rhodan et à ses plus proches compagnons.

1984 : de grandes puissances galactiques hostiles, les Arkonides, les Francs-Passeurs, les Arras et les Lourds, tentent de soumettre l'Humanité terrestre qui entame son expansion interstellaire.

2040 : l'Empire Solaire vient de naître ; il incarne désormais un facteur politique et économique de premier plan dans la Voie Lactée. L'Arkonide immortel Atlan, exilé sur Terre depuis près de dix mille ans, fait son apparition et devient l'un des proches de Perry Rhodan.

---

1. Pour un résumé plus détaillé du cycle en cours et de tous les précédents, se reporter à l'Introduction et à l'Annexe du volume PERRY RHODAN n° 210 *La Ville et le Rescapé*. Prochaine actualisation dans le volume n° 220 à paraître en octobre 2006.

2326-2328 : des colonies terraniennes sont menacées par les Acridocères et les monstrueux Annélicères. Les humains entrent en conflit contre les Bleus qui dominent l'Est galactique.

2400-2406 : Perry Rhodan découvre la Route des Transmetteurs qui relie la Voie Lactée à Andromède. Plusieurs tentatives d'invasion de la Galaxie, orchestrées depuis la Nébuleuse, sont déjouées de justesse. Portant la lutte en territoire ennemi, les Terraniens libèrent les peuples d'Andromède de la tyrannie des Maîtres Insulaires.

2435-2437 : la forteresse-robot géante *Old Man* menace la Voie Lactée ; les Bi-Conditionnés surgissent, à bord de leurs Dolans, pour punir l'Humanité d'avoir effectué des expérimentations temporelles. Perry Rhodan est expédié dans la très lointaine galaxie M 87. Après son retour, la victoire sur les Ulebs – encore appelés la *Première Puissance Fréquentielle* – sera chèrement acquise.

2909 : la Crise de la Seconde Genèse provoque la mort de presque tous les mutants de la Milice.

3430-3434 : presque un millénaire s'est écoulé ; l'Humanité, éparpillée dans la Galaxie, connaît de graves dissensions. Afin d'éviter une guerre fratricide, Perry Rhodan fait déphaser le Système Solaire de cinq minutes dans le futur. De nouvelles menaces, comme le Super-mutant Ribald Corello, se font jour et seront vaincues – à l'exception du satellite tueur qui orbite à l'intérieur de la couronne du Soleil. Pour empêcher que l'astre ne se transforme en nova, Perry Rhodan doit effectuer plusieurs voyages dans un passé vieux de 200 000 ans et y rencontre le Cappin Ovaron, qui s'avère le seul capable de neutraliser l'engin autrefois installé par ses frères de race.

3437 : depuis Gruelfin, la lointaine galaxie-patrie des Cappins, une invasion d'un genre inédit se prépare contre l'ensemble de la Voie Lactée. Perry Rhodan se lance vers cet univers-île inconnu dans une expédition d'envergure dont le but est double : d'une part, contrer le plan des envahisseurs ; d'autre part, rétablir le bon droit en faveur d'Ovaron, souverain légitime jadis exilé par des adversaires dont il n'a aucune idée de la nature, et trouver les éventuels survivants de son peuple. Les premiers constats seront amers : à la périphérie de Gruelfin, la plupart des planètes habitables ont été ravagées, les Takérans ont imposé leur hégémonie par la violence et règnent par la répression. Quant à la trace des Ganjasis, elle s'est perdue au cours des deux cents millénaires d'absence du Ganjo...

Action antérieure du cycle en cours

Un peu moins de quatre ans après sa disparition au nez et à la barbe de la Coalition Antiterrienne, le Système Solaire a réintégré le présent du reste de l'Univers. L'extinction du champ de confluence antitemporelle qui le déphasait à cinq minutes vers le futur, le préservant des velléités politiques et conquérantes des trois royaumes stellaires rivaux, a symbolisé pour vingt-cinq milliards d'humains la fin d'un isolement insupportable et celle d'un horrible cauchemar avec la destruction simultanée du satellite tueur cappin en orbite dans la chromosphère de Sol.

L'engin novagène a pu être anéanti avec l'aide d'Ovaron et de Merceile, deux Cappins « recueillis » sur Terre deux cent mille ans plus tôt alors qu'ils luttaient contre leurs compatriotes occupés à dérouler un monstrueux programme d'expérimentations biogénétiques. Ramenés dans le présent grâce au déformateur-annulateur temporel, ils se sont intégrés à l'Humanité de ce qui était pour eux un futur lointain et sont désormais considérés comme des alliés, sinon des amis.

Le passé, même vieux de deux mille siècles, ne se

laisse hélas pas oublier facilement… Ayant enfin appris qu'il était autrefois le souverain légitime du peuple des Ganjasis, un des rameaux principaux de la race des Cappins, mais qu'il a été banni de sa galaxie natale pour des raisons encore ignorées, Ovaron est obsédé par l'idée d'un retour vers cet univers-île situé à près de trente-six millions d'années-lumière de la Voie Lactée. Gruelfin, ainsi appelle-t-il sa patrie, doit avoir été le théâtre d'événements terribles et peut-être le *Ganjo* en exil y a-t-il encore un rôle positif à jouer…

Si Perry Rhodan se déclare prêt à accéder à la requête de son nouvel ami, ce n'est pas uniquement par sympathie désintéressée. Le calme est revenu sur la scène galactopolitique où les divers empires et royaumes humains ont repris une cohabitation pacifique, le Supermutant Ribald Corello s'est définitivement rangé aux côtés des Terraniens et l'engin anti-solaire a été éliminé, mais d'alarmants rapports commencent à affluer sur les terminaux de l'Administration : en de multiples endroits de la Voie Lactée surgissent des Cappins qui utilisent leur aptitude au transfert métasomique pour « posséder » des personnalités occupant des postes-clefs dans le système en place. Pour Ovaron, cette véritable invasion résulterait d'impulsions hexadimensionnelles émises par le satellite intra-solaire bien avant sa destruction, durant les instants où le Système de Sol est retombé dans le présent. Et l'alerte a incité les Cappins de l'époque actuelle à préparer une opération contre la Galaxie.

En juillet 3437, une expédition terranienne appareille pour un voyage de plus de trente-six millions d'années-lumière vers Gruelfin, la galaxie-patrie des Cappins. Le *Marco Polo*, nouvel ultracroiseur amiral de Perry Rhodan, est un titan spatial de deux mille cinq cents mètres de diamètre emportant huit mille personnes et doté de technologies d'avant-garde, dont un type inédit de propulsion transdimensionnelle qui lui permet de naviguer dans la zone Dakkar ou trace hexadim, qui sépare la cinquième et la sixième dimension.

En périphérie de Gruelfin, les Terraniens abordent un secteur ravagé par une guerre épouvantable : les Ganjasis établis là auraient été balayés par des nefs ovoïdes similaires à celles qui, justement, sont en train d'attaquer un bizarre vaisseau pyramidal. Les chaloupes du *Marco Polo* évitent le désastre complet et recueillent un survivant : Sholshowo, du peuple des Raconteurs… Ces chantres et narrateurs nomades entretiennent la mémoire du temps révolu de la paix, avant l'invasion des belliqueux Takérans. Sur le point de mourir, Sholshowo identifie Ovaron comme étant le Ganjo banni de l'ethnie des Ganjasis, et dont le retour est espéré depuis des temps immémoriaux. Le jeune Cappin comprend enfin qui il est vraiment et quel doit être son rôle futur. Le Raconteur oriente Rhodan et ses compagnons vers la planète Geysselin, avant-poste ganjasi tombé aux mains des Takérans, puis vers un monde radioactif appelé Vavshenic où les Wesakenos, les Gardiens de la Justice, se sont emparés de la base des anciens occupants légitimes et la défendent bec et ongles contre les Takérans.

Fin septembre 3437, un commando terranien se pose en secret sur Shakamona, où d'immenses arènes sont le théâtre de monstrueux combats entre toutes sortes de créatures dans le corps desquelles les spectateurs avides de sensations fortes peuvent métatransférer leur esprit. Vavishon, chef militaire et confident du Tashkar, le maître suprême des Takérans, y est attendu pour des festivités spéciales… et les mutants de Rhodan, grâce à un plan d'une incroyable audace, réussissent à le kidnapper.

Emprisonné sur le *Marco Polo*, Vavishon dissimule son corps dans un endroit supposé sûr et prend le contrôle d'Alaska Saedelaere par le biais du fragment cappin intégré au visage de celui-ci. Il révèle à dessein des détails sur la déportation de milliers de Ganjasis sur la planète-arsenal TCR, où les malheureux servaient de matière de base pour la fabrication de pseudocorps destinés à accueillir les esprits de Takérans métatransférés. Ces éléments poussent Perry Rhodan à décider de rallier le système de Taïmay, où Vavishon alerte et attire sa flotte de guerre takérane, « libère » Saedelaere et s'en va occuper une des enveloppes synthétiques disponibles dans les réserves de TCR.

Tandis que l'ultracroiseur est immobilisé sur la planète, le Takéran échoue dans sa « réincarnation » à cause du réveil du Vengeur, un biosynthoïde habité par les intellects de Ganjasis morts sur TCR. Vavishon périt dès qu'il réintègre son propre corps, l'ayant par mégarde caché dans une chambre à plasma. Le *Marco Polo* peut alors appareiller.

Son escale suivante sera Molakesh, le monde des archive des Raconteurs, où des Takérans qui opèrent en secret vont hélas jeter le discrédit sur Ovaron : le plan ourdi par les conquérants est en effet de remplacer le Ganjo par un double, puis de forcer ses partisans à se révéler et de s'emparer d'eux pour finir de les éliminer. Pendant que la nef amirale terranienne et quelques-uns de ses croiseurs donnent la chasse à une escadre d'agresseurs, Ovaron est identifié et « authentifié » par une vieille positronique. Hélas, un incendie nucléaire s'allume et l'évacuation de Molakesh devient l'urgence absolue. *In extremis*, une chaloupe du *Marco Polo* réussira à embarquer tous les Raconteurs de la planète condamnée.

Mi-février 3438 : des impulsions hexadim d'origine inconnue atteignent le *Marco Polo* et provoquent de terribles troubles chez Ovaron. Perry Rhodan se voit contraint d'accepter que le Ganjo vienne occuper son corps par transfert métasomique ; mais au lieu de s'éloigner de Gruelfin, il fait démonter et expulser les propulseurs hexadim de son navire, qui servaient de relais aux émissions. Ovaron reçoit alors un message codé qui lui ordonne de rallier la planète First Love. Là-bas se produit la rencontre avec l'Ancêtre, responsable des événements récents qui constituaient une série de tests. Le dernier, impliquant à la fois Rhodan et le Ganjo, sera décisif pour l'avenir des Ganjasis survivants. Peu après, l'Ancêtre se fait connaître comme étant le robot Vassa-81103, mais il est malencontreusement détruit.

L'attaque menée ensuite contre First Love par le chef suprême des Takérans fait tomber Perry, Atlan et plusieurs de leurs compagnons aux mains des conquérants. Le *Marco Polo* suit leur trace jusqu'au système de Deep Purple où les captifs seront séquestrés sur la planète Takéra par les services secrets et interrogés par le Tashkar en personne. Soudain dématérialisés par une étrange énergie de couleur mauve, ils resurgissent au cœur du volcan de l'île de Valosar puis sont expédiés dans une cité sous-marine. Sur les cinquante-quatre robots de type Vassa qu'ils y rencontrent, seuls quatre sont intacts. Les autres, comme frappés de démence, placent Ovaron sous leur protection mais veulent éliminer ceux qui l'escortent.

Au terme d'une errance périlleuse, Perry Rhodan et ses compagnons sont réexpédiés sous le volcan de l'île de Valosar et y affrontent des sphères énergétiques. Soudain, l'un des Vassaux revient à sa programmation de base et annonce qu'il faut ramener Ovaron à la « Mère Originelle ». Pour le Ganjo, ces robots n'agissent pas en vain mais seraient les éléments périphériques autonomes d'un système géant aux finalités mystérieuses. L'irruption du Tashkar dans le labyrinthe souterrain conduit à un duel sans merci entre le Takéran et Perry Rhodan, qui élimine son adversaire. Le comportement des Vassaux se normalise alors, et les fugitifs s'échappent grâce à un transmetteur tandis que le labyrinthe subvolcanique s'écroule.

Sitôt connue la mort du Tashkar, Ginkorash, chef des services secrets, endosse le pouvoir. Il apprend l'existence d'un énorme objet spatial trouvé il y a plus d'un siècle par son prédécesseur, et placé en orbite autour d'une des planètes du système de Deep Purple. Le Collecteur, ou Grand Vassal, est un immense corps artificiel abritant des milliers de robots de type Vassa…

Comme par hasard, le Stellarque et ses compagnons ont resurgi à l'intérieur de l'engin géant et y luttent contre les gardiens jadis laissés là par le Tashkar. Ginkorash se transfère à bord du Collecteur mais, l'ayant activé involontairement avant de s'occuper des intrus, il est contraint de repartir immédiatement pour Takéra où, le 10 mars 3438, un commando terranien de sauvetage débarque avec la complicité d'un Raconteur puis établit le contact avec les résistants Wesakenos. Traqués par les Vassaux réveillés, Rhodan et son groupe fuient le Collecteur avec le yacht spatial du Tashkar et seront récupérés par leurs compatriotes. La destruction du navire de plaisance par la flotte takérane convainc à tort Ginkorash qu'il a éliminé le Ganjo haï. Peu après, un signal hexadim provoque l'autodestruction du Grand Vassal.

Le nouveau Tashkar s'avère encore plus acharné que son prédécesseur à poursuivre les plans d'invasion initiés par les Takérans. Il y a, dans la galaxie de Gruelfin, de véritables planètes-chantiers où sont construites en masse des balises de transfert métasomique du même type que le satellite tueur. Vu l'âge de ces complexes de fabrication, il est certain que l'implantation de telles stations dans la Voie Lactée a commencé depuis longtemps – pour ne pas parler de l'invasion elle-même, qui a dû entrer dans sa phase décisive et serait la pire des catastrophes jamais subies par l'humanité…

Paradoxalement, l'histoire de l'homme qui s'avérera le seul à pouvoir s'y opposer date déjà d'il y a trois cent vingt et un ans. En mars 3117, dans l'Est galactique, l'équipage d'un navire avarié des Libres-Marchands, le *Dolda*, a été décimé par une épidémie mortelle. Balton

Wyt, seul survivant, a rallié l'unique planète de l'étoile Techma, dans un amas stellaire non répertorié. Sur ce monde peuplé de végétaux intelligents, Wyt est tombé sous la protection d'un complexe robotisé créé presque deux cent mille ans plus tôt par le Cappin Ovaron, la *Ville*. Celle-ci a plongé le rescapé dans un sommeil artificiel et, traitant son cerveau, a fait de lui un télékinésiste...

Fin 3437, Balton Wyt assiste à l'installation d'une métabalise sur la planète Techma. Dès l'arrivée de Takérans, il lance des signaux de détresse qu'un vaisseau d'exploration capte et relaie à l'Astromarine Solaire. Tandis qu'une puissante flotte appareille pour Techma, Wyt et le commandant cappin se rencontrent mais la Ville, conçue et programmée pour accueillir des Ganjasis, refuse de collaborer avec des ennemis. Tandis qu'un groupe de reconnaissance terranien débarque sur Techma, la Ville anéantit les Takérans et leur métabalise puis s'autodétruit... Balton Wyt, heureusement, est récupéré sain et sauf.

En parallèle, dans la galaxie de Gruelfin, une planète aquatique devient par hasard le foyer de l'Alarme Ganjo quand trois de ses habitants découvrent par hasard un bizarre dôme sous-marin. Non seulement un Collecteur géant s'arrache bientôt du fond de l'océan, mais des impulsions hexadim se mettent également à sillonner le cosmos environnant et, tout d'abord, attirent le *Marco Polo* dans les parages. Fin mars 3438, le vaisseau amiral de Perry Rhodan suit le titan spatial et atteint le Nuage Rouge de Terrosh, un enfer de gaz surchauffés, à la périphérie de Gruelfin. Il s'avère que des milliers de Collecteurs s'y sont regroupés autour d'une mystérieuse station centrale, vers laquelle Ovaron expédie un message avec son émetteur Dakkar.

Deux heures plus tard, une inquiétante créature se matérialise à l'intérieur du *Marco Polo* : un très grand humanoïde vert, à tête de poisson et aux yeux globuleux,

17

qui affirme s'appeler Florymonth et être inoffensif...
Cependant, à peine commence-t-il à se promener à travers le navire pour que toutes sortes d'appareils disparaissent dans les replis de son corps informe ! Et le « techno-chapardeur », ainsi les Terraniens le baptisent-ils, envoie en permanence des impulsions hexadimensionnelles. Face à des événements qui adoptent un tour aussi stupéfiant qu'incohérent, comment imaginer qu'ils obéissent pourtant à un plan très ancien établi jadis AU NOM DU GANJO... ?

CHAPITRE PREMIER

La nouvelle du départ de Florymonth des quartiers de l'équipage et de son intrusion dans le centralcom se répandit comme une traînée de poudre dans tout le navire, accroissant encore davantage la nervosité ambiante. Des rassemblements eurent spontanément lieu sur huit des ponts, et on exigea la capture immédiate de l'étranger. De nombreux astronautes se portèrent volontaires pour participer à la traque. Une demi-douzaine d'officiers se rendirent en personne sur la passerelle pour protester contre les décisions du Stellarque.

La créature, elle, se dirigeait déjà en se dandinant vers les vastes salles des machines. Les Terraniens tendus, dans l'expectative, suivaient sa progression.

Dans le poste de commandement, les rapports de situation s'enchaînaient sans discontinuer.

La tâche n'était pas aisée pour Rhodan et Ovaron, qui ne s'étaient toujours pas déterminés pour entraver les déplacements de l'intrus. Les membres de l'état-major, hormis Atlan et les mutants, étaient partisans de mesures radicales.

Le camp des scientifiques était divisé. Un groupe mené par le professeur Waringer préférait se contenter d'observer le comportement de Florymonth tandis que les autres sollicitaient son arrestation et un examen approfondi.

Perry attendait impatiemment des nouvelles de Danton et Kasé, lancés sur les traces du colosse.

Jusqu'à présent, l'étranger n'avait causé aucun dégât irréparable. Néanmoins, le Stellarque se rendait compte que cela ne suffisait pas pour tranquilliser l'équipage, pour qui la liberté accordée au géant à la peau verte était inacceptable.

Une caméra volante retransmettait tous ses mouvements sur les moniteurs du poste de commandement.

— Son objectif est sans nul doute la centrale énergétique du pont 23, dit Atlan qui ne perdait pas la créature des yeux. C'est là que se trouvent les réacteurs à cœur noir. Nemus Cavaldi nous a déjà appelés par intercom et mis en garde contre les conséquences d'une éventuelle visite de Florymonth dans cet endroit stratégique.

Il s'agissait de l'ingénieur en chef du *Marco Polo*, qui passait pour un individu plein d'humour. S'il formulait un avertissement aussi sérieux, il ne fallait toutefois pas le prendre à la légère.

— Après tout, vous avez la responsabilité du navire, dit Ovaron à Perry. (On voyait que ces mots lui étaient difficiles.) Si vous croyez que la situation devient intenable, nous devons intervenir.

— Il s'agit moins du vaisseau que de l'équipage, répondit Rhodan. Plus que tout, le personnel a à cœur la sécurité du bâtiment. C'est logique. Sans lui, nous ne pourrons jamais rentrer chez nous.

Le Ganjo hocha gravement la tête. Il en était parfaitement conscient.

— Vous pensez qu'ils tiendront compte de vos ordres ?

— Normalement, les hommes me font confiance. Ils savent que je n'agis pas sans raisons. Mais ils sont aussi suffisamment autonomes pour ne pas obéir aveuglément. S'il s'avère que mes instructions sont absurdes ou nuisibles, il se produira à coup sûr une mutinerie.

20

— Quel est l'état d'humeur général, actuellement ? voulut savoir Merceile.

Rhodan hésita à répondre. La situation était explosive. Néanmoins, il ne croyait pas à une révolte ouverte. Il fallait davantage craindre que les nerfs de certains ne lâchent et qu'ils ne s'opposent à Florymonth par la force.

— Je vais parler pour lui ! jeta Atlan. Un tel danger n'est plus pour longtemps à exclure. Il n'y a qu'à tendre l'oreille aux constantes protestations.

Perry tenta de sourire.

— Tu exagères toujours quelque peu !

— Pas cette fois ! (Le Lord-Amiral indiqua l'écran sur lequel on pouvait voir l'intrus remonter une coursive.) Le seuil critique sera atteint dès que cet étranger bouffi entrera dans la salle des machines et se livrera à du vandalisme. Les centrales énergétiques sont le cœur du navire. Ni Cavaldi, ni les officiers de cette section, ne toléreront que des dégâts soient commis.

Rhodan se leva.

— Que comptez-vous faire ? se renseigna Ovaron, inquiet. Voulez-vous enfin le capturer ?

Le responsable de l'Empire Solaire secoua la tête.

— Je vais sur place. Si ça tourne mal, je pourrai sûrement apaiser les hommes.

— Je dois admettre que vous savez payer de votre personne, commenta le Cappin.

Le Stellarque s'éloigna sans répondre. Les autres le suivirent du regard.

— Vous l'avez contraint à passer à l'action, reprocha Atlan au Ganjasi.

Ce dernier ne démentit pas. Il avait appris à garder le silence dans les moments décisifs. Également auprès de l'Arkonide dont le mode de pensée, au fond, était encore plus « terranien » que celui des natifs de Sol III.

Les hommes qui suivaient Florymonth avaient cessé de le maudire. Même Tajiri Kasé avait recouvré son calme. Tous sentaient que l'intrus représentait un plus grand danger pour l'équipage qu'ils ne l'avaient d'abord supposé.

Le géant s'immobilisa devant l'un des panneaux donnant sur la centrale énergétique.

— En aucun cas, nous ne devons le laisser accéder aux réacteurs à cœur noir, avertit Bhang Paczek.

Pour une fois, son collègue ne le contredit pas.

— Cavaldi a pris des mesures de sécurité, fit Danton. Peut-être cela forcera-t-il le techno-chapardeur à faire demi-tour...

— Voilà le chef ! jeta le scientifique étrusien en indiquant le puits antigrav à l'extrémité de la coursive.

Roi ne put s'empêcher de pousser un soupir de soulagement. Le Stellarque leur adressa un signe de tête. Ils constatèrent qu'il ne portait pas d'arme.

— Qu'est-ce que ça donne ?

— Voyez par vous-même ! (Le mathélogicien pointa son doigt en direction de Florymonth.) Il est manifestement encore indécis.

Rhodan s'avança vers le colosse vert.

— Ça ne sert pas à grand-chose de lui parler, dit Kasé qui paraissait se douter de ses intentions. Nous avons déjà essayé ; sans succès.

— Il ne semble même pas nous comprendre, ajouta Danton.

L'étranger réagit à l'approche du Terranien à sa façon habituelle.

— Je suis votre ami ! cria-t-il. Vous ne devez pas me faire de mal.

— Fais demi-tour ! Derrière cette paroi se trouvent

d'importantes installations. Si elles sont endommagées, nous serons immobilisés. Du coup, tu mettras également en péril la vie du Ganjo.

Roi fronça les sourcils. Il croyait avoir perçu un mouvement d'inquiétude chez l'intrus. Mais il s'avéra rapidement que celui-ci se contentait de se rapprocher de la porte pour la tâter de ses doigts gras.

Un instant plus tard, elle coulissa de côté – pour dévoiler un panneau en ynkélonium. Cavaldi avait sécurisé l'entrée par une barrière supplémentaire.

Quelques secondes durant, l'étranger sembla hésiter sur la conduite à tenir. Perplexe, il étudiait le nouvel obstacle de ses yeux pédonculés.

Il se produisit alors un phénomène incroyable.

Florymonth enfla jusqu'à devenir deux fois plus large que l'ouverture, apparemment sans effort. Sa tête se dilata également et toucha le plafond. C'était maintenant un colosse de six mètres de haut sur huit d'épaisseur. Ses jambes et ses bras se distinguaient à peine sous les replis de sa peau.

Rhodan recula involontairement.

— Comment fait-il ça ? murmura Danton.

— Ce n'est pas à moi qu'il faut le demander ! rétorqua Kasé. Mais je suis sûr que cette chose peut encore grossir.

Choqués, les hommes virent la plaque d'ynkélonium s'arracher à ses fixations et disparaître dans le ventre de l'insolite créature.

— Le panneau ! s'écria Paczek, s'étranglant presque. Il a absorbé le panneau !

Perry indiqua les instruments de mesure.

— Pouvez-vous déterminer s'il se trouve toujours dans son corps ?

— À mon avis, il s'est complètement désagrégé, répondit le mathélogicien. Mais ce n'est qu'une supposition. Les appareils ne nous aideront pas davantage. Pour eux, l'épiderme de Florymonth est aussi opaque qu'un écran S.H.

Par l'ouverture désormais dégagée, Rhodan et son fils pouvaient voir une grande salle à l'intérieur de laquelle Cavaldi et ses collaborateurs observaient l'intrus, les yeux écarquillés. Ils n'arrivaient manifestement pas à admettre ce qui venait de se produire.

Il subsistait toutefois encore un obstacle : un champ de force. L'encombrant visiteur reprit sa taille initiale et s'engagea dans le passage.

— Et maintenant ? s'inquiéta Kasom d'une voix retentissante. S'il s'amuse avec les réacteurs à cœur noir, il risque de déclencher des explosions aux conséquences dévastatrices.

Le techno-chapardeur marcha droit sur la barrière énergétique. Son corps parut s'embraser mais il la traversa sans dommages.

Cavaldi coupa l'alimentation des machines.

— Je suis votre ami ! cria le géant vert, et il se dandina en direction d'un puissant générateur. Vous ne devez rien me faire. Amitié, amitié !

Le Stellarque suivait Florymonth à quelques mètres de distance. Il savait qu'il ne pouvait le laisser endommager ces installations. Il cherchait fébrilement une solution, mais sans en trouver aucune de satisfaisante.

L'étranger grimpa avec aisance sur la passerelle qui faisait le tour du socle du réacteur. Malgré son corps informe, il se mouvait avec agilité.

Il progressa sans s'arrêter et Rhodan poussa un soupir de soulagement quand il le vit redescendre de l'autre côté.

— Nous avons de la chance, dit-il à Cavaldi.

Tendu, l'ingénieur hocha la tête. Il n'en était manifestement pas si persuadé que cela. Le géant s'éloignait pourtant. Son but était la porte donnant sur le vaste entrepôt où était stocké le matériel de rechange. En passant, il ouvrit de façon mystérieuse le capot d'un générateur et

préleva deux résistances. Deux techniciens se précipitèrent aussitôt pour réparer les dégâts. Florymonth se
retourna.

— Amitié ! Je suis votre ami !

— Tu n'es qu'un maudit voleur ! cria un des hommes.

Même si ce larcin était relativement anodin, l'état
d'esprit du personnel de la centrale énergétique ne s'était
pas amélioré. Cavaldi et ses collaborateurs semblaient
s'attendre à voir la créature revenir sur ses pas.

L'intrus pénétra dans le dépôt, suivi par les Terraniens
inquiets. Kasé et Paczek se toisaient avec hostilité. Ils
eurent un violent échange verbal puis le spécialiste des
calculs hyperstructurels exigea qu'on leur fournisse des
équipements supplémentaires, l'Étrusien estimant au
contraire que leurs instruments de mesure étaient amplement suffisants.

La soudaine abondance d'objets en tout genre entrepo-
sés ici parut d'abord perturber le techno-chapardeur. Il
s'installa juste à l'entrée et s'effondra sur lui-même,
enflant jusqu'à atteindre à nouveau six mètres d'épaisseur.

— Il émet des impulsions ! cria le mathélogicien. Elles
sont similaires à celles qui émanent des unités terzyom
d'Ovaron.

— Cela prouve sans ambiguïté les liens étroits qui
unissent ce géant au Ganjo, commenta Rhodan en entrant
dans le local à son tour. Si seulement notre Cappin pouvait se rappeler… ! Il faudrait trouver une solution pour
raviver sa mémoire.

L'Étrusien fronça les sourcils et son regard sauta de
Florymonth au Stellarque.

— Par quel moyen ?

— Pour l'instant, je n'en ai pas la moindre idée, admit
le responsable de l'Empire Solaire.

— Peut-être par une confrontation directe avec cette
chose, intervint Paczek. Mais il faudrait pour cela qu'Ovaron quitte le poste central.

Perry jugea cette proposition intéressante. Il était étonnant que le Ganjo ne se soit pas déjà présenté de sa propre initiative. Le géant vert semblait curieusement l'intimider.

— Je vais lui parler. Ensuite, nous…

Il s'interrompit car le visiteur s'était relevé pour s'approcher maladroitement des vastes étagères. Les hommes le suivirent. Il se déplaçait comme un somnambule. Ses yeux pédonculés s'agitaient en permanence.

Sa large gueule de poisson laissa échapper des petits cris, preuve de son excitation.

Florymonth reprit sa taille originale et se glissa entre deux rayonnages ; il prenait néanmoins toute la place. De temps en temps, il jetait des pièces de rechange par terre.

Cavaldi, qui avait accompagné le groupe, grogna :

— Nous ne devons pas accepter ça ! En détruisant des éléments importants, il risque de nous mettre plus tard dans une situation délicate.

L'étranger s'immobilisa. Il plongea la main dans un renfoncement et en tira deux résilles T.R.E.S.

Kasé poussa un juron.

— Ah non ! On n'a que celles-là en réserve !

Rhodan se demandait comment les reprendre à Florymonth mais avant qu'il n'intervienne, le géant les avait déjà fait disparaître dans son ventre. Cela s'était produit si rapidement que le Terranien avait à peine pu détailler le geste.

Le Stellarque remarqua que l'ingénieur était en train de s'éclipser. Il le rappela.

— Personne ne doit apprendre ce qu'il vient de faire, ordonna Perry. Cela ne ferait qu'accroître la nervosité de l'équipage.

Sans un mot, Cavaldi indiqua la caméra volante qui les filmait en permanence.

Il restait à espérer qu'Atlan, dans le poste de commandement, réagirait assez vite et désamorcerait à temps toute velléité de rébellion.

Florymonth semblait pour l'instant satisfait de son dernier butin. Il cessa de s'intéresser au contenu de l'entrepôt et fit demi-tour. Il n'emprunta toutefois pas le même chemin qu'à l'aller mais ouvrit une autre porte. Il faisait désormais preuve d'une grande habileté.

— Venez ! jeta Rhodan à ses compagnons. Il ne faut pas le perdre de vue.

Ils durent se hâter car l'intrus avait adopté un rythme plus rapide.

— Manifestement, il retourne à la passerelle, avança Danton. Ce qui pourrait signifier que ses larcins sont terminés.

— Espérons que tu as raison, répondit le Stellarque. Je me demande seulement ce qu'il va bien pouvoir faire de tout ce qu'il a volé…

Dans la centrale de commandement, on attendait avec nervosité la réapparition de l'étranger. Rhodan avait annoncé par intercom sa prochaine arrivée. On ignorait complètement si Florymonth avait encore besoin d'autres objets, aussi Atlan avait-il fait le nécessaire pour le cas où il se livrerait à de nouveaux chapardages.

Le colonel Elas Korom-Khan avait été remplacé par Senco Ahrat et dirigeait les préparatifs en compagnie de l'Arkonide. La plupart des officiers étaient épuisés mais ils demeuraient à leurs postes afin de rester informés des événements. Nul à bord ne songeait à dormir.

La caméra volante permettait à chacun de suivre la progression de l'intrus.

Fidèle à ses habitudes, celui-ci n'opta pas pour le chemin le plus direct. Il traversa quelques entrepôts de stockage et salles des machines sans pour autant se servir au passage.

— Je crois que la série de larcins a pris fin, commenta

Fellmer Lloyd, soulagé. Peut-être allons-nous enfin apprendre de quoi tout cela retourne.

Ovaron s'était retiré dans un coin avec Merceile et tous deux discutaient à voix basse.

Les membres de l'état-major étaient irrités. La plupart considéraient toujours qu'il fallait impérativement emprisonner le géant étranger.

Le colonel Hartom Manis recommanda de l'accueillir l'arme à la main.

— Je crains que ce gars ait une idée derrière la tête en venant ici, vociféra-t-il.

En l'absence de Rhodan, c'était à Atlan de prendre les décisions. Le méfiant Arkonide admit que des mesures préventives, du type de celle préconisée par l'Étrusien, ne pouvaient pas faire de mal. Aussi quelques hommes équipés de radiants prirent-ils position devant chaque panneau d'entrée pour surveiller les mouvements du visiteur.

— C'est moi et moi seul qui donnerai l'ordre de tir ! avertit le Lord-Amiral, visant les plus zélés des officiers. Quiconque ouvre le feu de sa propre initiative devra s'attendre à passer en cour martiale !

Ovaron revint alors. Il dévisagea l'immortel avec une colère franche.

— Comment ? Vous avez disposé des gardes armés ?

L'Arkonide était également excité, ce qui fait qu'il répliqua plus abruptement qu'il ne l'avait escompté.

— Naturellement !

— Je ne suis pas d'accord, protesta le Ganjasi. Je vais immédiatement en référer à Rhodan. Vous contrevenez à ses ordres.

— Vous croyez ? demanda tranquillement Atlan. En son absence, j'ai les pleins pouvoirs. Le colonel Korom-Khan n'assure que le commandement opérationnel du vaisseau.

— C'est exact, confirma l'intéressé.

Ovaron pivota brusquement sur ses talons et se dirigea

vers un poste intercom. Il tenta d'établir une liaison avec le Stellarque. Celui-ci se manifesta rapidement depuis l'un des nombreux terminaux disposés le long des coursives.

— Des mesures viennent d'être prises qui me laissent supposer que Florymonth doit être abattu dès son arrivée.

Le Lord-Amiral intervint :

— Ce n'est qu'une précaution. On ne tirera pas sans mon ordre exprès.

— C'est ce qu'il croit ! s'écria le Ganjo, hors de lui. Les hommes sont nerveux et fatigués. Vous le savez parfaitement, Rhodan. Ordonnez que les gardes postés aux entrées soient retirés !

— Atlan sait ce qu'il a à faire, répliqua sèchement le Terranien.

La liaison fut coupée. Ovaron retourna à sa place, dépité. Pour lui, tout était manifestement perdu. Merceile tenta de le réconforter.

Sur les écrans, le chef de l'O.M.U. put voir que Florymonth avait déjà tourné dans le couloir menant à la centrale. Derrière lui venaient le Stellarque et les autres. Cavaldi s'était joint au groupe.

— Il arrive par la porte principale ! jeta l'Arkonide à ses hommes. Renforcez les gardes à cet endroit !

L'étranger fit alors son apparition et tous purent constater qu'il avait grossi. Son ventre avait presque doublé de volume.

Il roulait des yeux excités. La vue des nombreux astronautes armés semblait le rendre nerveux.

— Je suis votre ami ! assura-t-il de sa voix aiguë. Si vous m'attaquez, vous serez des assassins. Vous savez que je ne peux agir différemment.

Rhodan, son fils et les scientifiques entrèrent à leur tour.

— Je suis innocent ! clama Florymonth. On ne doit rien me faire.

— Toujours le même argument ! jeta Danton, déçu.

Perry pivota vers L'Émir et Lloyd.

— De quelconques impulsions ?

— Négatif, regretta le mutant terrien.

Le mulot-castor secoua également la tête. D'un point de vue parapsychique, la créature était inerte.

Le géant alla s'asseoir au milieu de la centrale, renversant au passage une table de navigation.

— Il se passe quelque chose à l'intérieur de lui ! s'écria Tajiri Kasé. Mes appareils réagissent. Un important afflux d'énergie !

Ovaron abandonna sa place et s'avança vers Florymonth.

— Qu'en pensez-vous ? voulut savoir Rhodan.

Le Cappin ne répondit pas. Il effectua le tour du colosse sans le quitter des yeux.

— Saviez-vous que certaines des impulsions qu'il émet sont similaires à celles de vos unités terzyom ? demanda le Stellarque.

Le Ganjo secoua négativement la tête, surpris. Il s'approcha de la plate-forme antigrav soutenant les instruments de mesure et se fit expliquer par Kasé les valeurs relevées.

— Le temps des larcins est révolu, dit-il, convaincu.

Waringer s'avança, un rapport de la positronique à la main. Il paraissait excité.

— Les premières analyses révèlent que les objets dérobés par Florymonth présentent un point commun, au niveau énergétique comme technologique. Les vols n'ont pas été faits au hasard.

— Cela corrobore notre hypothèse selon laquelle il est en train de construire quelque chose à l'intérieur de son corps ! s'écria Danton.

L'hyperphysicien tendit la feuille imprimée à Ovaron. Le Ganjasi parcourut rapidement les résultats.

— Je ne saisis pas pourquoi il a besoin de tout ça.

Pourquoi ne nous l'a-t-on pas envoyé complètement équipé ?

Rhodan écoutait en silence. Il savait qu'ils n'avaient pas avancé d'un iota. Les nouveaux éléments à leur disposition ne faisaient que multiplier les énigmes.

La créature ne comprenait rien à l'agitation des astronautes. Elle demeurait tranquillement installée au milieu du poste central. Par moments, elle poussait des cris stridents et clamait son innocence. Elle avait rétracté ses pédoncules oculaires et caché ses bras sous les replis de sa peau.

— Tentez de lui parler ! jeta Perry au Ganjasi. Vous êtes le seul homme ici qu'il écoutera peut-être.

— Je suis Florymonth, le gentil médecin des marais ! cria le géant quand Ovaron s'approcha de lui. Celui qui tire sur moi est un meurtrier, car je n'ai rien fait à quiconque.

Ses yeux mobiles sortirent de quelques centimètres de leurs orbites et se penchèrent sur le Cappin.

— Tu es un voleur, affirma ce dernier sur un ton catégorique. Tu dois rendre tout ce dont tu t'es emparé.

— Amitié ! assura l'intrus.

— Ne peux-tu nous révéler comment tu es venu à bord ?

— Apportez-moi toutes les racines malades ! Je suis pacifique. Laissez-moi en paix.

Dépité, le souverain exilé se retourna.

— Rien à faire, Terranien…

Merceile se dirigea vers son congénère et lui murmura quelque chose à l'oreille. Le Ganjo la saisit par les épaules et l'embrassa rapidement sur le front.

— C'est une idée géniale ! s'exclama-t-il. Je ne comprends pas pourquoi je n'y ai pas pensé moi-même. (Il défit le bracelet fixé à son poignet.) Je vais tenter le coup. Florymonth a surgi après que j'ai envoyé une impulsion codée avec mon dakkarcom. Peut-être est-ce le seul moyen d'entrer en contact avec le géant.

Un silence empli d'espoir se fit. Les hommes observaient Ovaron tandis qu'il effectuait diverses manipulations sur son appareil.

— Il y a un certain risque, dit-il à Rhodan. La sécurité du vaisseau et de son équipage n'est pas garantie.

Le Terranien balaya la passerelle du regard. Il lut le consentement sur le visage de ses officiers. Ils en avaient assez d'attendre. Ils voulaient enfin apprendre qui était l'étranger et pourquoi il se trouvait à bord du *Marco Polo*. Perry désigna l'ensemble de la centrale.

— Vous avez l'accord de tous.

Le Ganjasi s'assit à une table. Il déposa le bracelet devant lui et le caressa du bout des doigts. Il actionna ensuite de minuscules commutateurs. Quelques secondes seulement s'écoulèrent avant qu'on ne relève un premier résultat : Florymonth s'était mis à émettre des impulsions hexadimensionnelles.

— Poursuivez ! lança Rhodan. Donnez-lui un ordre !

Le Cappin ne l'entendit même pas. Il était profondément penché sur son appareil.

— Je suis le Ganjo, dit-il d'une voix sourde. Ton maître.

Un changement manifeste s'opéra chez le géant. Il s'effondra sur lui-même puis sa carrure s'accrut encore davantage. Sa peau verdâtre se mit à luire.

— Il réagit ! jeta Perry. Continuez, Ovaron !

— La prophétie s'est accomplie ! clama l'interpellé avec force. Après deux cent mille ans, le Ganjo est revenu. Tu lui dois obéissance. Il ne faut plus que tu résistes.

Kasé fit signe à Rhodan de s'approcher et lui montra ses instruments de mesures.

— Les impulsions sont de plus en plus fortes, murmura-t-il. Il se comporte comme un puissant émetteur. Les ondes ne se propagent toutefois que sur un plan hexadimensionnel.

L'Étrusien était manifestement soulagé d'obtenir enfin des résultats.

— Ganjo ! hurla Florymonth. Le Ganjo est revenu !

On commença à s'agiter près du pupitre principal de commande. Senco Ahrat, penché en avant, rajustait sa résille T.R.E.S. sur sa tête. Le colonel Korom-Khan indiqua la galerie panoramique.

— Là, les Collecteurs, Monsieur !

Rhodan détourna son attention vers l'écran. Avec la confusion régnant à bord du *Marco Polo*, il avait presque oublié les gigantesques Vassaux. Les navires étaient en train de déployer des bulles énergétiques, donnant l'impression qu'ils s'enflammaient. Les systèmes de détection de l'ultracroiseur faillirent ne pas résister à la soudaine surcharge. Le Stellarque entendit la voix excitée de Kusumi dans les haut-parleurs du circuit intercom général.

— Ce sont des champs de type hexadimensionnel, précisa Kasé, fébrile. Ils reposent sur le même principe que les dakkarcoms.

— Ce qui signifie que ces vaisseaux fonctionnent comme un gigantesque émetteur. (Waringer était manifestement troublé.) Ils se sont interconnectés et envoient un message à travers tout Gruelfin.

Ovaron releva la tête.

— J'en comprends le sens. Il affirme que le Ganjo est de retour.

Le Cappin frissonnait ; il dut se tenir à la table des deux mains.

— C'est le texte qui avait été convenu, poursuivit-il. On peut l'entendre dans toute la galaxie. Chacun va maintenant savoir que je suis revenu. J'espère que mon peuple, s'il existe encore, le percevra également…

Pour les scientifiques à bord, il était désormais clair que les dix mille Collecteurs s'étaient unis pour former un gigantesque dakkarcom qui répétait inlassablement le

33

même signal. Rhodan ne se faisait aucune illusion. Les amis du Ganjo ne seraient pas les seuls à le recevoir. Les Takérans aussi, et ils se comporteraient en conséquence. Il fallait dès lors s'attendre tôt ou tard à l'apparition d'une flotte de combat dans le Nuage Rouge de Terrosh.

— Nous savons maintenant que Florymonth constitue un moyen de liaison avec les grands Vassaux, dit le Stellarque à Ovaron. Toutefois, ce n'est certainement pas son unique rôle. Il faut essayer d'en découvrir davantage.

En prononçant ces paroles, il ne désirait pas seulement initier une conversation entre le colosse et le Cappin mais également arracher ce dernier à son euphorie. Ce n'était pas le moment de se laisser dominer par les émotions.

Accompagné de Merceile, l'ancien souverain s'approcha à nouveau du techno-chapardeur, lequel continuait à émettre ses impulsions hexadimensionnelles. Sa peau verte luisait. Les yeux de la singulière créature s'étaient rétractés au fond de leurs orbites. Elle tournait lentement la tête de gauche à droite.

— Ganjo ! prononça l'étranger d'une voix étonnamment douce. Le Ganjo est revenu. Tout Gruelfin est dorénavant au courant.

— Je te remercie, dit Ovaron. Maintenant que tu m'as reconnu, nous devons parler. Tu sais qui je suis.

— Tu es le Ganjo ! affirma Florymonth, soumis. Nul en dehors de toi ne peut m'utiliser.

La galerie panoramique s'illumina quand les Collecteurs accrurent leurs flux d'énergie. Des faisceaux d'impulsions parcouraient la galaxie Sombrero à une vitesse inconcevable.

— Comment m'as-tu trouvé ? demanda le Cappin au géant vert.

— J'ai capté ton appel, répliqua ce dernier.

Il s'effondra à nouveau sur lui-même, émettant un son semblable à celui d'un ballon qui se dégonfle. Rhodan crut distinguer quelques formes sombres à travers sa peau transparente. Peut-être était-ce les objets qu'il avait volés.

— J'ai fait le nécessaire pour que tous dans Gruelfin l'entendent, poursuivit le techno-chapardeur avec zèle. Les Vassaux qui se sont rassemblés dans le Nuage Rouge de Terrosh proclament ta venue. Tout va bien se passer à présent. Tu vas reprendre ton rôle et annoncer la fin du *programme de passivité*.

Les hésitations d'Ovaron, toujours sous la pression des événements, rendaient Rhodan impatient. Néanmoins, il renonça à toute insistance. Le Ganjasi savait certainement ce qu'il avait à faire. Les petits bras de Florymonth apparurent sous les plis de sa peau. De ses doigts semblèrent jaillir des jets de flammes.

— Je reconnais le Ganjo, affirma la créature. Mais les étrangers ne doivent pas emprunter le même chemin. Ils doivent être anéantis avec leur vaisseau.

Perry tressaillit. Atlan et Korom-Khan le dévisagèrent, consternés. Personne ne s'était attendu à cela. Ovaron leva une main et la soudaine agitation retomba.

— Les Terraniens sont mes partenaires, déclara-t-il. Sans eux, je n'aurais jamais pu venir ici. Ils m'ont souvent aidé. Les Takérans m'auraient tué si je m'étais présenté seul.

Impassible, le géant demeurait accroupi au milieu de la centrale.

— Ce que les étrangers ont fait ne compte pas. Ils ne peuvent t'accompagner. J'ai le pouvoir de les tuer et de détruire leur navire. Et c'est ce que je vais faire.

Les armes étaient brusquement apparues dans les mains des officiers. Un cercle d'hommes décidés se forma autour de l'intrus.

— C'est une effroyable erreur ! s'écria le Ganjasi. Tu es sous mes ordres, Florymonth.

— Ta sécurité passe avant tout, répliqua avec fermeté le colosse.

— Dites-lui que nous nous défendrons quoi qu'il entreprenne, déclara Rhodan.

Ovaron leva les yeux vers le visiteur.

— Tu as compris les paroles de mon partenaire ?

— Oui, mais elles ne revêtent aucune importance. On ne peut rien contre moi !

En quelques pas rapides, le Stellarque fut auprès du Cappin. Il pressa le canon de son radiant contre son dos. Il avait agi impulsivement et il sentit sa victime se raidir.

— Nous ne nous laisserons pas éliminer sans résistance ! cria-t-il. Si tu veux nous anéantir, tu seras responsable de la mort du Ganjo.

La tension dans la centrale de commandement était palpable. Les visages des hommes harassés étaient figés. Dans leurs yeux, Rhodan pouvait lire une ferme résolution. Il réalisa avec frayeur qu'ils n'avaient pas compris qu'il bluffait ; ils croyaient qu'il était vraiment prêt à tuer Ovaron au cas où Florymonth attaquerait. Une fois de plus, il reconnut la faille qui existait entre le Cappin et les Terraniens. Pour l'équipage, il était toujours un étranger qu'il fallait considérer avec méfiance.

La réaction du maître de l'Empire Solaire avait manifestement surpris le techno-chapardeur car celui-ci demeurait accroupi en silence. Il avait déployé ses yeux pédonculés et regardait tout autour de lui, confus. Le Ganjasi hésitait. Lui non plus n'était pas certain du comportement de Perry en cas d'offensive du géant. Tirerait-il vraiment ?

— Maintenant, nous allons peut-être pouvoir discuter raisonnablement, dit doucement le Stellarque.

Le colosse se redressa légèrement.

— Je ne sous-estimerais pas la détermination des Terraniens à ta place, Florymonth ! intervint Merceile. S'ils ont atteint un haut niveau technologique, ils sont restés au fond d'eux-mêmes à moitié sauvages et ne reculeront devant rien.

36

Rhodan afficha un sourire sans joie.

— Vu la situation actuelle, je ne protesterai exceptionnellement pas contre cette formulation.

— Ma décision est inébranlable ! cria la créature. Seul le Ganjo est autorisé à parcourir la dernière partie du chemin. Il ne peut être accompagné que par cette femme. Par sécurité, tout autre individu doit mourir.

— Ce serait mieux si vous pouviez le détourner de cette folie, Ovaron ! clama sèchement Atlan, et il se dirigea vers Merceile, son arme brandie. En tout cas, nous avons deux otages.

Le major Kusumi se signala alors par intercom pour fournir les nouveaux résultats de détection mais il dut s'y prendre à trois fois avant qu'on ne lui réponde.

— Takvorian ! jeta Rhodan au movator. Essayez de ralentir l'écoulement du temps autour de notre visiteur. Si vous y arrivez, faites-moi un signe.

La posture du centaure lui en apprit davantage que des mots. Il n'interviendrait pas tant que ses deux amis cappins seraient menacés.

— Écartez vos armes, exigea Ovaron. Je vais convaincre Florymonth de vous accepter.

— Non ! refusa Perry. Je ne vois pour l'instant aucun autre moyen de nous sortir de cette situation.

Les conversations se turent. Même l'étranger semblait pensif. Kasé fit comprendre au Stellarque que le géant émettait à nouveau des ondes puissantes. Probablement échangeait-il des informations avec une station secrète.

— Demandez-lui où il veut vous emmener ! lança Rhodan au Ganjo.

— Je ne dirai rien ! s'exclama la créature.

Ils étaient dans l'impasse. Le Terranien savait qu'il ne pourrait pas demeurer éternellement là, l'arme à la main. Il fallait trouver rapidement une solution.

— Ce serait mieux pour nous tous si vous réussissiez à le persuader, dit-il à Ovaron.

Le mathélogicien étrusien intervint brusquement :

— Le techno-chapardeur diffuse des impulsions de plus en plus fortes.

Perry sentit le Cappin devenir fébrile. L'agitation du Ganjo semblait liée aux signaux qu'émettait le géant. Comme il n'avait pas fait usage de son bracelet, il avait dû les capter d'une autre façon.

— Ne bougez pas ! le mit en garde Rhodan. Tant que Florymonth ne nous aura pas garanti une totale liberté, nous resterons comme ça, même si cette situation est inconfortable.

— Vous n'avez pas de souci à vous faire. (Une certaine condescendance se devinait dans la voix d'Ovaron.) Je sais maintenant qui est cet étranger et comment je peux l'empêcher de provoquer une catastrophe.

Le Stellarque supposa une ruse et conserva son arme braquée sur l'ancien souverain.

— Je me réjouis que vous ayez pu combler si soudainement vos lacunes de mémoire, remarqua-t-il sur un ton railleur.

Son « otage » balaya l'air du revers de la main en un geste dédaigneux.

— Cela n'a rien à voir avec mes souvenirs. J'ai capté à l'aide de mes unités terzyom un message émis par Florymonth. (Il fixa Rhodan dans les yeux.) Nul en dehors de moi n'aurait été capable d'en comprendre le sens.

Perry prit le Ganjasi par le bras et l'éloigna de la créature verte. Il le poussa sur un siège à hauteur de la positronique principale et s'assit à côté de lui. La gueule de son radiant demeurait braquée sur le Cappin.

Le techno-chapardeur n'intervint pas, toujours plongé dans de profondes pensées. Waringer et son équipe étaient occupés à assembler un projecteur de champ bien qu'aucun d'entre eux ne crût sérieusement que l'intrus pourrait être mis hors de combat de cette façon. Rhodan observait les préparatifs, mais il ne quittait pas Ovaron des yeux.

— Qu'avez-vous appris ? voulut savoir le Terranien.

— Ma réponse va vous paraître incroyable. Je vous assure néanmoins qu'elle correspond à la vérité.

Le Ganjo fit une courte pause et fixa l'arme qui le tenait en joue. Il paraissait se demander si Perry en ferait vraiment usage en cas de nécessité.

— Peu après mon départ de Gruelfin, j'ai donné les instructions pour que soit construit un robot géant, poursuivit le Ganjasi. Il devait aider les miens à se défendre contre les Takérans. (Il désigna Florymonth.) Vous avez devant vous son interface mobile principale !

Rhodan était si stupéfait qu'il laissa retomber son radiant. Atlan se ressaisit le premier.

— Cela me paraît plutôt invraisemblable, Ovaron !

— Réfléchissez ! répliqua l'interpellé à l'Arkonide. Il fallait que je trouve un moyen d'entrer en contact avec cette machine lors de mon retour. C'est pour cela que cet élément a été conçu de façon à être entièrement autonome.

— Savez-vous si elle existe toujours ? demanda Waringer.

Le souverain baissa la tête.

— Non, mais avec l'aide de Florymonth, on devrait le déterminer rapidement.

— Parlez-nous un peu plus de ce robot.

Ovaron parut soudain fort désemparé.

— Je n'en sais pas plus. Ma mémoire n'est pas complète. De surcroît, j'ignore s'il a jamais été achevé. Quand j'ai quitté Gruelfin, j'ai donné comme instruction de ne s'opposer aux attaques constantes des Takérans qu'en ultime recours. J'ai recommandé aux Ganjasis de demeurer le plus passifs possible et de se retirer en cas de danger.

— D'où le terme « programme de passivité », ajouta Merceile.

Le Cappin opina du chef.

— Maintenant, je comprends également pourquoi

cette chose connaît le code secret. C'est moi-même qui l'ai conçue !

Rhodan trouvait ces déclarations convaincantes. L'histoire était trop fantastique pour que le Ganjo ait pu l'inventer en un si court laps de temps. Il était seulement regrettable qu'il n'ait pu retrouver tous ses souvenirs. Perry espérait qu'il arriverait à combler rapidement les lacunes dans sa mémoire. On saurait alors toute la vérité.

— Florymonth prévoit manifestement de vous emporter hors d'ici, fit le Stellarque. Son intention pourrait-elle être de vous conduire dans le robot dont vous avez ordonné la construction voilà deux cent mille ans ?

Ovaron paraissait incertain. Il était incapable de répondre à cette question.

— Réfléchissez ! insista Rhodan. Cette installation pourrait être la solution à tous les mystères. Peut-être protège-t-elle les derniers Ganjasis en vie.

Le Cappin tressaillit.

— Laissez-moi discuter avec Florymonth. Je vais l'empêcher de tous vous tuer.

— Vous pouvez lui parler. (Perry se leva.) Je resterai néanmoins près de vous, mon arme à la main.

CHAPITRE II

Tandis qu'Ovaron et Florymonth s'entretenaient du sort du *Marco Polo* et de son équipage, un soudain changement s'effectua chez les Collecteurs rassemblés dans la « clairière » du Nuage Rouge de Terrosh. Les champs d'énergie qui leur avaient servi à annoncer sans relâche la venue du Ganjo s'effondrèrent sur eux-mêmes puis les gigantesques vaisseaux s'ébranlèrent.

Le colonel Elas Korom-Khan fut le premier à s'en rendre compte. Il prit place à côté d'Ahrat. Le visage de Waringer se dessina sur un écran juste à ce moment.

— Ils abandonnent leurs positions, dit doucement le Pakistanais pour ne pas perturber la conversation entre le Cappin et l'étranger.

— Vous croyez qu'ils préparent une attaque ? demanda l'hyperphysicien. Il est parfaitement possible qu'ils en aient reçu l'ordre du techno-chapardeur.

Personne ne répondit. Les hommes qui suivaient les mouvements des navires savaient pourtant que les craintes du scientifique n'étaient pas dépourvues de fondement. Florymonth avait plusieurs fois menacé l'ultracroiseur de destruction. Et on n'avait pas encore réussi à le faire revenir sur sa décision. Ce qui était certain, c'était qu'il pouvait influencer les Collecteurs.

L'attention de Rhodan s'était également tournée vers l'extérieur. Il fit signe à Atlan de s'intéresser aux écrans.

L'Arkonide alla se placer devant le pupitre de commandes.

— Ça n'a pas l'air trop préoccupant pour l'instant, remarqua Korom-Khan. Mais nous savons tous à quelle vitesse ces formations gigantesques sont susceptibles de se déplacer.

Les unités situées en bordure de la « clairière » commençaient à s'éloigner par groupes de six, chaque escadrille prenant une direction différente. Quelques-unes s'enfoncèrent même au cœur de la nébuleuse.

Il s'avéra rapidement que les bâtiments ne projetaient aucune attaque. Ils avaient rempli leur mission et reprenaient leur indépendance. Pas un seul ne quitta toutefois le Nuage Rouge de Terrosh.

— Demandez-lui ce que signifient ces manœuvres ! intima Rhodan à Ovaron.

— Le Ganjo va emprunter le *chemin* avec moi, dit Florymonth avant que la question ait pu lui être posée. La femme peut l'accompagner, mais tous les autres doivent rester ici et seront éliminés.

Le Ganjasi effectua quelques manipulations sur son bracelet. Il sembla ensuite attendre une réaction du géant – en vain. Sa déception était visible. Il recommença néanmoins plusieurs fois, sans que la créature modifie pour autant son comportement.

La nervosité du Cappin allait croissante.

— Si seulement je pouvais me souvenir des détails de sa programmation, dit-il, tendu. Tout serait plus simple si je savais à quelles instructions il est censé répondre.

Il reprit ses essais. Au bout d'un moment, le colosse cessa de bouger. Il demeura accroupi au milieu du poste central, comme paralysé.

— Les Collecteurs se sont arrêtés ! cria Korom-Khan depuis son pupitre de commande.

— C'est peut-être une ruse, Perry ! avertit Atlan. Tu dois t'assurer que Florymonth est vraiment désactivé.

Rhodan s'approcha de la créature mais il dut vite se résigner. Il n'arrivait à déterminer si elle était ou non encore capable d'agir.

— Je crois que je suis parvenu à le neutraliser, dit le Ganjo. Seulement, je ne sais pas comment effectuer la manœuvre inverse. Il est possible qu'il se réveille tout seul au bout d'un moment.

Le Stellarque abaissa son arme.

— Je regrette cette situation ; hélas, je n'ai pas le choix. Vous devez me comprendre, Ovaron.

Du coin de l'œil, il vit Merceile repousser de côté le canon du radiant du Lord-Amiral. La jeune femme n'était pas contente qu'on la traite comme une prisonnière.

— Pour l'instant, Florymonth ne présente plus aucun danger, fit Waringer. C'est l'occasion parfaite pour décider de ce que nous pouvons entreprendre contre lui sans léser les intérêts de notre ami.

Ils recensèrent encore une fois les informations dont ils disposaient. Le Cappin continuait à affirmer que le visiteur était le principal module d'interface d'un gigantesque robot ; il ignorait toutefois comment le contrôler. Une certitude, le techno-chapardeur était venu dans l'intention d'emmener Ovaron avec lui. Où, personne ne pouvait le dire. Rhodan supposait que son objectif était la machine géante – pour autant qu'elle existât vraiment.

— Il n'y a qu'un moyen pour découvrir la réponse à toutes ces questions, dit le Terranien. Vous devez suivre Florymonth. Mais auparavant, nous devons trouver une solution pour protéger le vaisseau et son équipage.

Il se rendit auprès des commandes et murmura quelques paroles à l'oreille d'Atlan. L'Arkonide bondit sur ses pieds et le dévisagea, ahuri.

— Tu es complètement fou ! s'écria-t-il.

Perry ne se départit pas de son calme.

— Tu dois admettre que c'est jouable.

— C'est tout aussi fantastique que démentiel ! Nous ne pouvons pas prendre un tel risque.

— Vraiment ? (Rhodan était parfaitement conscient que toutes les personnes présentes dans la centrale les fixaient.) Tu sais pourtant que notre Galaxie est menacée par une invasion takérane. Le temps file entre nos mains. Si nous n'agissons pas vite, nous perdrons tout – notre patrie et nos vies.

Le Lord-Amiral se laissa retomber sur son siège et réfléchit.

— Nous serait-il possible d'apprendre quelle idée stupéfiante a germé dans ton cerveau ? se renseigna ironiquement Roi Danton.

— Attends encore ! (Le Stellarque indiqua l'Arkonide.) Tout dépend de sa participation. Nous aurons ensuite besoin de l'accord des deux Cappins.

Les yeux de l'ancien souverain des Libres-Marchands devinrent des fentes étroites. Il pressentait que son père avait pris une décision lourde de conséquences.

Atlan se secoua.

— Je marche. Je ne me fais pas beaucoup d'illusions, mais ton plan vaut d'être tenté.

Rhodan était satisfait. Il se dirigea vers Ovaron.

— Donnez-moi votre bracelet, dit-il.

L'homme le regarda, dubitatif.

— Vous ne pouvez pas vous en servir !

— Mais si ! sourit le Terranien. Si je vous héberge dans mon corps et si vous me communiquez les instructions adéquates…

— Quels sont vos projets ? voulut savoir le Ganjasi.

— Nous allons contraindre Florymonth à nous obéir, répliqua Perry. Vous allez vous transférer en moi, et Merceile en Atlan. Votre créature détectera les impulsions de votre conscience. Je suis certain que c'est à elles qu'elle se fie. Cela la détournera de ses intentions meurtrières.

Ovaron était manifestement intéressé. Sa compagne, en revanche, protesta.

— Je refuse de pratiquer un métatransfert sur le Lord-Amiral. Je pourrais y arriver durant quelques minutes mais vous semblez escompter une plus grande durée.

Rhodan vit à l'expression du Ganjo que lui aussi éprouvait des doutes sérieux. Il avait du mal à assimiler une idée aussi fantastique. Le Terranien était toutefois décidé à agir à sa guise. Il devait se hâter car le visiteur pouvait s'éveiller de sa paralysie à tout moment.

— Ce plan est simple, insista le Stellarque. Florymonth nous emmènera tous les deux – de quelle façon, je l'ignore encore. Et où que nous nous retrouvions, nous aurons l'avantage de disposer de quatre personnalités.

— Sur un point, vous avez raison : il s'oriente selon mes fréquences individuelles. (Ovaron défit son bracelet de commande du poignet gauche et le glissa dans une poche de sa veste.) Ce que vous projetez est toutefois de la folie.

— Pourquoi ? demanda Rhodan. Vos deux corps resteront à bord du *Marco Polo*. Il ne leur arrivera rien. Cela signifie que vous pourrez retourner en arrière à tout moment. Mais (et il éleva la voix) il vous faudra avoir préparé une bonne explication si jamais vous revenez sans nous.

Son interlocuteur le dévisagea, courroucé.

— Vous prévoyez donc tous les cas ?

— C'est mon devoir.

Le Ganjasi n'avait pas encore pris sa décision.

— Je dois en discuter avec Merceile, dit-il finalement.

Les deux Cappins se retirèrent. Danton profita de l'occasion pour s'entretenir avec son père.

— C'est de la folie ! lui jeta-t-il. Tu ne peux pas assumer un tel risque. Tu ne fais que supposer que Florymonth ne remarquera rien.

— D'autres commentaires ? se contenta de dire Rhodan en se tournant vers le reste de l'état-major.

— Naturellement ! intervint Icho Tolot. Il n'est pas utile que ce soit vous et Atlan qui y alliez. Cette mission peut parfaitement être accomplie par n'importe qui.

— *Nous* allons y aller ! insista l'Arkonide.

Waringer s'avança.

— Je voudrais attirer votre attention sur un danger potentiel. D'après les déclarations d'Ovaron, nous avons affaire à un élément déporté d'un robot géant. Qu'arrivera-t-il si celui-ci n'existe plus et si, suivant une antique programmation, notre visiteur cherche tout de même à le rejoindre ? Il pourrait se retrouver en plein vide cosmique. Ce n'est que l'un des nombreux périls envisageables.

Danton s'éloigna, résigné. Il connaissait suffisamment bien son père pour savoir qu'il ne se laisserait pas détourner de ses intentions.

Le personnel de la centrale attendait maintenant la décision du Ganjo.

— Faites apporter deux bacs et des feuilles plastifiées pour recueillir ce qui subsistera du corps des Cappins, ordonna Rhodan à deux jeunes officiers.

— Manifestement, tu tiens pour acquis l'accord d'Ovaron, remarqua L'Émir.

— Exact, petit. Il est forcé de reconnaître que ma proposition est le seul choix possible.

Ce plan était loin de faire l'unanimité. Le Stellarque n'en était que trop bien conscient. Ses amis craignaient pour sa sécurité ainsi que pour celle d'Atlan. C'était compréhensible, car personne ne pouvait vraiment savoir où menait le « chemin » dont parlait Florymonth. Il n'était même pas établi que l'étranger réussirait à emmener les deux immortels malgré la présence en eux des *ego* d'Ovaron et Merceile.

Ceux-ci revinrent alors. L'homme avait l'air épuisé, sa compagne était blême.

— Vous avez gagné, dit-elle avec rage. Je n'ai pas pu le persuader de rejeter cette idée folle.

Rhodan se contenta de hocher la tête. En revanche, le chef de l'O.M.U. s'inclina devant la jeune femme en un geste moqueur.

— Que reprochez-vous à mon vieux corps d'Arkonide ? Il est plus sûr que tout autre.

— Ce n'est pas votre corps qui me gêne, mais l'esprit qui l'habite ! rétorqua la biotechnicienne.

— Il va bien pourtant falloir que nous cohabitions, ma chère.

— Ne traînons pas ! jeta le Ganjo avec impatience. (Il semblait vouloir se dépêcher d'agir avant que les doutes ne le reprennent.) Personne ne sait si ce plan va fonctionner ; je pense néanmoins qu'il vaut le coup d'être tenté.

Il remit son bracelet au Terranien qui le passa aussitôt à son poignet. Rhodan ne savait pas comment s'en servir mais dès qu'Ovaron se serait infiltré en lui, il pourrait lui communiquer les instructions idoines.

— Un point sur lequel je voudrais insister ! dit Perry. Une fois que nous serons arrivés, il serait préférable que vous nous laissiez le plus possible libres de nos mouvements et que vous vous teniez en retrait.

— Compris, accepta le Ganjo.

Les bacs avaient entre-temps été amenés. Deux feuilles plastifiées étaient prêtes à couvrir le corps des Cappins. L'inquiétude, dans le vaste navire, se faisait de plus en plus grande. La plupart des membres de l'équipage commençaient seulement à saisir ce dont il retournait et attendaient avec fébrilité que se produise le double méta-transfert.

— Roi Danton assurera le commandement durant mon absence ! décida le Stellarque. Nous essaierons de revenir le plus vite possible. (Il fit signe à Ovaron.) Nous sommes prêts.

Le Ganjasi hésita un instant avant de prendre place

dans un des bassins. Il transféra alors sa conscience dans l'organisme du Terranien, abandonnant derrière lui son corps sous la forme d'une masse de protoplasme frémissant qui se figea rapidement. Rien ne révélait le moindre changement chez Rhodan.

— Tout va bien, déclara ce dernier. À vous, maintenant, Merceile !

La jeune femme avait baissé la tête. Sa répugnance était manifeste. Roi espéra que cela n'entraînerait pas de complications. Il se dirigea vers elle et la prit par le bras.

— Allez ! dit-il doucement, et il la conduisit jusqu'au deuxième bac. Il ne faut pas attendre plus longtemps.

Il constata que les yeux de la biotechnicienne étaient écarquillés. Elle trébucha presque en s'installant dans le caisson puis, sans tarder, projeta son esprit en Atlan. L'ancien souverain des Libres-Marchands vit l'Arkonide tressaillir.

Le corps résiduel de Merceile, ce que les Cappins appelaient « tzlaaf », gisait devant lui. Il le couvrit avec la seconde bâche.

— Maintenant, nous allons tenter de réveiller Florymonth, annonça Rhodan et il se dirigea vers le colosse à la peau verte.

Danton sentit une sueur glacée lui dégouliner le long de la colonne vertébrale. Il se demandait qui venait de s'exprimer : son père, ou le Ganjo ? Cette incertitude le troublait. Et ses doutes ne seraient pas levés tant que les deux étrangers seraient en mesure d'imposer leur volonté à leurs hôtes.

Personne dans la centrale ne savait si le Stellarque s'approchait consciemment de la créature artificielle ou s'il était contrôlé par son « locataire ». Mais quand il saisit le bracelet de commande, tout le monde comprit qu'il suivait les instructions d'Ovaron.

Les spectateurs étaient confrontés à une situation insolite.

Il s'écoula presque une demi-heure avant que Flory-month ne réagisse. Et quand Perry trouva le bon réglage, le techno-chapardeur se redressa.

— Tu n'as pas de soucis à te faire, dit aussitôt le Terranien. Il n'est rien arrivé au Ganjo.

— Alors nous pouvons emprunter le *chemin*, répondit la créature artificielle sans le moindre signe de confusion. Tu dois enfin parvenir au but.

Roi Danton et le colonel Elas Korom-Khan se dévisagèrent. Le géant n'avait manifestement pas noté la transformation.

— Nous y allons, acquiesça Rhodan/Ovaron. Merceile nous accompagnera.

— Les étrangers doivent auparavant être tués.

— Très bien, répliqua tranquillement le Stellarque. Commence déjà par te débarrasser de leur chef.

Florymonth fit un pas dans sa direction puis s'immobilisa, perturbé. Officiers et mutants se tenaient prêts à intervenir sur-le-champ si la situation devenait périlleuse pour les deux porteurs d'activateurs.

— Alors ? Pourquoi hésites-tu encore ?

— Je ne peux pas tuer leur responsable, car j'éliminerais aussi le Ganjo.

Un soupir de soulagement parcourut la centrale. Pour l'instant, le plan de Perry fonctionnait. Leur visiteur n'était pas capable de résoudre l'énigme que constituaient deux consciences partageant un même corps.

— Comprends-tu enfin que les étrangers sont nos partenaires ? insista Rhodan/Ovaron.

Si Florymonth était vraiment un robot, son cerveau artificiel devait être fort sollicité. Dans des cas semblables, on avait déjà vu des positroniques griller. Il était évident que le géant éprouvait des difficultés à se faire à l'idée que les impulsions individuelles qu'il percevait émanaient d'un non-Cappin.

— Il réfléchit, murmura Waringer à Danton. On ne

peut exclure qu'il déraille. Qui sait ce qui se passera alors ?

— Tu vas maintenant obéir aux ordres du Ganjo, clama la voix du Stellarque. Tu as réalisé qu'il n'y avait aucune raison de tuer nos amis ou de détruire leur vaisseau. Ils resteront à bord de leur navire tandis que la femme et moi te suivrons sur le *chemin*.

Le techno-chapardeur avait recouvré tout son calme. Des processus inimaginables devaient se dérouler sous son épiderme adipeux car les instruments de mesure braqués sur lui enregistraient des réactions de plus en plus fortes.

Ses bras rabougris, jusque-là dissimulés sous les plis de sa peau, se tendirent. Le colosse se dandina lentement vers Rhodan/Ovaron et Atlan/Merceile qui se figèrent.

— J'espère que tu es prêt, dit le Stellarque.

Il ne reçut aucune réponse.

Mais un nouveau changement s'opéra en Florymonth. Il enfla, gagna encore et encore en taille. Les hommes qui l'entouraient durent reculer.

— Il subit une transformation ! jeta Kasé, excité. Pourvu qu'il n'explose pas !

En quelques secondes seulement, l'être était devenu si large qu'il remplissait complètement l'espace entre la positronique principale et la grande table de navigation. Son corps se mit à luire. Ses flancs commencèrent à prendre une teinte foncée.

— Que fais-tu ? demanda Perry. Je te rappelle qu'il ne doit rien arriver aux étrangers et à leur navire.

— J'effectue les préparatifs pour que nous puissions emprunter le *chemin*, répliqua Florymonth.

Il s'exprimait très lentement comme s'il devait tout en même temps se concentrer sur autre chose.

— Je crois qu'il n'y a pas de problèmes, remarqua Waringer, debout près de Danton.

Ce dernier se contenta de hocher la tête. Il respirait lourdement, son cœur battait la chamade.

Le ventre du monstre continuait à s'assombrir, signe que se déroulaient en lui d'inconcevables processus énergétiques.

Et puis la peau disparut !

Un trou de trois mètres de diamètre béait à présent dans le corps du géant, laissant entrevoir un néant d'un noir absolu.

Roi entendit quelques hommes présents dans la centrale s'exclamer avec stupéfaction.

— Vous comprenez ce qui se passe ? demanda-t-il à Waringer.

— Non. Tout cela est plus qu'inhabituel…

— Explique-nous ce que tu fais, intima Rhodan/Ovaron au techno-chapardeur.

— Je prépare tout ce qu'il faut pour que nous puissions quitter le navire.

L'ouverture corporelle de Florymonth se mit à scintiller.

L'hyperphysicien saisit alors de quoi il retournait.

— Cette chose, dit-il d'une voix atone, est tout simplement un transmetteur !

Il fallut un moment aux personnes assistant à ce spectacle, dans le poste de commandement du *Marco Polo*, pour se remettre de leur surprise. Personne ne doutait de l'affirmation du scientifique. Les manifestations lumineuses au niveau de l'orifice étaient caractéristiques d'un champ de dématérialisation.

— Il escompte sûrement que nous passions au travers, remarqua Rhodan/Ovaron.

L'Arkonide opina du chef.

— Pensez aux risques, Messieurs ! les mit en garde

Waringer. Rappelez-vous ce que je vous ai dit. Si vous franchissez ce mystérieux passage, vous ne savez pas où vous vous retrouverez.

— Tu as raison, acquiesça le Stellarque. Équipons-nous au moins de spatiandres.

Les tenues désirées leur furent amenées et ils les enfilèrent sans tarder. Florymonth n'avait pas bougé ; il semblait attendre que les deux hommes utilisent son transmetteur corporel.

Danton s'essuya le front, sentant qu'il commençait à transpirer. Il espérait que tout irait très vite tellement l'incertitude était dure à supporter.

— Crois-tu que notre matériel suffit ? demanda Perry au géant après avoir bouclé son casque.

— La route est sûre !

— Alors, nous y allons, fit le Terranien, résolu.

Il adressa un signe aux personnes rassemblées dans la centrale et s'approcha de l'ouverture béante dans le ventre de Florymonth.

Un silence absolu s'était installé sur la passerelle. Une brume énergétique paraissait maintenant ondoyer au sein du gouffre noir. Des éclairs bleus tressautaient d'un bord à l'autre.

Rhodan/Ovaron se jeta dedans.

Il disparut aussitôt.

Danton se mordit si violemment la lèvre inférieure qu'elle se mit à saigner.

Le pas avait été franchi. À cet instant, son père se trouvait *ailleurs* – ou flottait dans le néant pour l'éternité.

Le fils du Stellarque ne put s'empêcher de jeter un œil sur les tzlaafs des Cappins, mais on ne voyait rien bouger sous les feuilles plastifiées à l'intérieur des caissons.

— À mon tour, maintenant, dit Atlan. Venez, jolie dame. Nous quittons ce navire.

Ces paroles prouvaient que le Lord-Amiral n'était pas actuellement contrôlé par Merceile.

Sans même se retourner, l'Arkonide plongea dans le transmetteur. Il se dématérialisa aussi rapidement que son prédécesseur.

La tension des spectateurs retomba. Les hommes se lancèrent dans des discussions agitées.

Florymonth demeurait totalement impassible. L'ouverture dans son corps se refermait peu à peu.

— Que vas-tu faire, à présent ? lança Kasé à l'étranger.

Il ne reçut aucune réponse.

Quelques secondes plus tard, le colosse se mit à luire avec une intensité accrue, devenant progressivement translucide. Une partie des objets volés se révéla aux regards. Ils avaient été associés en un curieux agrégat. Le visiteur s'en était manifestement servi pour amplifier la puissance du champ de dématérialisation.

L'appareil ainsi créé commença également à se dissoudre. Il ne subsista bientôt plus du géant qu'une brume d'énergie étincelante qui se dissipait rapidement.

— Il s'en va, dit sourdement Icho Tolot.

Florymonth s'évanouit définitivement. Plus rien ne témoignait de sa présence.

— Où peut-il bien être allé ? demanda Takvorian.

Danton haussa les épaules. Personne ne pouvait répondre à cette question. Peut-être la créature avait-elle suivi Rhodan/Ovaron et Atlan/Merceile ; peut-être avait-elle cessé d'exister…

CHAPITRE III

L'Univers tournoyait autour d'eux.

Tout se rejoignait : le début et la fin, la naissance et la mort.

La douleur de la dématérialisation semblait se repaître de chaque molécule organique, de chaque chaîne protéinée. Pas un atome n'était épargné.

À la fois minuscules et démesurément grands, Rhodan/Ovaron et Atlan/Merceile plongeaient au cœur de l'infini. Sans conscience, sans capacité de compréhension, ils faisaient néanmoins partie intégrante de ce cosmos abyssal.

Leurs particules virevoltaient, obéissant à d'inconcevables lois physiques ; elles se dissociaient, se regroupaient, avant d'être à nouveau balayées au loin. Les distances ne revêtaient plus aucune importance car ici, au-delà du mur de l'existence, ni le temps ni l'espace ne comptaient.

Seul subsistait le néant qu'il fallait traverser.

Neutrons, protons et électrons filaient sur leurs trajectoires prédestinées.

Le chaos régnait en maître. Mais ce n'était qu'un chaos apparent, car assujetti à un ordre d'essence supérieure.

Les atomes se divisaient, semblant se perdre dans les insondables profondeurs.

Un processus inimaginable, qui se déroulait tant à

l'échelle du cosmos que dans les espaces infinitési-
maux…

Soudain, le saut fut terminé.

La douleur s'accrut violemment.

L'Univers redevint substantiel, s'ancrant à nouveau
dans la réalité.

Les particules, minuscules au-delà de l'imagination,
reprirent leur configuration de départ et les molécules
commencèrent à s'associer.

Des corps se formèrent à partir du néant après avoir
vaincu le continuum spatio-temporel.

Tout cela n'avait pas pris un millième de seconde.

*
* *

Le calme revint à bord du *Marco Polo* après la disparition des deux hommes. Roi Danton informa par intercom
l'équipage des événements des dernières heures. Sur les
divers ponts, les officiers se montrèrent soulagés du
départ de Florymonth : les larcins étaient terminés.

L'ancien souverain des Libres-Marchands sentait toutefois un profond découragement gagner le personnel de
la centrale de commandement. Cette fois, chacun semblait redouter que le Stellarque soit parti pour toujours.

Des gardes furent postés autour des bacs renfermant
les corps des deux Cappins. Des incidents n'étaient pas à
exclure.

— Quelles sont vos intentions ? demanda Icho Tolot
au fils de Rhodan.

Danton savait où le Halutien voulait en venir. Celui-ci
craignait également que des bâtiments takérans aient
repéré les fortes impulsions énergétiques émises à l'intérieur du Nuage Rouge de Terrosh. Si cela devait s'avérer,
il faudrait s'attendre dans un proche futur à voir surgir
des escadres ennemies.

— Nous allons nous retirer près d'un soleil pour que son rayonnement nous protège de toute détection.

— C'est une bonne idée, acquiesça le colonel Korom-Khan.

Il reprit place à son poste et releva Senco Ahrat qui assurait le commandement depuis plusieurs heures. Il posa sur son crâne la résille T.R.E.S. spécialement construite à son usage.

Mais quand il voulut faire prendre de l'accélération au navire, lui et les autres membres d'équipage eurent une mauvaise surprise.

Le *Marco Polo* ne réagissait pas.

Roi réalisa aussitôt, à l'expression de l'émo-astronaute, que quelque chose ne cadrait pas. Il se dirigea vers lui.

— L'alimentation énergétique est suffisante ! jeta le colonel. Tous les générateurs et réacteurs nucléaires fonctionnent.

Danton hocha gravement la tête et se mit en liaison avec la centrale de détection.

Le major Ataro Kusumi semblait s'être attendu à cet appel car son visage apparut instantanément sur le moniteur.

— Ce sont les Collecteurs, annonça-t-il. Leurs champs de force se sont déployés jusqu'à l'ultracroiseur et l'immobilisent.

Le fils de Rhodan proféra un juron.

— C'était donc ça, le sens de ces manœuvres incompréhensibles ! Ils nous ont encerclés, et maintenant ils nous retiennent prisonniers.

— Ça en a bien l'air, confirma l'officier.

— Florymonth doit avoir donné cette instruction aux Vassaux géants, avança Tolot. Il nous a eus.

— Je suis certain qu'ils étaient à l'origine chargés de détruire notre navire, dit Waringer, sa voix vibrant d'une rage contenue. Cet ordre a été ensuite annulé mais nous sommes désormais coincés ici. Impossible de bouger de là tant que Rhodan et Ovaron ne seront pas revenus. Nous sommes complètement impuissants face à dix mille Collecteurs, voire plus.

Une pause suivit. Les hommes devaient d'abord s'adapter à la nouvelle situation.

— Ras et moi pourrions sauter à bord de quelques vaisseaux et déposer des bombes, suggéra finalement L'Émir en brisant le silence. De cette façon, nous devrions réussir à ouvrir une brèche dans le blocus.

— Je préfère garder cette solution comme ultime recours, répliqua Roi. En outre, je doute que vous arriviez à vous téléporter à travers tous ces champs énergétiques.

— Et notre armement ? intervint Senco Ahrat. En expulsant tous nos croiseurs et nos corvettes et en les envoyant sur un point précis, il devait être possible de faire une percée avec le *Marco Polo*.

Danton secoua la tête.

— Les Collecteurs se montrent pour l'instant passifs. Je ne vois aucune raison pour que cela change dans les prochaines heures. À bien y penser, ils nous protègent tout autant qu'un soleil d'éventuelles escadres takéranes. Nous pouvons conserver cette position quelques mois. Si nos amis ne sont pas revenus d'ici là, nous pourrons alors envisager de fuir.

Il remarqua que les autres le regardaient, les yeux grands ouverts, et il sourit :

— Comme vous voyez, je m'attends à devoir patienter longtemps…

Danton informa encore une fois l'équipage de la situation à bord. On était en train de tout remettre en état. Les dégâts dus à Florymonth seraient réparés dans les prochaines heures. Seules les résilles T.R.E.S. étaient irremplaçables. Il faudrait veiller à ce qu'aucune de celles en service ne soit endommagée…

CHAPITRE IV

La Route de la Misère passait en plein cœur de la terre désertique de Korth. Le vent et le soleil avaient desséché le sol, lui conférant la couleur de la cendre grise. Les précipitations étaient si rares par ici que même le plus âgé des Korakstiens du village ne pouvait se rappeler une seule journée de pluie.

De chaque côté de la chaussée, vingt-sept bâtiments finissaient de tomber en ruines. D'une teinte similaire au reste du paysage, ils s'en différenciaient à peine. Une ou deux fois par décade, les nuages de poussière retombaient, permettant aux habitants de distinguer à l'horizon les ombres des montagnes.

Mais la Route de la Misère n'allait pas jusque-là.

Cette voie effroyable, sur laquelle plus d'hommes avaient trouvé la mort que partout ailleurs au monde, reliait Farthagon à Palson, la ville des briseurs de têtes, en traversant tout le continent. Elle était si ancienne que nul ne savait qui l'avait édifiée. Elle avait été souvent reconstruite et l'entassement de couches successives lui donnait maintenant davantage l'aspect d'une muraille.

Les bords étaient jonchés de squelettes blanchis, de plantes jaunies dont les graines avaient été apportées par le vent et de carcasses de véhicules qui n'atteindraient jamais leur but.

Qui en était à l'origine ?

La légende parlait d'un Korakstien du clan des

Vanson, soi-disant parti de Farthagon à destination de Palson sur un chariot tiré par six *turpis*. Selon la tradition, il s'appelait Lecster-Loplac, ce qui prêtait souvent à confusion car ce nom était typiquement krémin. Mais ni un peuple, ni l'autre n'avait à se montrer fier d'un tel ancêtre, passé à la postérité comme un meurtrier et un voleur de femmes.

Au Pays de Korth, toutefois, on ne parlait jamais de ce personnage. Les habitants avaient des soucis bien plus graves en tête, à commencer par survivre.

Leur principale source de revenus résidait dans le pillage des voyageurs, mais comme ceux-ci étaient la plupart du temps accompagnés d'une escorte, le jeu n'en valait souvent pas la chandelle. C'était même le contraire qui se produisait : les gardes s'en prenaient aux occupants des quelques maisons et les dévalisaient.

Aussi n'y avait-il aucune section de la Route, dont l'histoire ne manquait pourtant pas d'épisodes abominables, qui soit autant effroyable que ce lieu situé à mi-distance environ entre Farthagon et Palson.

Ici avaient échoué les exclus et les vieux, les malades et les attardés mentaux ; deux cents Korakstiens et Krémins qui subsistaient tant bien que mal au milieu des ruines et des grottes. C'était l'unique endroit au monde où les deux peuples ne s'affrontaient pas. Ils gouvernaient la communauté à tour de rôle, changeant de chef tous les dix jours. La nécessité les avait contraints à une cohabitation pacifique. Les nouveaux venus saisissaient vite qu'il n'y avait pas de place pour des querelles intestines dans de telles conditions.

Un jour, une ombre tomba sur le Pays de Korth. Un gigantesque astronef voila le soleil et descendit lentement vers le sol. Quand il se posa, il écrasa les puits de l'agglomération. Personne ne s'en offusqua : ils étaient de toute façon taris depuis des siècles.

C'était midi, l'heure la plus chaude de la journée.

Le bruit assourdissant que faisaient les propulseurs attira les Korakstiens et les Krémins. Le vaisseau se dressait telle une montagne devant les bâtiments à demi effondrés. Sa forme générale pouvait faire penser à une goutte d'eau surdimensionnée.

Une brume s'en échappa et s'abattit sur les habitants. Ceux-ci la regardèrent avec crainte mais avant qu'ils aient pu fuir, ils reposaient déjà tous sur le sol, inconscients.

Une grande écoutille s'ouvrit dans la coque. Un disque plat de vingt mètres de diamètre en sortit. Quelques bras préhensiles pendaient au-dessous.

Glissant sans bruit le long de la Route de la Misère, l'engin atteignit les premières maisons et se mit lentement à tourner sur lui-même. Il se dirigea ensuite vers une demeure en ruines pour s'emparer d'un individu endormi qu'il déposa sur sa surface supérieure.

En quelques instants, la soucoupe rassembla ainsi cinq Krémins et revint avec eux dans le vaisseau. L'écoutille se referma sur le mystérieux appareil volant. La nef décolla et, quand les habitants du village reprirent connaissance, seuls les puits détruits et le sol carbonisé par les jets corpusculaires des propulseurs rappelaient la visite d'une puissance supérieure.

On réalisa rapidement que cinq personnes manquaient. Mais comme cela signifiait pour chacun une augmentation de la ration quotidienne de nourriture, on se montra davantage ravi que choqué.

Par la suite, il arriva que l'on parlât de l'escale de l'astronef à des étrangers venant à passer par là. Seulement, la lutte pour la survie occupait tant les esprits que cet événement pourtant fantastique finit par s'effacer de la mémoire des indigènes.

Soixante ans plus tard, le dernier habitant quitta le village. À quelques centaines de mètres seulement des vestiges des puits, il fut surpris par une soudaine tempête de poussière et mourut étouffé. Le vent furieux s'engouffra dans les demeures abandonnées. Peu à peu, elles s'effondrèrent. Le sable recouvrit les ruines.

Après deux siècles, il n'en subsistait plus rien.

Les chariots continuaient à emprunter la Route de la Misère, mais les conducteurs connaissaient les dangers du Pays de Korth et pressaient leurs bêtes. Jamais personne ne s'arrêtait.

Le village tomba bientôt dans l'oubli.

Cependant, les cinq Krémins qui avaient disparu de si mystérieuse façon vivaient toujours.

*
* *

L'instant de la séparation a peut-être été le pire traumatisme que nous ayons eu à subir en tous ces siècles, se dit Krecster-Kalopcs, luttant contre les douleurs qui taraudaient son cerveau engourdi. On les avait privés de leur dernier lien avec leur ancien univers. C'était sans doute à dessein. On ne voulait pas qu'ils soient distraits de leur mission principale.

Au début, il avait craint d'avoir sombré dans la folie, et plus tard il l'avait espéré – en vain !

La pièce dans laquelle on l'avait enfermé mesurait au mieux douze mètres carrés. Le plafond, les parois et le sol étaient d'une couleur gris clair, sans le moindre ornement. Nulle source de lumière n'était visible. Du liquide était continuellement injecté dans le corps du prisonnier par plusieurs cathéters. Il avait essayé de les arracher, sans résultat. Quelqu'un les changeait régulièrement, mais uniquement durant son sommeil.

Il ne recevait pas de nourriture et pourtant, ses organes demeuraient opérationnels. Ses excréments étaient évacués de façon mystérieuse.

Après un temps impossible à déterminer, Krecster-Kalopcs sentit que sa tête commençait à s'élargir. Elle prenait la forme d'une poire et s'alourdissait. Elle devint progressivement trop imposante pour son corps, ce qui le contraignit à ramper pour se déplacer.

Il accomplit sept tentatives de suicide, qui échouèrent toutes. Il était certain que c'était la faute de ses bourreaux invisibles.

Son cerveau continua à croître et brisa la boîte crânienne, sans pour autant provoquer de douleurs. Il perdit ses cheveux. Ses dents et ses ongles tombèrent aussi.

Le Krémin était de naissance un être tourmenté. Il avait eu faim, avait souffert de l'humiliation et de douleurs. Chez lui, il avait cru être immunisé contre toutes les horreurs.

Mais ce qu'il subissait ici dépassait l'imagination la plus morbide. Son existence était devenue un cauchemar interminable.

Parfois, il demeurait étendu des heures durant sur le sol froid en hurlant sa détresse.

Puis, un jour, une ouverture carrée se dessina dans un mur. Krecster-Kalopcs n'eut pas là non plus l'occasion de voir ses tortionnaires. Ce furent des objets d'une brillance métallique qui apparurent. Une substance gazeuse fut vaporisée dans la cellule. Elle lui évoqua vaguement quelque chose. Il l'avait déjà inhalée, une éternité plus tôt, quand le vaisseau s'était posé dans le Pays de Korth.

Peut-être la fin est-elle venue à présent, pensa-t-il. Il respira la brume à pleins poumons. Sa vue s'obscurcit.

Quand il recouvra ses esprits, il se trouvait toujours à l'intérieur de la petite chambre. Il n'était néanmoins plus par terre ; on l'avait attaché sur une table. Les sangles s'enfonçaient profondément dans sa chair. Il remarqua que plusieurs câbles et tuyaux sortaient de la masse boursouflée qui avait autrefois été son crâne pour rejoindre le mur.

Krecster-Kalopcs se doutait que ses quatre amis subissaient les mêmes souffrances dans des pièces voisines.

La lumière n'était plus aussi vive qu'au début de sa captivité. Le Krémin n'attribuait toutefois pas cela à une modification de son environnement, mais plutôt à un affaiblissement de son acuité visuelle.

Sa tête était devenue si volumineuse qu'il ne pouvait plus se voir lui-même. Heureusement, il n'y avait pas de surface réfléchissante dans sa cellule.

Bien pire que sa mutation physique était l'absence d'espoir. Il était livré sans défense à une puissance incompréhensible.

Quand il lui arrivait de penser au Pays de Korth, il voyait en cette contrée pourtant déshéritée un paradis. Il aurait tout donné pour retourner là-bas. L'idéal aurait été de mourir, or, cela lui était refusé. Les inconnus semblaient parfaitement savoir comment maintenir leur prisonnier en vie.

Au début, Krecster-Kalopcs avait tenté à plusieurs reprises de se faire comprendre de ses tortionnaires. Mais jamais il n'avait obtenu de contact. Ses ravisseurs l'utilisaient uniquement pour quelque expérience horrible – tout le reste leur était égal.

Sa tête poursuivit sa croissance. Elle atteignit une telle taille que la table sur laquelle était étendue le Krémin dut être changée. À intervalles réguliers, on lui faisait respirer la substance gazeuse. Et à chaque fois qu'il se réveillait, de nouveaux tuyaux émergeaient de son crâne déformé.

Puis il devint aveugle.

Le cerveau qui avait fait exploser la boîte crânienne débordait maintenant au point de recouvrir complètement ses yeux. Pour le prisonnier, cette évolution était terrifiante, et pourtant il continua à vivre.

Le temps passa.

La tête de Krecster-Kalopcs était désormais hérissée de multiples câbles qui disparaissaient dans des ouvertures murales.

Le bourdonnement de machines résonnait parfois à ses oreilles, jusqu'à ce que son ouïe finisse par l'abandonner. Sa bouche s'effaça à son tour sous la masse encéphalique. Il ne pouvait plus émettre que des sons inarticulés ; des tuyaux l'alimentaient en oxygène.

À un moment donné, il réalisa qu'il était connecté à ses quatre compagnons. Les divers branchements se prolongeaient jusqu'aux pièces voisines où étaient étendus ses congénères.

Eux aussi étaient couchés sur des tables et attendaient une libération qui ne venait jamais.

Le captif se désespéra à l'idée qu'ils avaient perdu la faculté de mourir. Devoir rester ainsi pour l'éternité, cobayes impuissants d'une horrible expérience, ne lui paraissait plus aussi absurde.

Des siècles – ou étaient-ce des millénaires ? – s'écoulèrent sans que rien ne se produise. Sa tête avait cessé de croître. Elle avait atteint un diamètre de deux mètres et demi.

Il se sentait de plus en plus étroitement lié aux autres prisonniers. Les cinq Krémins apprirent à penser en bloc. Ils devenaient de plus en plus semblables. Séparés par de fines parois métalliques, ils demeuraient étendus sur leurs tables et supportaient en silence leurs tourments. Leurs rêves tournaient exclusivement autour de leur fin ; ils s'accrochaient au faible espoir qu'ils mourraient un jour.

Plus aucune transformation ne se déroulant en eux, ils se mirent à croire qu'on les avait oubliés. Ils continuaient à vivre, prisonniers d'un système livré à lui-même.

Puis plus tard, bien plus tard, se produisit un événement qui leur fit abandonner cette théorie.

Krecster-Kalopcs sentit une force pénétrer en lui. S'il avait encore eu une voix, il aurait crié de panique. Mais il dut subir en silence la singulière intrusion. Quelque chose prit possession de son être et commença à contrôler ses pensées et ses émotions.

Quelque chose de vivant !

Le Krémin voulut se cabrer. Seulement, son corps avait tant dégénéré au fil des millénaires qu'il ne réagissait plus à ses injonctions.

Il réalisa qu'il n'était plus maître de lui-même, puis il tomba entièrement au pouvoir d'une intelligence étrangère. Inconsciemment, il perçut le triomphe de l'inconnu.

Après un moment, celui-ci lui rendit sa liberté et se transféra dans le cerveau des autres captifs.

La volonté de vivre du prisonnier était depuis longtemps éteinte, mais l'événement était si monstrueux que son intérêt pour son environnement se réveilla soudain.

Quelqu'un les utilisait pour une expérience. Krecster-Kalopcs tenta d'en comprendre le sens ; seulement, il dut rapidement admettre qu'il n'avait aucune idée de ce dont il s'agissait.

L'intrus s'insinua à une deuxième reprise dans son organisme et s'empara de son esprit.

Cette fois, c'était allé bien plus vite.

Le Krémin projeta toute la rage dont il était encore capable.

— *Tu dois rester calme !* prononça une voix dans son cerveau. *Il ne t'arrivera rien.*

Le désir de pouvoir échapper enfin à ses tourments se fit irrésistible.

— *Tue-moi !* implorèrent ses pensées. *Pourquoi ne mets-tu pas pour de bon fin à mes jours ?*

L'autre répondit tranquillement :

— *Nous avons besoin de toi et de tes congénères. Tout le travail accompli ne doit pas l'avoir été en vain.*

La haine du prisonnier se mua rapidement en humilité

et en soumission. Il supplia encore pour qu'on lui ôte la vie, mais il n'y eut aucune réaction.

— *Mourrai-je un jour ?* demanda-t-il finalement.

Il perçut comme une onde de gaieté ; cela fut toutefois si bref qu'il ne fut pas certain d'avoir bien compris.

— *Évidemment que tu vas mourir ! Personne ne peut toutefois dire quand. Toi et tes amis êtes les meilleurs métarécepteurs dont nous disposons actuellement.*

Krecster-Kalopcs fit ressentir à l'intrus toute son incompréhension.

— *Nous vous utilisons comme* pièges métasomiques, déclara le visiteur.

Le Krémin ne saisissait toujours pas. Il crut tirer des diverses pensées de l'étranger que lui et ses quatre compagnons formaient un appât destiné à attirer un individu dont on attendait depuis longtemps le retour.

Il n'en apprit pas davantage car l'inconnu se retira. Il revint toutefois à intervalles réguliers pour, comme il l'expliqua volontiers, tester les fonctions des métarécepteurs.

À peine deux cents ans plus tard, il fut remplacé par un autre. Le captif ressentit presque comme un choc l'irruption d'une nouvelle conscience dans son cerveau.

— Tu ne dois pas avoir peur ! le tranquillisa le flux mental inédit. Vansantosh est mort. J'assurerai maintenant ses fonctions.

Et, progressivement, le prisonnier s'habita également aux fréquentes intrusions du successeur.

Les années passèrent sans que rien de notable ne se produise. Les détenus ignoraient toujours quelle mission ils auraient au juste à remplir. Maigre consolation, leurs ravisseurs devaient eux aussi patienter.

Ils se demandaient qui était cette mystérieuse créature attendue depuis une éternité. Pouvait-on vivre si longtemps ?

Les cinq Krémins avaient amplement le temps de

réfléchir, même si leurs pensées tournaient essentiellement autour de la mort.

Un jour, l'étranger se manifesta plus tôt que prévu.

— Ça y est ! annonça-t-il avec une excitation évi-
dente. Le Ganjo est revenu !

Son agitation se communiqua à Krecster-Kalopcs.
Celui-ci savait qu'il n'était plus qu'un monstre sans
défense dont le seul espoir demeurait de mourir un jour.
L'instant de la libération était peut-être enfin venu...

CHAPITRE V

Les univers qui tourbillonnaient autour d'eux sombrèrent dans le néant. Au sein des voiles de brume luminescents commencèrent à se dessiner les contours d'un environnement étranger. La première chose que ressentit Rhodan fut un froid mordant. Titubant, il remarqua qu'il sortait d'un petit transmetteur ogival situé dans un vaste local. Instinctivement, ses mains tâtonnèrent à la recherche des réglages de la climatisation de son spatiandre. La valve était coincée. Il poussa un juron.

À cet instant, Ovaron se manifesta dans son cerveau. Le Stellarque, qui avait presque oublié durant la transition la présence d'une seconde conscience, sursauta quand les douces ondes mentales l'atteignirent.

— *Du calme ! Restez tranquille, Terranien ! Le froid ne constitue aucun danger. Nous devons d'abord déterminer où nous sommes arrivés.*

Involontairement, l'esprit de Perry se raidit contre l'emprise du Ganjo. Il éprouvait une sensation désagréable. Il percevait les impulsions apaisantes du navigateur hexadim mais ne parvenait pas à s'y habituer. Il dut se forcer à admettre que celui-ci désirait seulement l'aider.

Atlan – et en lui l'essence de Merceile – se matérialisa à son tour. Il avança difficilement.

Le regard de Rhodan s'éclaircit. Il constata que l'appareil par lequel ils étaient venus reposait sur une estrade carrée située au milieu d'une salle gigantesque, complètement vide. La lumière tombait du plafond. Des reliefs se distinguaient sur les murs, évoquant des statues de pierre.

— Où sommes-nous ? demanda-t-il.

Involontairement, il s'était exprimé à voix haute bien qu'Ovaron n'en eût pas besoin pour le comprendre.

— *J'en sais autant que vous !* répliquèrent les pensées du Cappin. *Il s'agit probablement d'une station de grande taille.*

— Croyez-vous que ce soit le robot géant ?

— *Qui peut le savoir ?* rétorqua le Ganjo. *Nous pouvons être n'importe où. Peut-être même à bord d'un Collecteur.*

Perry se doutait qu'ils n'étaient pas arrivés au terme de leur voyage.

Il s'assura que tout allait bien pour l'Arkonide puis lança :

— Vérifie la valve de régulation de mon système de climatisation. Elle ne fonctionne pas.

Le Lord-Amiral se pencha en silence sur l'unité dorsale de l'équipement de son compagnon. Les dégâts furent réparés en quelques instants. La température commença à s'élever. Le Terranien cessa de frissonner.

Rhodan/Ovaron et Atlan/Merceile sautèrent en bas de l'estrade.

— Où est le comité de réception ganjasi ? demanda le Solitaire des Siècles d'un ton moqueur. Je ne me trompe pourtant pas en supposant que vous espériez en trouver un ici ?

Perry sentit le Cappin prendre le contrôle de sa voix et se raidit.

— Je suis déçu. Mais cette pièce abandonnée ne veut rien dire. Peut-être allons-nous être soumis à un test final.

Ovaron ajouta mentalement à l'usage de son hôte :

— *Vous ne devez pas vous braquer dès que j'interviens ; c'est de toute façon temporaire. Je ne le ferai qu'en cas de nécessité.*

— *Il va falloir que je m'y fasse*, répondit le Stellarque.

Ils s'éloignèrent de l'estrade sur laquelle trônait le petit transmetteur. Rhodan remarqua que l'Arkonide s'apprêtait à sortir son arme ; sa main s'écarta toutefois soudain du ceinturon. Le Terranien s'immobilisa aussitôt.

— *Faites bien comprendre à votre congénère qu'elle ne doit pas s'opposer à la volonté d'Atlan !* pensa-t-il avec intensité. *Elle vient de l'empêcher de saisir son radiant.*

— Merceile ! cria le Ganjo avec la voix de son hôte. Nous avions décidé de rester en retrait autant que possible.

— Il n'a aucune raison d'agir ainsi ! répondit la femme par la bouche de sa victime. Il peut nous mettre en danger par un comportement irréfléchi. Je pense qu'il vaut mieux le garder sous tutelle.

— Non ! jeta sèchement Rhodan/Ovaron.

Le Terranien vit un spasme parcourir le corps du Lord-Amiral, dont le visage s'empourpra.

— Écoutez-moi bien, jeune dame ! lâcha-t-il avec rage. Ne refaites jamais ça !

— *Ils ne s'accommodent pas encore*, constata Perry.

— *Effectivement*, confirma le Cappin. *Je crois qu'une relation ambiguë s'est développée entre eux ces derniers temps.*

— Nous devons essayer de nous entendre les uns les autres, dit le Stellarque à voix haute.

Atlan voulut répondre, mais une silhouette lumineuse se matérialisa brusquement devant eux.

— Voilà Florymonth, fit Ovaron, soulagé. Je suis content qu'il soit venu lui aussi. Il pourra sûrement nous donner des informations sur cette station.

Les deux hommes – et les deux consciences qu'ils hébergeaient – attendirent avec impatience que le géant se soit entièrement reconstitué. Le corps imposant faisait maintenant huit mètres de haut pour six de large. Le ventre-transmetteur s'était refermé. Les yeux pédonculés s'agitaient avec circonspection.

La voix stridente de l'être artificiel résonna dans la salle.

— Je suis ravi de te voir ici sain et sauf, Ganjo.

— Où est-ce, « ici » ? demanda Rhodan/Ovaron.

— Nous sommes au milieu du Nuage Rouge de Terrosh, répondit Florymonth.

Perry fixa avec incrédulité la créature.

— C'est ridicule ! Rien ne peut exister au centre de ce chaudron de sorcières ! Les énergies sont tellement monstrueuses que...

— *Laissez-le donc parler*, recommanda le Cappin.

— Cette station est une des cachettes secrètes du peuple ganjasi, poursuivit l'être énorme. Nous atteindrons notre but depuis là. Je vais toutefois d'abord présenter les lieux au Ganjo pour qu'il perde ses doutes et que ses souvenirs remontent en surface.

Les deux hommes écoutaient avec attention.

Le ventre du géant enfla. Ce ne fut pas un transmetteur qui se montra cette fois, mais toute une batterie d'écrans. Florymonth paraissait être une mine infinie de ressources. On ne distingua au début rien de précis, puis des images commencèrent à se former.

— *Je crois qu'un des plus importants mystères de mon peuple me revient en mémoire*, pensa Ovaron, presque craintivement.

— *Attendons !* répliqua Rhodan, prosaïque. *Je ne fais pas vraiment confiance à cette chose.*

La formation gazeuse baptisée par les Ganjasis « Nuage Rouge de Terrosh » leur apparut. Une caméra invisible semblait se diriger vers elle. Elle grossit, encore et encore, jusqu'à ce qu'on ne voie plus qu'une infime section de la micronébuleuse infernale.

Le reste des moniteurs affichait des scènes variées ;

l'un d'eux montrait la zone périphérique où se trouvaient les Collecteurs et le *Marco Polo*.

Le Stellarque se rendit compte que les Vassaux géants avaient complètement encerclé l'ultracroiseur.

— Notre navire a été retenu de force ! reprocha-t-il à Ovaron.

— *C'est ce que je vois*, émit le Cappin. *Probablement une mesure de sécurité. Mais vous n'avez pas de souci à vous faire. Il ne lui arrivera rien.*

L'attention de Rhodan se porta sur un autre écran où se dessinait une installation titanesque, de forme hémisphérique.

— Voilà la station où nous nous trouvons actuellement, déclara Florymonth. Située en plein milieu de cet enfer thermonucléaire, elle ne peut être découverte ni abordée par des étrangers. Le diamètre maximal est de huit mille mètres, pour une hauteur de quatre mille.

Perry était impressionné, et il sentit que même le Ganjo n'était pas préparé à recevoir de telles informations.

— Elle sert à contrôler un transmetteur géant, poursuivit le colosse vert. Tout est automatique. Vous êtes les seuls êtres vivants ici.

L'image changea à nouveau. Le Terranien reconnut avec étonnement, à côté de la demi-sphère, un gigantesque amplificateur de transfert métasomique. Il estima la longueur de l'ensemble – les deux cônes et la striction médiane – à trois mille mètres.

— *C'est le plus gros que j'aie jamais vu !* s'écria mentalement Ovaron.

Rhodan perçut que sa surprise était réelle.

— Il constitue un tout avec la station, intervint Atlan, comme s'il avait entendu la sortie du Cappin.

Le Stellarque ne se faisait aucun doute qu'un échange de pensées similaires à celles l'unissant au Ganjo se déroulait entre l'Arkonide et Merceile.

Un cercle de feu écarlate et violacé flamboya dans le

vide au milieu des deux constructions. Il devait atteindre vingt kilomètres de diamètre.

Peu à peu, le chef de l'Empire Solaire commençait à réaliser que les Ganjasis possédaient bien la technologie requise pour contrôler le Nuage Rouge de Terrosh.

— Voici le transmetteur, déclara Florymonth. Il peut être activé à tout moment en cas de besoin. Il est suffisamment grand pour laisser passer des flottes entières.

— *Je suis fort impressionné*, avoua Rhodan au Ganjo. *Votre peuple a accompli des exploits incroyables !*

Il sentit ses paroles remplir Ovaron de fierté. Il perçut également la peine que celui-ci éprouvait de ne toujours pas avoir retrouvé trace des siens.

— Le transmetteur, la station et le méta-amplificateur peuvent travailler indépendamment, poursuivit la créature. Si le lieu où nous sommes venait à tomber en panne, une autre installation prendrait la main.

— Où sont les Ganjasis ? demanda alors le Cappin avec la voix du Stellarque.

Il ne pouvait plus juguler son impatience.

— Nous ne sommes pas au bout du *chemin*.

Perry grimaça. Cette réponse ne le satisfaisait pas. Face au Ganjo, le robot restait évasif.

Il voulut aussitôt réprimer ces pensées, mais Ovaron les avait déjà captées.

— *Inutile, vous avez parfaitement raison.*

Rhodan n'ajouta rien. Il observait les écrans. On voyait nettement que les imposantes constructions étaient protégées de la violence thermonucléaire qui se déchaînait dans cet environnement hostile par des champs de force hexadimensionnels.

— Ces trois objets sont alimentés directement par la nébuleuse, continua Florymonth. De cette façon, deux buts sont atteints : ils disposent des monstrueuses quantités d'énergie nécessaires à leur fonctionnement, et le pompage ainsi effectué empêche en partie le nuage de se condenser en une masse gazeuse pour se transformer finalement en soleil.

Le Terranien ne tenta pas de dissimuler sa stupéfaction. Les Ganjasis avaient accompli en ce lieu des miracles scientifiques et technologiques. Il n'y avait rien de comparable dans la Galaxie-patrie.

Tout cela voulait dire qu'ils étaient parvenus à contrôler les processus de fusion menant à la genèse d'une étoile. C'était presque impensable !

— *Il y a un point que je ne saisis pas*, fit Rhodan en s'adressant à la conscience d'Ovaron. *Ces installations n'ont quand même pas besoin de toute la puissance qui est produite ici !*

— *Posez la question à Florymonth*, proposa le Cappin.

Perry réitéra son interrogation à voix haute.

— Les forces excédentaires sont déviées vers l'hyperespace, répondit volontiers le robot. (De nouvelles images apparurent sur les surfaces luminescentes au niveau de son ventre.) L'afflux d'énergie est régulé par quatre-vingt-six satellites de dispersion hyperdimensionnelle, les stations *disperdim*.

Ils en eurent aussitôt un aperçu : tout comme la base dans laquelle ils se trouvaient, il s'agissait de demi-sphères d'un diamètre d'environ huit cents mètres. Elles étaient agencées en cercle tout autour des trois constructions principales.

— Grâce à elles, toutes les forces du Nuage Rouge de Terrosh peuvent être contrôlées, expliqua le techno-chapardeur. La nébuleuse pourrait même être détruite par leur intermédiaire.

— *Une incroyable réalisation !* fit Rhodan. *Votre peuple a presque atteint la perfection technique, Ganjasi !*

Son locataire ne répondit pas. Il était manifestement plongé dans de profondes réflexions.

Le Stellarque ne le dérangea pas, se consacrant à ses propres pensées.

74

Atlan s'approcha de son ami et indiqua les écrans abdominaux du colosse.

— Qu'en dis-tu ?

— Ni Ovaron, ni Florymonth n'a de raison de mentir, répliqua Perry. Je n'aurais jamais supposé qu'il puisse y avoir un tel dispositif ici.

— Tu saisis bien pourquoi les stations disperdim se trouvent précisément au centre de la nébuleuse ?

— Oui, acquiesça le Terranien, quoiqu'il hésitât.

— Je viens de m'en entretenir avec Merceile, sourit le Lord-Amiral. Nous sommes du même avis : les Ganjasis ont choisi ce lieu parce qu'il remplissait leurs exigences de sécurité. Au cœur de cette masse de gaz aux fortes activités thermonucléaires, l'usage fréquent de méta-transferts et de transmetteurs demeure indécelable. Les rayonnements émis sont si puissants qu'ils recouvrent tout. Aussi est-il vraisemblable que les Takérans n'arriveront jamais à découvrir cet endroit.

— *L'Arkonide a vu juste*, émit le Ganjo.

— Ovaron est d'accord avec toi ! fit Rhodan à voix haute.

Une certaine marge de manœuvre avait été laissée aux stations sans pour autant aller à l'encontre du programme de passivité. Il était évident que le Nuage Rouge absorberait tout pic d'énergie.

— *L'ennemi finira un jour par se demander pourquoi cette nébuleuse ne se transforme pas en soleil*, avança Perry. *Il en tirera les conclusions qui s'imposent.*

— *On n'en arrivera pas là*, répliqua le Cappin d'un ton péremptoire.

Ils furent interrompus par Florymonth. Celui-ci avait éteint ses écrans et se dirigeait vers eux en se dandinant, apparaissant toujours aussi gauche.

— Je vous emmène maintenant dans la station de dématérialisation qui vous expédiera vers le transmetteur géant.

Rhodan ressentit la résistance d'Ovaron.

— *Qu'y a-t-il ?* s'enquit-il par voie mentale.

— *Je m'inquiète de la transition qui nous attend,* avoua le Ganjasi. *Il est à craindre que nous ayons à franchir une grande distance. Le choc va être si fort que nous ne pouvons pas prédire comment vous et Atlan réagirez.*

Le Stellarque comprenait. L'Arkonide et lui pouvaient perdre connaissance, voire mourir, durant le saut ou juste après. Il n'était pas assuré que les deux Cappins pourraient dans ce cas réintégrer leurs corps à bord du *Marco Polo.*

— *Quelles sont vos propositions ?*

Le Ganjo hésita à répondre. D'un côté, il voulait atteindre leur but au plus vite, d'un autre il craignait d'éventuelles séquelles consécutives à un grand plongeon à travers le transmetteur géant.

Florymonth se tourna vers les deux hommes.

— Venez, maintenant ! jeta-t-il, impatient. Tout est déjà prêt. Le chemin n'est plus très long. Nous serons bientôt arrivés.

Ovaron reprit à nouveau le contrôle du Terranien.

— La dématérialisation présente des dangers en elle-même, dit-il à la créature. Y as-tu songé ?

— Il n'y a aucun risque, Ganjo, répliqua le techno-chapardeur.

Il ne réussissait pas à saisir que ses compagnons se fassent du souci.

— Allons-y ! proposa le Lord-Amiral. Nous pourrons toujours changer d'avis dès que nous nous trouverons dans la station émettrice.

Le Cappin demeurait irrésolu, mais il rendit sa liberté à Rhodan. Ce serait à lui qu'il incomberait de prendre la décision.

Le Stellarque suivit Florymonth à travers la grande salle, Atlan/Merceile sur ses talons. Ses propres pensées gravitaient autour des interrogations qui tenaillaient le

Ganjasi. Les hésitations de ce dernier commençaient à le gagner.

Ce n'est pas de l'incertitude, détermina Perry. *C'est de la peur ! En sait-il plus sur cette installation qu'il ne veuille l'admettre ?*

Une ouverture se dessina dans le mur face à eux. Il aperçut au-delà un corridor à l'entrée duquel flottaient plusieurs robots sphériques. Ils n'attendaient manifestement plus qu'eux.

— Ces machines vont vous guider, à présent ! annonça le géant une fois qu'ils se furent engagés. Nous nous reverrons au but.

Ovaron reprit si brusquement le contrôle des cordes vocales du Terranien que cela lui arracha un cri de frayeur.

— Halte ! jeta-t-il. Tu ne peux pas simplement disparaître comme ça ? Tu nous dois encore quelques explications !

Florymonth sembla ne pas l'entendre. Au contraire, il tourna les talons et s'éloigna d'un pas hâtif. Le Cappin voulut forcer son corps temporaire à le suivre mais, à cet instant, la porte se referma sur son nez.

— Il ne *veut* pas parler, constata Atlan.

Le Ganjo libéra Rhodan et s'excusa pour sa brutalité.

— *Très bien*, le tranquillisa le Stellarque. *Je devrai bon gré mal gré m'y habituer, car des heures difficiles nous attendent sûrement.*

Il ne leur restait plus qu'à suivre les robots jusqu'au transmetteur.

*
* *

Bien que le vieillard s'étendît quelques heures par nuit pour se détendre, il y avait longtemps qu'il avait oublié ce qu'était le sommeil. Il se contentait de reposer sur le dos et de fixer l'obscurité, les yeux grands ouverts. À deux cent quatre-vingt-cinq ans, il était à l'apogée de sa puissance. En être conscient agissait sur lui comme un élixir de longue vie.

Un silence total régnait dans la chambre. Le bâtiment avait beau se situer en pleine ville, la parfaite isolation sonore ne laissait pénétrer aucun bruit du monde extérieur.

Ces derniers temps, l'homme réfléchissait davantage car l'événement qu'il attendait depuis l'instant où il avait accédé au pouvoir semblait désormais imminent.

C'était une chance incroyable qu'il lui incombe précisément à lui d'accueillir le Ganjo à son retour. De l'accueillir... et de le tuer.

L'ancien demeurait étendu là, sans bouger, plongé dans ses pensées. Le plan avait été mis au point par ses prédécesseurs et perfectionné sans cesse au fil des millénaires. Il ne pouvait pas échouer. De fait, il ne servait à rien de rester couché ainsi à méditer. Cela lui procurait toutefois une sorte de plaisir.

Il commençait à faire clair au-dehors. Les lampes dissimulées sous le plafond se mirent à baisser d'intensité.

— Guvalash ! entendit-il. Il est temps de te lever, Guvalash.

Le vieillard se concentra sur la voix synthétique qui retentissait tous les matins à la même heure. Il s'y était habitué, si bien qu'il ne coupait plus le réveil automatique.

Il redressa sa silhouette émaciée et voûtée. Ses cheveux blancs lui tombaient sur les épaules. Son visage avait la couleur du parchemin, ses yeux avaient perdu tout éclat. Ses lèvres étaient desséchées et crevassées.

Deux robots s'approchèrent sans un bruit, suspendus dans les airs. Ils soulevèrent le Cappin et le portèrent jusqu'au stimulateur. Le traitement dura quelques minutes, puis ce fut la séance d'habillement. Les machines l'amenèrent ensuite à une table.

Guvalash jeta un regard de mépris à son petit déjeuner.

— Emmenez-moi ça ! ordonna-t-il. C'est un repas pour des malades !

Ce jeu se répétait chaque matin. La nourriture était prescrite selon les indications du stimulateur : indigeste et sans saveur.

Un serviteur mécanique arriva quelques instants plus tard avec un plateau.

— Très bien ! le félicita le vieillard. Là, il y a de quoi rassasier un homme.

Il n'avait jamais ménagé son corps et n'avait pas l'intention de changer d'habitude. S'il ne pouvait plus supporter ce qui lui plaisait, à quoi bon continuer de vivre ?

Il trempa ses lèvres dans un verre et absorba une petite gorgée. Son visage blême prit des couleurs. Il mangea rapidement et, dès qu'il eut fini, jeta :

— Prêt !

Les robots nettoyèrent la table. Quand ils voulurent aider le Cappin, celui-ci les chassa d'un geste de la main. Il se sentait maintenant suffisamment fort pour se dispenser de leur assistance.

Il se demanda s'il devait se mettre en contact avec les Métaguides. Parfois, il s'entretenait très tôt avec eux des problèmes courants. Mais aujourd'hui, il n'en avait guère l'envie.

Il quitta la salle de séjour. Dans le bureau, il ajusta sa ceinture antigrav et se laissa porter par elle le long du couloir.

Comme toujours, six robots lourdement armés montaient la garde à son extrémité. Leur présence relevait plus de la tradition que de la sécurité. Un attentat contre l'Hexarque était totalement inconcevable.

Guvalash attendit que ses impulsions individuelles aient été identifiées. Puis le panneau qui ne devenait visible qu'à cette condition coulissa.

Le vieillard entra dans la chambre désormais accessible. Il frissonna en raison du froid intense qui y régnait et plaqua son manteau contre lui.

Il s'avança vers le petit transmetteur ogival situé au milieu et, sans hésiter une seconde, s'y engagea.

Des énergies supradimensionnelles flamboyèrent entre les deux piliers. N'ayant à accomplir qu'un court saut, le Cappin n'avait pas à craindre de séquelles physiques.

Il se dématérialisa, supportant sans trop de mal la douleur inhérente.

Il atteignit instantanément son but.

Il fut accueilli par le calme habituel. Après toutes ces années, il était toujours impressionné par cet environnement. Dans la salle voisine se trouvaient les organismes difformes des cinq Krémins, qui constituaient le cœur même du piège.

L'homme examina la station réceptrice. Elle était entretenue automatiquement, mais le vieillard était un individu méfiant qui ne voulait prendre aucun risque. Peu avant l'arrivée du Ganjo, lui et les Métaguides se réuniraient dans cette pièce.

Le Cappin interrompit son examen. Il se concentra un instant et effectua un métatransfert à destination des détenus. Comme toujours depuis quelques années, il commença par Krecster-Kalopcs.

— *Bonjour !* salua-t-il poliment.

— *Tu viens plus tôt que d'habitude, cette fois*, pensa la créature.

Guvalash s'étonnait que cet être devenu monstrueux ait conservé une notion du temps après tous ces millénaires passés en captivité.

— *Aujourd'hui, nous n'avions aucune conférence*, expliqua-t-il volontiers. *Comment vas-tu ?*

— *Je veux mourir ! Pourquoi ne me tues-tu pas ?*

— *Bientôt !* promit le Cappin. *Il n'y a plus beaucoup*

à attendre, et toi et tes quatre amis aurez accompli votre mission.

Les pensées de son hôte lui donnaient un aperçu de son séjour interminable en ces lieux. Les cinq prisonniers étaient un véritable phénomène. Ils avaient certes été sélectionnés par les prédécesseurs du vieillard selon des critères précis, mais personne n'aurait jamais cru qu'ils pourraient vivre si longtemps.

Les images du passé étaient étonnamment claires dans la conscience de Krecster-Kalopcs bien qu'elles se fussent naturellement un peu estompées au cours des millénaires. Guvalash avait l'impression que le Krémin se cramponnait aux souvenirs de son ancienne existence et des aventures qu'il avait vécues sur la Route de la Misère.

— *Que dirais-tu si tu pouvais retourner chez toi ?* demanda-t-il à l'être pitoyable étendu sur la table.

Son but, en posant une telle question, était d'inciter le captif à décupler ses processus mentaux. Cela faisait des années qu'il voulait raviver en lui des sentiments depuis longtemps émoussés, comme l'espoir. Maintenant, le temps était venu.

Krecster-Kalopcs ne se berçait toutefois plus d'illusions.

— *Je ne pourrai jamais revenir chez moi ! Je désire seulement mourir.*

— *Tes amis pensent la même chose que toi ?*

— *Oui !*

— *Cela ne te ferait-il pas plaisir de participer à nouveau aux raids que vous meniez contre les voyageurs ?*

Le Krémin ne se départit pas de son calme.

— *Je ne peux plus bouger. Je ne suis qu'un gigantesque encéphale ; je ne possède probablement même plus de corps.*

— *Tu as parfaitement raison*, admit Guvalash.

Pour lui, l'entretien avait maintenant perdu tout son intérêt. L'être difforme avait appris à échapper aux tortures intellectuelles et psychiques.

Le Cappin se projeta dans un autre prisonnier. Là également, ses suggestions provocatrices n'éveillèrent aucune réaction. Mais ce n'était pas important. Le principal était que les cinq cerveaux interconnectés pour former un méta-récepteur fonctionnent au bon moment.

Avant de partir, la conscience du vieillard revint dans l'organisme de Krecster-Kalopcs.

— *Je vous laisse pour aujourd'hui.*

— *Quel dommage*, pensa son hôte. *Pourquoi ne pouvons-nous pas converser plus longuement ?*

— *Peut-être parce que ces discussions commencent à te procurer plus de plaisir qu'à moi*, répondit sincèrement Guvalash.

Il réintégra son corps d'origine, étendu au milieu du piège.

Tout allait bien chez les Krémins. Il n'y avait aucune raison de s'inquiéter. Même si, par un coup du sort, il fallait encore patienter quelques années avant la venue du Ganjo, les cerveaux hypertrophiés rempliraient leur mission.

Le Cappin jeta un dernier regard à la ronde, puis il s'avança vers le transmetteur et se laissa dématérialiser.

Les robots l'attendaient déjà pour l'amener à la fête du Soleil Matinal.

— Ces idiots ! murmura le vieillard avec mépris en songeant aux adeptes de sa secte.

Bien que l'individu qui lui rendait régulièrement visible ait affirmé depuis un bon moment que le Ganjo était de retour, il ne s'était pour l'instant rien produit de notable.

Krecster-Kalopcs n'osait pas en demander la raison. Si l'homme remarquait son intérêt, il serait capable de s'en servir contre lui.

Il regrettait déjà d'avoir admis que les entretiens avec l'étranger lui procuraient du plaisir. Celui-ci serait capable d'écourter ses visites, voire de ne plus venir du tout.

Le Krémin sentait les pensées et les émotions de ses camarades de captivité affluer dans son cerveau. Leurs esprits se faisaient toujours plus proches ; ils avaient même essayé de fusionner.

C'était un objectif qui valait la peine. Ensemble, ils pourraient mieux supporter la souffrance de l'attente.

Krecster-Kalopcs n'avait jamais été un individu préoccupé par des considérations religieuses ; toutefois, ces derniers temps, il s'était souvent demandé si ce qu'ils enduraient ici ne pouvait être une punition pour les actes qu'ils avaient commis sur leur monde.

Mais d'autres avaient accompli des crimes bien plus abominables et avaient eu droit à la mort.

Le prisonnier s'interrogea : la Route de la Misère existait-elle toujours ? Avait-elle encore été surélevée de plusieurs mètres au fil de tous ces millénaires ?

Il commença à rêver. Les vestiges de son corps jadis puissant tressautaient par moments.

Ses quatre compagnons l'imitèrent. À mesure qu'ils s'enfonçaient dans l'inconscience, les souvenirs de leur planète d'origine s'estompaient. Les rêves se muaient en cauchemars.

Les cinq cerveaux s'éveillèrent. S'ils n'étaient plus capables de crier, ils ressentaient le terrible effroi. Le calme revint peu à peu.

Ils savaient désormais que le sommeil n'était pas bon pour eux. Mais on ne pouvait pas toujours y échapper...

CHAPITRE VI

Perry Rhodan s'immobilisa brusquement, obéissant à un ordre mental qu'Ovaron avait émis peu après que le bruit terrifiant avait résonné à leurs oreilles.

Atlan grimaça.

— Qu'est-ce que c'est ? demanda-t-il, confus. J'ai déjà posé la question à Merceile, mais elle n'en a aucune idée.

Le Stellarque demeurait calme.

— Des sons mécaniques, détermina-t-il.

— Quoi ? s'écria l'Arkonide, incrédule. Ce doit être de drôles d'engins, alors. Tu n'as pas l'impression d'entendre des broyeurs et des concasseurs ?

— Si, répondit le Terranien.

— *Je crois que vous avez raison*, pensa le Cappin, circonspect. *Ce pourrait être des machines. Dommage que Florymonth ne soit plus avec nous, nous l'aurions interrogé à ce sujet.*

Les robots sphériques qui les escortaient, flottant dans les airs, se mirent à s'agiter. C'était leur façon d'inciter Rhodan/Ovaron et Atlan/Merceile à poursuivre leur route. Les deux hommes ne réagirent toutefois pas. Ils continuaient à s'entretenir de la situation.

— *Je me doute qu'il existe des centrales énergétiques et des installations gigantesques dans cette station*, remarqua le Ganjo, *mais mon peuple sait les faire fonctionner en silence, et ce depuis des temps immémoriaux.*

Perry ne put s'empêcher de rire.

— *Rien n'est parfait, Ganjasi !*

— Pourquoi ne continuons-nous pas ? voulut savoir le Lord-Amiral. Nous apprendrons peut-être d'où vient ce bruit…

Le Stellarque se concentra mentalement. Il sentit l'accord hésitant d'Ovaron. Celui-ci ne s'était toujours pas résigné à effectuer un grand saut par transmetteur. Un nouveau danger semblait maintenant se dessiner.

Entre-temps, les robots s'étaient groupés derrière les deux hommes et se collaient lentement à eux. Leur intention était claire. Ils voulaient les forcer à suivre le corridor.

— Contrainte par la douceur ! constata Atlan. Si nous tergiversons plus longtemps, le ton va sûrement se durcir.

Les globes les poussèrent gentiment, tentant de les faire avancer.

— *Savez-vous comment nous pouvons nous en débarrasser ?* se renseigna Perry.

— *Non*, répliqua Ovaron.

Le Terranien, résigné, reprit sa progression. Le bruit augmenta encore. L'Arkonide parla, mais Perry ne comprit pas ses paroles.

Le couloir débouchait sur une petite salle au milieu de laquelle trônait un transmetteur de taille moyenne.

— *Et voilà !* souffla le Stellarque avec un sourire. *Nous ne devrons donc pas emprunter le modèle géant.*

— *Je n'en suis pas si sûr*, rétorqua le Cappin. *Je crois plutôt que cette installation doit nous y conduire.*

Le soulagement de Rhodan se mua en inquiétude. Son compagnon mental avait sans doute raison.

Dans cette pièce, le vacarme était moins assourdissant que dans le corridor.

Les robots se massèrent à l'entrée. Ils ne laisseraient pas les deux hommes faire demi-tour.

— *Je crains que les ordres que vous avez donnés à la veille de votre départ n'aient pas tous été saisis*, pensa

Perry. *Ou vous imaginiez-vous ainsi le comportement de systèmes automatiques d'origine ganjasie ?*

Ovaron mit plusieurs secondes avant de répondre.

— *N'oubliez pas que deux cents millénaires se sont écoulés depuis, ce que je ne pouvais pas prévoir. J'espérais autrefois réapparaître au bout de quelques années. Mes instructions étaient adaptées à cette estimation.*

Rhodan comprenait. Il n'était naturellement jamais venu à l'esprit du Ganjo qu'il rencontrerait dans une autre galaxie des étrangers disposant d'une machine à voyager dans le temps !

— *Vous croyez donc que toutes ces discordances sont dues à votre longue absence ?* demanda le Stellarque.

— *Bien entendu ! Ce qui me déconcerte, en fait, c'est que nous n'ayons pas davantage de difficultés.*

— Il faut prendre une décision, maintenant ! intervint Atlan, impatient.

L'Arkonide n'avait évidemment rien pu percevoir de la conversation muette entre Perry et la conscience du Cappin.

— J'en laisse la responsabilité à Ovaron, proposa Rhodan. Il semble avoir les plus grands doutes à emprunter un transmetteur. D'un autre côté, il ne veut pas non plus faire marche arrière.

— *Je n'ai jamais été plus proche de mon peuple,* pensa le Ganjasi. *Je suis certain qu'un contact sera établi dès que nous nous serons rematérialisés.*

— *Mais vous craignez que nous mourrions en cours de route…*

Le silence du Ganjo fut plus éloquent que toute parole.

— *Très bien,* soupira le Stellarque. *Nous restons ici et nous tentons de nous frayer un chemin jusqu'à la sortie.*

— *Non !* s'écria Ovaron qui avait enfin tranché. *Nous y allons. Tôt ou tard, nous serons acculés à un tel choix. Alors, autant le faire de notre plein gré.*

Rhodan se contenta d'opiner du chef et se dirigea lentement vers l'appareil.

— Vous devez vous concentrer, recommanda Merceile avec la voix d'Atlan. Si nous voulons survivre à ce saut, il faut nous armer contre l'atroce douleur qui est inévitable ; je redoute fort nous ayons à traverser tout Gruelfin.

— Très bien, l'assura le Terranien.

Il espérait toutefois que ces soucis étaient exagérés.

Le transmetteur était prêt à fonctionner. Entre les colonnes étincelantes, un gouffre s'ouvrait sur l'infini. Quand les deux hommes s'approchèrent, les ténèbres commencèrent à scintiller.

Rhodan se concentra, conscient qu'un choc terrible les attendait. Lui et Atlan n'étaient pas habitués à des transitions aussi énormes.

Il avait l'impression que la conscience d'Ovaron se recroquevillait dans le coin le plus isolé de son cerveau. Le Ganjo lui laissait la conduite des opérations. Il semblait sentir que tout dépendait maintenant du Stellarque.

Côte à côte, le Terranien et l'Arkonide s'engagèrent sous l'ogive.

Perry n'éprouva pratiquement aucune douleur, mais cela ne le soulagea pas pour autant. La quasi-absence de réaction de son organisme révélait tout simplement qu'ils n'étaient pas allés très loin.

L'espace d'une seconde, ils se rematérialisèrent dans le vide cosmique. Rhodan eut le temps de reconnaître l'anneau gigantesque du grand transmetteur. Cette vue suffit pour éveiller en lui une sérieuse inquiétude. Ils n'avaient donc été projetés qu'à l'entrée du colossal dispositif.

Des forces inconcevables propulsèrent le Stellarque vers la vaste ouverture béante.

Il avait soudain l'impression d'être prisonnier d'un carcan rigide. Il chercha à reprendre son souffle. Le choc qui s'ensuivit fut si violent que la pression sur son corps se relâcha. Mais la souffrance qui la remplaça fut d'une intensité à peine imaginable.

Tout ce qui, en lui, était encore conscient et capable de perceptions se rebella contre la désagrégation de ses structures moléculaires. Cette défense était toutefois purement instinctive – et totalement inutile.

C'est la fin ! se dit Perry.

Il plongea dans le noir absolu. Il lui sembla qu'il criait. Son cerveau cherchait désespérément une issue, bien qu'il sût avec une effroyable certitude qu'aucune marche arrière n'était possible.

L'hyperespace s'ouvrit et avala son corps torturé – ou ce qu'il en restait.

La dernière pensée de Rhodan concerna le trajet à parcourir. Il se demanda à quelle distance du *Marco Polo* ils allaient se retrouver – et s'ils arriveraient vivants au but.

Puis ses atomes se dématérialisèrent complètement.

Bien qu'il s'y fût attendu depuis son accession à la tête du Culte du Ganjo, le signal causa un véritable choc à Guvalash. Il l'atteignit alors qu'il revenait d'un sermon auquel il avait assisté comme simple spectateur. Il était étendu sur un siège juste derrière le pilote, lequel ignorait naturellement de quoi il s'agissait.

Vite remis de sa surprise, il se redressa.

— Hâtez-vous ! ordonna-t-il. Je viens d'être informé à l'instant que d'éminents délégués de Phrem requièrent ma présence.

Il remarqua que sa bouche était desséchée. Il criait plus qu'il ne parlait. Il découvrit, étonné, que ses mains tremblaient.

Je dois me reprendre ! pensa-t-il. Les yeux fermés, il se laissa retomber dans le fauteuil en forme de coquille.

Il savait que les Métaguides se mettraient eux aussi en

route sur-le-champ – il était convenu qu'ils accueilleraient tous ensemble le Ganjo.

Guvalash maudit l'appréhension quasi enfantine qu'il ressentait soudain. Cet Ovaron n'était qu'un Cappin comme les autres ! Le fait qu'il portât en lui deux unités terzyom ne revêtait aucune importance.

L'homme aux commandes ne sentait rien de l'excitation intérieure de son passager. C'était un employé stupide dont les pensées triviales tournaient exclusivement autour des petits soucis de sa vie quotidienne.

L'appareil volant atterrit. Des robots avaient été envoyés à leur rencontre, signe que les autres étaient déjà arrivés. Le pilote voulut aider l'ancien à sortir du glisseur mais celui-ci le repoussa en arrière et se laissa tomber agilement dans les bras tendus des machines.

Elles l'emportèrent jusqu'au puits d'accès et plongèrent à l'intérieur.

Le vieillard savait que sans lui, nul ne pouvait pénétrer dans le piège. Ses confrères étaient donc contraints de patienter dans la salle commune.

À l'entrée, il se fit déposer à terre. Il percevait la tension ambiante. Préférant demeurer debout, les dix hommes formaient un demi-cercle et l'observaient minutieusement. La plupart étaient presque aussi vieux que lui. Leurs visages étaient étonnamment rigides ; ils exprimaient le fanatisme et la cruauté. Guvalash avait l'impression de se trouver face à des miroirs, et il se demanda combien de décennies étaient nécessaires pour que le pouvoir change ainsi un individu.

L'Hexarque renvoya les robots d'un geste de la main. Il laissa intentionnellement patienter ses acolytes un moment avant de parler.

— Notre attente va être enfin couronnée de succès !

Le silence qui suivit ses paroles parut presque douloureux.

Le doyen avait souvent cherché à imaginer ce que

seraient ses réactions le jour où le signal retentirait. Or, le triomphe qui aurait alors dû l'envahir brillait par son absence.

Le temps était toutefois venu.

— Pourquoi temporiser encore ? poursuivit-il, s'avançant d'un pas énergique.

Il n'obtint aucune réponse. Les dix hommes semblaient se presser les uns contre les autres.

L'ancien reconnut l'hostilité dans leurs regards – et soudain, il comprit. Ils étaient las d'obéir à ses ordres. Ils voulaient se débarrasser de lui – maintenant, à cet instant.

Guvalash sourit, compatissant. Tous espéraient prendre sa place. À sa disparition, ils se battraient entre eux pour obtenir sa position. Il était douteux que ce conflit se termine sans mort brutale.

— Je devine les raisons de votre hésitation, dit-il doucement. Vos plans immédiats ne me sont pas ignorés. Vous voulez m'éliminer.

Il tira un boîtier d'une poche de son manteau et le brandit.

— Vous pouvez l'avoir !

Il jeta le petit appareil à leurs pieds. Personne ne le ramassa.

— Je dois cependant vous décevoir, poursuivit le Cappin. J'avais prévu l'éventualité d'une telle agression et depuis longtemps modifié la programmation de l'émetteur. Sans mes impulsions individuelles, nul ne peut accéder au piège – ni en sortir.

Ses paroles semèrent l'agitation. Les Métaguides se dévisagèrent, confus.

Finalement, un des hommes fit un pas en avant. Il se pencha et récupéra l'objet. Après l'avoir soupesé dans sa main, il le glissa dans une poche.

— Tout cela n'est que flagornerie, Guvalash ! crachat-il. Tu ne peux pas nous arrêter de cette façon ! Nous avons suffisamment fait ce que *tu* voulais. Cette époque est désormais révolue.

— C'est donc vous qui êtes à l'origine de cette conspiration, Bertjagg, constata le vieillard, impassible. Vous êtes un pauvre idiot. Les autres me font de la peine à s'être laissé entraîner par *vous*. Vous le regretterez bien assez tôt. Sans moi, vous serez livrés à l'impuissance !

Les autres demeuraient dans l'expectative. Les plus âgés regardaient leur confrère comme s'ils espéraient un signe de sa part.

Bertjagg était soudain indécis. Il rejeta son manteau en arrière et dégaina son arme.

Guvalash secoua la tête, dégoûté.

— Vous le feriez vraiment ? Ici ?

Le Métaguide tendit son bras, le doigt sur la détente.

— Vous ne pouvez plus nous arrêter.

L'ancien nota que le méprisant tutoiement avait été abandonné. Ses lèvres minces tremblotaient. Il n'avait pas pensé qu'ils lui faciliteraient *autant* le travail.

— Nous avons la clé ! ajouta le rebelle.

— Le vieux a peut-être raison, objecta nerveusement quelqu'un. Si nous ne pouvons pas accéder au piège sans lui, nous devrions parlementer. Il n'est pas impossible qu'il renonce volontairement à certaines prérogatives.

Le doyen eut un rire sinistre. Porser, ce vieil opportuniste, essayait d'atermoyer en ménageant les deux partis.

— Qu'il n'y ait pas de malentendu ! lança-t-il durement. Il n'est pas question de compromis, mais de soumission absolue.

Bertjagg poussa un cri de rage et tira. Le faisceau radiant fut neutralisé par l'écran énergétique de sa cible. Un bruit sec retentit presque instantanément.

Le corps de l'insurgé explosa.

Les Métaguides se mirent à courir dans tous les sens, dans la plus grande confusion.

— Du calme ! intima Guvalash.

Les robots s'approchèrent en flottant et nettoyèrent les restes éparpillés du cadavre.

— Nous souhaitons bien entendu oublier tout cela au plus vite, dit le vieillard en fixant insolemment ses compagnons. Informez Kroshen. Il est sur la liste d'attente et remplacera Bertjagg. Il prendra son poste avant notre départ pour le piège et nous accompagnera.

Nul ne souleva d'objection. Les Cappins étaient soulagés de ne pas avoir à subir le même sort que leur confrère.

L'un d'eux, Lapocke, demanda finalement :

— Comment l'avez-vous tué ?

— J'avais fait implanter en secret une bombe dans son organisme. Une simple impulsion a suffi.

— Et… et nous ? balbutia l'homme, blême et tremblotant. Nous portons aussi en nous de tels explosifs ?

Guvalash sourit.

— Avec les moyens technologiques à votre disposition, vous n'aurez aucune difficulté à le déterminer. Si vos craintes s'avèrent, vous pourrez toujours les enlever.

L'ancien sentait qu'ils étaient à nouveau entièrement en son pouvoir. La fin de Bertjagg était un avertissement que les autres Métaguides n'oublieraient jamais.

Deux robots se présentèrent bientôt en compagnie de la nouvelle recrue, Kroshen.

Le doyen lui fit signe d'un air las.

— Expliquez-lui de quoi il retourne, Porser. Il est temps que nous nous rendions dans le piège.

Guvalash et les dix Métaguides sortirent l'un après l'autre du transmetteur, situé sur une estrade de vingt mètres de diamètre disposée au milieu d'une pièce rectangulaire. Des consoles formaient un cercle tout autour, accolées aux murs.

— L'appareil reste allumé ! ordonna le doyen en

voyant un de ses compagnons se diriger vers le tableau de commande. Le Ganjo peut arriver à tout moment. Il ne faut pas qu'il parvienne dans la station principale, sinon tout notre travail aura été accompli en vain.

Porser poussa un siège vers son supérieur, lequel s'assit avec un sourire. Il sentait que les autres lui étaient à nouveau complètement soumis.

Guvalash avait toujours éprouvé un sentiment de solitude dans cette pièce à l'équipement spartiate. Il n'avait cependant jamais cédé à son envie d'y changer quoi que ce fût. Le plafond était nu, et ce n'était pas la couleur grise utilisée qui allait égayer les lieux.

— Combien de temps cela va-t-il prendre encore ? se renseigna un des Métaguides.

— On ne peut pas le dire, affirma le vieillard. Le signal que nous avons reçu signifie seulement que le Ganjo se trouve quelque part dans une station émettrice.

Rien n'échappait à ses yeux. Il vit que quelques hommes tapotaient nerveusement la crosse de leurs armes. Personne n'osait s'exprimer à voix haute. Leur comportement était compréhensible. Finalement, ils ne tarderaient plus à être confrontés à l'être qui avait gouverné le principal peuple de Gruelfin deux cent mille ans plus tôt. Quels pouvaient être les pensées et les sentiments d'un individu qui avait derrière lui un tel abîme de temps ?

— Vous ne devez pas avoir peur du Ganjo, les tranquillisa-t-il. Cela ne fait qu'augmenter le risque d'erreurs. Vous savez tous que le plan est parfait. Il ne peut échouer. (Ses paroles ne manquèrent pas leur effet.) Nous devrions…

Guvalash s'interrompit. Son corps tressaillit, puis il piqua du nez.

Les autres se regardèrent, confus.

Le vieillard sentait tous ses muscles se tétaniser ; ce n'était pas la première fois qu'il subissait une telle attaque, mais jamais encore cela ne s'était produit en public.

Porser s'approcha du siège de l'Hexarque en crise.

— Devons-nous vous ramener ?

L'ancien secoua la tête. L'accès était plus violent que d'habitude et se prolongeait. Il finit toutefois par passer. Respirant difficilement, le chef des Métaguides se redressa. Il essuya la sueur sur son front. Tôt ou tard, il n'y survivrait pas. Il n'avait pas besoin d'en discuter avec un médecin ; les symptômes étaient évidents.

Guvalash se laissa aller en arrière et s'abandonna à la faiblesse qui envahissait maintenant son corps. Ses jambes tremblaient.

— Vous sentez-vous mieux ? se renseigna Porser en faisant preuve d'une compassion appuyée.

Le malade réussit à sourire.

— Vous n'allez pas me croire : je suis complètement rétabli. Alors, pas d'espoir prématuré !

L'interpellé tressaillit.

— Vous ne pouvez pas me reprocher cela ! jeta-t-il, troublé. Vous savez que j'ai toujours été un des plus loyaux Métaguides.

— Un des plus lâches, le corrigea Guvalash. Mais je suis content que vous soyez là car même moi, je cherche les points faibles de mes adversaires.

Porser passa une main nerveuse dans ses cheveux gris et s'écarta du siège. Son regard agité sauta de l'homme souffrant à ses confrères.

— Ah ! fit l'ancien, amusé. Vous craignez manifestement des représailles de la part de vos amis. Ne vous faites pas de souci. Je leur dirai que vous ne m'avez encore fourni aucune information.

Il donna un coup sec avec ses jambes et le fauteuil commença à s'élever.

— Assez, maintenant, effaçons tout cela ! À présent, il s'agit d'accueillir le Ganjo comme il se doit. Je serai le seul à prendre la parole. Nul d'entre vous ne doit intervenir. Plus tard, vous aurez l'occasion de participer à l'entretien. N'oubliez pas que nous *devons* le tuer. C'est une obligation si nous voulons conserver notre pouvoir.

Un murmure approbateur parcourut le cercle des Métaguides.

— Je vois que nous nous comprenons, constata Guvalash, satisfait. Ovaron peut désormais venir.

Le silence s'instaura. Chacun était plongé dans ses propres pensées.

Peut-être pourrai-je encore vivre quinze ans malgré ma maladie, se dit le doyen.

Quinze années de puissance…

À quoi d'autre un vieil homme pouvait-il donc s'accrocher ?

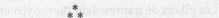

L'impatience des Métaguides allait croissant. Deux heures déjà qu'ils attendaient. Cela faisait maintenant trois heures que le signal avait retenti. Même Guvalash devenait inquiet, mais lui ne le montrait pas. Il se limitait à observer les autres.

Quatre hommes s'étaient retirés dans un angle de la pièce et s'entretenaient à voix basse. Cela ne gênait pas leur chef, bien qu'il fût certain d'être l'objet de leur discussion. Quels que soient les plans qu'ils ourdissaient, il ne se laisserait avoir par personne.

Le vieillard rapprocha son siège du transmetteur. L'appareil était prêt à recevoir. Ses fonctions avaient été amplement testées.

Il ne savait pas avec précision d'où le Ganjo viendrait. Peut-être avait-il été retardé. On pouvait également imaginer qu'il avait choisi un autre chemin.

Non ! pensa l'ancien, résolu. *C'est la seule route.*

Il se matérialiserait forcément ici, il n'avait pas le choix.

Soudain, le deuxième signal retentit ! Guvalash pinça les lèvres.

Le silence se fit à l'intérieur du piège.

Les regards étaient rivés sur l'espace noir entre les colonnes, où des ondoiements commençaient à se dessiner. Des éclairs bleu foncé tressautaient d'un bord à l'autre. Des énergies colossales étaient à l'œuvre.

— Il arrive ! murmura fébrilement l'un des Métaguides.

Guvalash rejeta son manteau en arrière et posa une main sur son arme. Il se pourrait qu'il ait à tirer immédiatement car, selon la tradition, le Ganjo Ovaron était un homme aux réactions rapides. Il était certainement aussi très méfiant.

Le siège du vieillard se tenait tout prêt de l'estrade. L'ogive se situait à dix mètres de lui, à un mètre au-dessus du sol.

Les piliers du transmetteur flamboyèrent.

Maintenant ! pensa le Cappin.

La tension était insupportable.

Une ombre indistincte se matérialisa, puis – ce fut un choc pour Guvalash – une *deuxième*.

Les yeux écarquillés, l'ancien vit deux individus de grande taille sortir de l'appareil en titubant, et s'effondrer à ses pieds.

Le monde s'écroulait pour le vieillard. Aucun des deux arrivants n'était le Ganjo Ovaron…

Depuis des heures, Icho Tolot était resté assis entre les deux caissons renfermant les corps flasques des Cappins, telle une monumentale idole de pierre. Personne ne savait s'il était éveillé ou s'il dormait. Seule certitude, il ne bougeait pas.

— Qu'est-ce qu'il fait ? demanda doucement Fellmer Lloyd à Ras Tschubaï, debout à côté de lui.

Le téléporteur jeta un œil à l'autre bout de la centrale et secoua la tête.

— Il veille juste sur eux, s'immisça Waringer qui avait entendu la question du mutant.

Un calme trompeur s'était instauré à bord du *Marco Polo*.

Le colonel Korom-Khan et Senco Ahrat occupaient le siège du pilote à tour de rôle. Roi Danton, qui assurait toujours le commandement du navire, ne voyait nulle raison pour lever l'état d'alerte générale. Leur situation demeurait précaire.

L'Émir se matérialisa, revêtu d'un spatiandre. Son premier regard se porta sur les deux bacs. Quand il vit que tout était en ordre, il s'approcha de ses deux amis en se dandinant.

— Je suis inquiet, déclara-t-il. Perry et Atlan devraient être revenus depuis longtemps.

Tschubaï éclata de rire.

— Tu es un indécrottable optimiste, petit. Ils ne vont pas rentrer aussi vite !

Le mulot-castor se gratta une oreille.

— J'aimerais bien savoir où ils se trouvent actuellement. (Il désigna les deux caissons.) Des nouvelles ?

— Aucune, répondit l'Afro-Terrien. Nous ne savons pas non plus si l'idée d'Ovaron fonctionnera.

Le Ganjo avait annoncé vouloir essayer de communiquer des informations importantes à l'équipage par l'intermédiaire de son propre tzlaaf, en le faisant palpiter selon un rythme s'apparentant à des signaux en morse.

L'Ilt poussa un soupir sonore.

— Je me fais vraiment des soucis quant à…

Il s'interrompit, car Icho Tolot s'était redressé brusquement pour tirer sur la feuille plastifiée qui recouvrait ce qui restait des deux Cappins.

Scientifiques et officiers se massèrent tout autour.

Le fils de Rhodan se fraya un chemin à travers les spectateurs. Quand il fut auprès du Halutien, il jeta un regard sur les masses de protoplasme.

— Que se passe-t-il ? s'enquit-il.

— Les bâches ont bougé, annonça le géant. (Sa voix tonnante se faisait entendre dans chaque recoin de la vaste centrale.) Je les ai enlevées pour voir de quoi il retournait. Constate par toi-même, Dantonos !

Roi vit que les pseudocorps tressautaient par moments, de façon irrégulière et sans logique apparente.

— Depuis combien de temps cela dure-t-il ? se renseigna Waringer.

— Ça vient juste de commencer, répondit le colosse quadrumane.

— Les pulsations semblent dépourvues de toute signification, remarqua l'ancien souverain des Libres-Marchands. Il ne s'agit en aucun cas des signaux en morse convenus avec Ovaron.

— Lui et Merceile veulent peut-être réintégrer leurs organismes, avança un des savants.

Les hommes fixèrent avec espoir les deux masses informes, mais elles cessèrent progressivement de trembloter.

— Rien n'indique qu'ils reviennent, dit Tolot. Néanmoins, quelque chose d'important a dû se produire. Il doit y avoir une raison à ce soudain frémissement.

Danton et Waringer échangèrent un regard lourd de sens. Tous deux partageaient le même avis : des événements décisifs étaient probablement en train de se dérouler en un lieu inconnu. L'agitation des deux tzlaafs ne pouvait s'expliquer que d'une façon : Rhodan et Atlan étaient en danger. Les consciences des deux Cappins, qui étaient ancrées dans les deux hommes, avaient réagi en conséquence. Les influx correspondants s'étaient propagés jusqu'ici.

Roi se sentit frissonner. Cette affaire était de plus en plus inquiétante.

— Nous ne pouvons rien faire, soupira l'hyperphysicien. Nous apprendrons certainement tôt ou tard ce que signifient ces spasmes. Nous savons en tout cas désormais qu'Ovaron et Merceile peuvent transmettre leurs sensations. Ils arriveront peut-être ainsi à communiquer avec nous.

Le fils du Stellarque fit signe au Halutien.

— Recouvre les caissons, Tolot !

— Comme tu veux ! (Le géant rabattit la bâche sur les masses protoplasmiques.) Je vais toutefois leur prêter une plus grande attention.

Danton hocha la tête, reconnaissant. Il ne pouvait souhaiter un meilleur observateur que le colosse.

Les événements dans la centrale avaient ravivé la tension à bord de l'ultracroiseur. L'atmosphère, qui avait commencé à s'améliorer progressivement, changea d'un coup. Même les plaisanteries de L'Émir, capables de dérider les membres d'équipage les plus sérieux, tombaient à plat.

Tous étaient parfaitement conscients que quelque part dans les profondeurs de Gruelfin, Rhodan et Atlan devaient lutter pour assurer leur survie.

CHAPITRE VII

Ramené violemment à une existence physique, Perry
Rhodan sortit en titubant du transmetteur. Il fit quelques
pas avant de s'écrouler, à moitié aveugle et sourd. Il n'y
avait pas une cellule de son corps qui ne lui fît mal. Il
entendit un choc à côté de lui et sut qu'Atlan venait de
subir le même sort.

La souffrance se répandait par vagues dans tout son
organisme, au rythme de son activité cardiaque, n'en
épargnant aucun recoin. Impuissant, il gisait là, agité de
soubresauts.

Je meurs ! se dit-il.

Sa conscience dérivait vers les abîmes ténébreux de la
mort, cherchant à échapper à ce supplice insupportable.

Et alors qu'il se résignait déjà, une présence se manifesta dans son cerveau.

— *Ovaron !* réalisa le Stellarque.

— *Vous ne devez pas abandonner !* crièrent les pensées du Ganjo. *Espèce de damné lâche ! Je savais que je
ne pourrais me fier à vous dès lors que les choses
deviendraient sérieuses !*

Perry comprit à peine mais il ressentit la monstrueuse
détermination de l'esprit qu'il hébergeait. Elle se communiqua peu à peu à sa conscience. Le désir de survivre
à cet effroyable saut s'imposa. L'étincelle avait ravivé le
feu de sa volonté.

Rhodan releva opiniâtrement la tête. Des ombres se

mouvaient autour de lui, au sein d'un opaque crépuscule. Il entendit Atlan gémir tout près de lui.

— *Bien !* jeta le Cappin. *Très bien, Terranien ! Continuez comme ça !*

La douleur envahit à nouveau le Stellarque et provoqua une série de convulsions. Seulement, cette fois, il s'y opposa immédiatement, faisant bien comprendre qu'il voulait recouvrer le contrôle de son corps.

— *Nous devons avoir franchi une incommensurable distance*, pensa le Ganjasi. *Mais nous avons survécu.*

— *Vraiment ?* demanda Rhodan. *Et si je meurs maintenant ? Je ne peux plus bouger, mes sens ne répondent plus.*

— *Cela passera*, assura Ovaron. *Vous devrez le supporter encore un petit moment.*

Perry continua à lutter. Et progressivement, son organisme se mit à obéir à nouveau à ses ordres.

Il redressa la tête. Les formes se firent plus distinctes, se muèrent en dix silhouettes humanoïdes qui se tenaient debout devant le transmetteur. Un onzième individu était assis dans un fauteuil, à côté. Il devait être très vieux. La plupart de ces étrangers l'étaient, d'ailleurs. En témoignaient leurs visages ridés, comme leurs dos voûtés et leurs cheveux blancs.

Le Terranien se retourna lentement. Atlan était étendu juste derrière lui. Les traits de l'Arkonide étaient déformés au point d'en être méconnaissables. Effrayé, Perry détourna le regard. Il réalisait qu'il devait certainement présenter le même aspect pitoyable.

— *Vous êtes tous les deux complètement crispés*, remarqua le Cappin.

Quand Rhodan s'intéressa à nouveau à son environnement, il constata que le vieillard trônant sur le siège braquait une arme sur eux. Il en allait de même pour les dix autres individus.

— *Qu'est-ce que cela signifie ?* demanda-t-il mentalement. *Le comité de réception se montre hostile. Ce sont bien des Ganjasis ?*

La réponse qui lui parvint était plutôt hésitante.

— *Je l'ignore. C'est possible, mais je n'en suis pas certain.*

— *Où sommes-nous ?* poursuivit Perry. *Le transmetteur duquel nous sommes sortis est très petit. Il ne peut en aucun cas s'agir du pendant de celui que nous avons emprunté !*

— *Exact !* acquiesça Ovaron. *Nous sommes arrivés dans une station auxiliaire couplée au modèle géant. Je n'en sais pas plus. Nous devons parler à ces gens.*

Rhodan s'appuya sur ses avant-bras et rampa jusqu'au bord de l'estrade, d'où il put mieux voir les inconnus qui les menaçaient. Ils l'observaient avec un air sinistre. Le Stellarque se doutait qu'ils avaient affaire à des dignitaires de haut rang. Quelque chose dans leur comportement le mit en garde. Ce n'était pas leurs radiants, qui pouvaient n'être qu'une simple mesure de précaution.

C'était l'expression sur leurs visages.

Rarement, il avait lu sur des traits humains autant de haine et d'avidité.

— *Ganjo !* pensa le Terranien, à présent maître de lui. *Ces gars ne me plaisent pas. Réfléchissez bien, partenaire ! Nous nous sommes matérialisés dans une installation secondaire pour être aussitôt confrontés à des hommes à la mine patibulaire. Qu'en concluez-vous ?*

— *Vous ne croyez quand même pas que… ?*

— *Si !* rétorqua Rhodan. (Il sentit qu'Ovaron se retirait, ébranlé, mais poursuivit.) *On nous a attirés dans un piège. Ces individus-là appartiennent peut-être à une organisation criminelle qui désire vous éliminer.*

— *Impossible !*

Perry constata que son corps se détendait progressivement. Les douleurs s'estompaient, son visage reprenait son aspect habituel. Il se leva et remarqua du coin de l'œil que le canon des armes suivait chacun de ses mouvements. À la moindre erreur de sa part, les autres ouvriraient le feu.

La main d'Atlan se posa sur son épaule. Il lui jeta un regard furtif. La face de l'Arkonide paraissait creusée. L'épreuve subie avait laissé une forte empreinte.

— Je dois admettre, murmura le Lord-Amiral d'une voix enrouée, que je ne serais plus en vie sans l'aide de Merceile.

Rhodan ne répondit pas. Il se concentrait sur le groupe qui l'observait. L'ancien, dans le fauteuil, était sans aucun doute le chef.

Il se doutait que l'unique solution qui leur restait était la fuite en avant. Probablement ces inconnus s'étaient-ils uniquement attendus à voir le Ganjo sortir du transmetteur.

Tout autour, collés contre les murs, s'alignaient des machines et des instruments de mesures. Perry vit de nombreux appareils équipés d'antennes. Dès que les onze hommes se seraient remis de leur surprise, ils relèveraient les impulsions individuelles des deux arrivants et réaliseraient la présence supplémentaire de deux esprits.

Le Stellarque croisa les bras sur la poitrine et fixa les étrangers avec un sourire. Sa position surélevée lui procurait un avantage psychologique. D'autant plus s'il prenait la parole en premier.

— À ce que je vois, on nous attendait, dit-il dans la langue véhiculaire de Gruelfin. Ces messieurs m'ont cependant l'air légèrement choqués. On dirait que vous espériez quelqu'un d'autre…

Le Terranien nota avec satisfaction l'effet de ses mots. Le vieil homme assis parut se recroqueviller. Ses confrères raclaient avec inquiétude le sol de leurs pieds ou fuyaient son regard.

— Mon nom est Perry Rhodan, poursuivit tranquillement le Stellarque. (Il indiqua son compagnon.) Et voici le Lord-Amiral Atlan. Nous venons tous deux d'une lointaine galaxie où nos peuples ont bâti de puissants empires. En comparaison, ceux des Ganjasis ou des Takérans ne sont que de ridicules potagers.

L'individu dans le fauteuil murmura une réponse inintelligible.

— *Vous commettez une erreur !* pensa le Cappin, affolé. *Je ne crois pas que ces gens se laissent si facilement impressionner. Ils paraissent tous posséder une grande expérience.*

— *La psychologie appliquée dépasse les limites de vos possibilités*, émit l'immortel terranien. *Qu'il ne vous vienne pas à l'idée de me maîtriser et d'agir à ma place !*

— *Continuez comme vous l'avez fait ! Mais soyez prudent.*

Rhodan reprit à voix haute, avec un sourire moqueur.

— Vous êtes si blêmes, Messieurs ! Naturellement, vous vous demandez si vous devez nous tuer. J'admets que nous ne pourrions pas l'empêcher. Toutefois, un tel acte signifierait votre propre fin, à vous et à votre organisation. Je puis me permettre de vous révéler que la conscience d'Ovaron se trouve dans mon corps ; Atlan, lui, héberge celle d'une femme cappin, Merceile.

Il leva les bras quand le vieillard bondit sur ses pieds et s'approcha de l'estrade. Les dix autres hommes s'apostrophaient confusément. Les paroles du Terranien avaient encore accentué le désordre dans la salle du transmetteur.

— Calmez-vous ! intima l'Arkonide.

Le silence revint.

Perry hocha la tête, satisfait.

— Vous vous étonnez certainement que je vous aie dévoilé aussi aisément leur présence. Nous nous rendons parfaitement compte que, tôt ou tard, vous vous en seriez aperçu. Voilà pourquoi nous avons décidé de jouer cartes sur table. Si vous deviez maintenant tirer sur moi ou Atlan, vous nous tueriez probablement, mais les Cappins réintégreraient leurs propres corps qui reposent à bord du *Marco Polo*. Je pense que notre navire ne doit plus vous être inconnu, il a semé suffisamment de troubles dans cette galaxie. Ovaron et Merceile veilleront à ce que votre trahison soit sue de tous ; ce serait le début de la fin pour votre organisation, qu'importe sa nature.

L'aîné du groupe recula de quelques pas et se laissa retomber dans son fauteuil. Il leva son arme avec un sourire.

— Je commençais déjà à croire que vous pourriez mettre nos plans en péril, dit-il, et le triomphe rendit sa voix encore plus rauque. Seulement, à présent, je vois que tout va fonctionner comme prévu.

Rhodan comprit aussitôt qu'il venait de commettre une grave erreur.

Mais laquelle ?

Le vieillard semblait maintenant être certain que plus aucun danger ne les menaçait. Cela ne pouvait que signifier qu'ils possédaient un moyen pour empêcher les deux consciences de retourner dans leurs propres corps à bord du *Marco Polo*.

Oui, conclut le Stellarque, alarmé. *C'est ça, la raison !*

Sa pensée suivante fut pour Ovaron.

— *Je suis désolé, Ganjo ! Hélas, nous avons perdu…*

— Dans la pièce d'à côté, expliqua Guvalash, réjoui, se trouvent les cerveaux de cinq Krémins. Ils ont été conditionnés pour devenir des récepteurs coercitifs. Réunis, ils constituent un réseau attractif fermé. Toute personne désirant entreprendre un métatransfert à proximité se verra obligatoirement projetée dans un de leurs organismes. Ainsi, ni le Ganjo ni la femme ne pourra réintégrer son corps d'origine.

Rhodan profita de la pause qui suivit pour interroger Ovaron :

— *Vous croyez que c'est vrai ?*

— *Oui. De telles expériences avaient déjà lieu à mon époque. Les scientifiques de mon peuple ont eu deux cent mille ans pour les mener à terme. Je suis certain qu'ils y sont parvenus.*

Le Terranien sentit alors son locataire prendre le contrôle. Le Cappin s'exprima par sa voix :

— Ça marchera peut-être avec Merceile, l'ancien, mais pas avec moi ! En tant que porteur d'unités terzyom, je suis immunisé contre ce type de piège. Vous n'avez qu'à le vérifier.

Sur ces dernières paroles, le Ganjo rendit sa liberté au Stellarque.

Si Guvalash se mit à rire, son assurance s'était évanouie. Ils avaient beaucoup entendu parler des incroyables facultés du souverain exilé. Ces histoires n'avaient pas manqué de l'impressionner.

— *Ce que vous avez dit est vrai ?* demanda Rhodan à Ovaron.

— *Oui*, répondit le Ganjasi. *Mais je ne suis pas certain qu'en cas d'attaque mortelle sur votre personne, je parviendrai à me retirer dans mon tzlaaf. Tant que je n'aurai pas effectué de métatransfert, je ne pourrai savoir quelle est la puissance des impulsions cérébrales de ces Krémins.*

— Votre tentative pour nous impressionner ne marchera pas ! retentit la voix du vieillard.

Le Terranien baissa le regard vers lui. Il estimait qu'il valait mieux se taire pour le moment. De cette façon, il contraindrait l'étranger à prendre l'initiative. Perry savait que son sort se jouait à cet instant précis. Tout dépendrait de la réaction de l'ancien.

Guvalash réfléchissait fébrilement. Les dix autres

hommes attendaient manifestement qu'il prenne sa décision.

Plus le Cappin consommait de temps pour s'éclaircir les idées, plus Rhodan gagnait en assurance. Il avait réussi à ébranler la confiance en soi de son interlocuteur.

— Si vous et vos fidèles vous soumettez tout de suite, nous daignerons oublier ce qui est arrivé, dit le Stellarque comme s'il s'agissait de la proposition la plus banale qui soit.

Au même instant, il comprit qu'il était allé trop loin.

L'Hexarque leva son arme.

— Nous préférerions mourir plutôt que de nous rendre ! cria-t-il. Mais nous vous tuerons d'abord, toi et ton ami !

Entre Guvalash et l'estrade du transmetteur se matérialisa soudain un rideau d'énergie scintillant qui se contracta rapidement en une forme tourbillonnante. Les Métaguides furent aussi surpris que Rhodan/Ovaron et Atlan/Merceile.

Le vieillard laissa retomber son bras, abasourdi. Ses confrères apeurés reculèrent jusqu'au mur du fond.

Perry observait la manifestation lumineuse qui prenait nettement l'apparence d'une silhouette gigantesque.

— Florymonth ! s'exclama-t-il, soulagé. Je n'aurais jamais pensé que le revoir me réjouirait autant.

La créature redevint complètement matérielle. Sa tête touchait le plafond. Son corps enflé barrait la vue aux Cappins horrifiés.

— Je suis votre ami ! hurla le géant à la peau verte d'une voix stridente. Je viens directement d'une planète marécageuse où j'ai soigné des racines malades. Il ne faut pas me faire de mal !

— Tu peux t'épargner ça ! dit sèchement Rhodan. Ces vieux barbons doivent savoir qui tu es réellement.

Il bondit en bas de l'estrade et s'approcha du colosse. Le hasard (ou était-ce la volonté du techno-chapardeur ?)

lui avait mis toutes les cartes en main. Les étrangers semblaient être prêts à fuir cet endroit. Ils n'attendaient qu'un signal de leur chef.

Le Terranien s'appuya contre le ventre gonflé de l'être artificiel.

— Comme vous voyez, nous ne sommes pas venus seuls ! (Il posa sa paume à plat sur la peau froide.) Voici Florymonth. Il fait partie d'un robot immense bâti sur les ordres d'Ovaron. Mais ce n'est sans doute pas la peine que je vous le dise…

Son explication accrut encore davantage la confusion des onze vieillards.

— Il n'existe pas de telle chose ! jeta le doyen en s'agitant dans son siège. Il n'y en a jamais eu !

— *Qu'en pensez-vous ?* émit mentalement le Stellarque.

— *C'est ce que je craignais !* répondit le Cappin de la même façon. *Mais les paroles de l'ancien signifient seulement que lui et ses acolytes n'ont jamais vu cette construction. Ça ne veut pas dire qu'elle n'existe pas.*

— *Votre optimisme est sans égal*, répliqua Rhodan, plein d'ironie.

Puis, à voix haute :

— À présent, nous aimerions bien entendre quelques explications de votre part. De votre loquacité dépendront nos rapports futurs.

L'homme assis dans le fauteuil ne broncha pas. Perry vit un mur s'ouvrir au fond. Des douzaines de robots lourdement armés entrèrent, sustentés par des flux antigrav.

Guvalash afficha un sourire distordu.

— Nous sommes également équipés pour de tels incidents. Nous allons vous maintenir provisoirement en captivité. Cela reste toutefois à voir pour Atlan, vu que son corps héberge Merceile qui n'est d'aucune utilité pour nous.

— *Pourquoi Florymonth n'intervient-il pas ?* demanda le Terranien à Ovaron.

Les pensées du Ganjasi reflétaient sa perplexité. L'immobilisme de la créature ne pouvait s'expliquer que par une mauvaise appréhension de la situation. Manifestement, il lui était impossible d'assimiler le fait que le Ganjo avait été accueilli par des ennemis.

Rhodan observa les machines adverses qui se déployaient en cercle autour d'eux. Il n'osait pas courir le risque d'un affrontement, d'autant plus qu'il ignorait quel serait le comportement du colosse.

— Ce que je vais maintenant vous dire, résonna la voix du chef des étrangers, je le fais volontiers. Vous l'auriez de toute façon appris avant de mourir. Votre « locataire » doit savoir qu'il a perdu son pouvoir. (L'ancien désigna les dix hommes qui se tenaient derrière son siège.) Nous sommes les chefs de l'une des plus grandes organisations religieuses qui ait jamais existé dans Gruelfin. Nos adeptes se comptent par milliards. Nous-mêmes sommes les Métaguides et je suis Guvalash, l'Hexarque. Vous allez être surpris d'apprendre que nous avons toujours soutenu de toutes nos forces la croyance en un retour du Ganjo, mais c'était le meilleur moyen pour asseoir notre puissance. Il nous suffit maintenant de tuer Ovaron et notre organisation continuera à opérer en son nom.

— *C'est un traître !* pensa Rhodan avec intensité. *Lui et les dix autres se sont manifestement emparés du pouvoir de façon plutôt brutale !*

Son compagnon mental ne put formuler aucune réponse raisonnable. Entendre que son peuple existait encore l'avait ébranlé. Le Stellarque tenta de se protéger contre les impulsions confuses qui l'inondaient. Il comprenait parfaitement les sentiments qu'éprouvait la conscience logeant dans son cerveau mais il aurait préféré que dans l'intérêt de leur situation, le Cappin se ressaisisse plus rapidement.

— *Nous devons nous concentrer sur nos problèmes !*

exigea Perry. *Essayez de ne plus songer pour l'instant à vos congénères, sinon c'est pour le coup que vous ne les reverrez jamais !*

— *Vous avez raison…*

Le déferlement d'émotions se calma.

— *De surcroît, nous ignorons si le vieux a dit la vérité*, ajouta le Terranien.

— Vous ne retournerez jamais chez vous ! poursuivit Guvalash. Et même si vous regagnez à présent le *Marco Polo*, nous garderons toujours vos amis en otages.

Avant que le Stellarque ait pu répondre, Atlan poussa un cri effrayé. Rhodan pivota sur ses talons et se retrouva face au visage atterré de l'Arkonide.

— Merceile ! jeta le Lord-Amiral. Elle a quitté mon corps par métatransfert !

Quelques minutes avant que la jeune Cappin ne fût prise de panique, Atlan avait senti qu'elle allait perdre son sang-froid. Il avait cru pouvoir la tranquilliser sans l'aide d'Ovaron et Rhodan. Aussi n'avait-il guère prêté attention à la joute oratoire entre le vieillard et Perry, se concentrant entièrement sur Merceile. Quand Guvalash avait annoncé que la vie de l'Arkonide comptait peu, cela avait été le coup de grâce.

Le Lord-Amiral avait encore lutté mentalement un moment avec elle en l'enjoignant de ne pas se laisser entraîner par une impulsion irraisonnée.

Tous ces efforts s'étaient révélés vains.

Elle avait même évité d'informer son hôte de ses intentions. Celui-ci put seulement tirer de ses pensées confuses qu'elle projetait de fuir à destination de son corps dans le *Marco Polo*.

Quand elle accomplit finalement le métatransfert, Atlan comprit que celui-ci allait mal tourner. Merceile devait tomber dans le piège que les Métaguides avaient édifié pour Ovaron.

L'Arkonide perçut encore un appel de détresse désespéré par voie télépathique, puis il se retrouva seul.

Bien qu'il se fût tout ce temps rebellé contre la conscience étrangère, il se sentait maintenant désemparé, confus.

Il informa alors le Stellarque.

Ce dernier le fixa avec effroi et le Lord-Amiral crut distinguer dans les yeux de son ami le visage déformé du Ganjo.

Des témoins commencèrent à s'allumer sur un tableau de contrôle situé juste à côté. Plusieurs machines bourdonnaient bruyamment.

L'attention de Guvalash s'était réveillée.

Il jeta un regard triomphant à Rhodan.

— C'est la femme, n'est-ce pas ? Elle a quitté le corps d'Atlan ! (Il voulut rejoindre avec son fauteuil les appareils logés le long du mur, mais le Terranien se dressa en travers de son chemin.) Poussez-vous, espèce d'idiot ! hurla le vieillard hors de lui. Je veux voir où elle se trouve. Elle a probablement été interceptée par les Krémins et est maintenant retenue prisonnière par l'un des cerveaux.

— *Laissez-le vérifier !* pensa Ovaron. *Il a pour l'instant tous les atouts en main.*

Perry libéra le passage.

Sans se préoccuper des deux étrangers, l'Hexarque alla effectuer quelques manipulations sur un pupitre. Le Stellarque ne le quittait pas des yeux. Il ne voulait pas être pris au dépourvu.

— Que ferons-nous si Merceile n'a pas atteint le *Marco Polo* ? s'inquiéta Atlan. En aucun cas, nous ne pouvons l'abandonner à son sort !

— Attendons de voir ce que va dire le vieux, proposa Rhodan.

Il constata que Guvalash hochait vigoureusement la tête. Manifestement, ses soupçons étaient confirmés.

— C'est bien ça ! croassa-t-il. (Ses joues creuses avaient viré au rouge.) Elle a été happée par le piège !

— Vous devez la libérer ! exigea le Terranien.

L'ancien eut un rire hideux.

— Vraiment ? Vous vous faites des illusions, mon ami ! Elle et Ovaron sont les grands perdants dans cette lutte pour le pouvoir sur Gruelfin. Nous ne vous tuerons peut-être pas, vu que nous ne sommes pas sûrs de ce qui adviendra ensuite du Ganjo, mais nous vous garderons en captivité. D'après ce que je sais de lui, je me doute qu'il ne vous laissera pas tomber, pas plus que Merceile.

Le responsable de l'Empire Solaire pinça fortement les lèvres. Le vieillard était glacial et retors. Il saurait profiter de son avantage, et en exploiter toutes les possibilités. Le Stellarque avait compris qu'il n'hésiterait pas à assumer certains risques.

La stratégie que Rhodan avait adoptée dès son arrivée devenait de plus en plus délicate.

— *Vous devez vous montrer plus prudent, Perry !* pensa le Ganjasi, qui semblait éprouver des sentiments similaires. *L'ancien est roué. Il ne se laissera pas si facilement berner.*

— Il faut que Florymonth intervienne ! exigea Atlan. Ovaron, parlez-lui !

— Il croit que ça ne servira à rien, répondit le Terranien à la place du souverain. Le techno-chapardeur ne prendra pas l'initiative. Il doit d'abord saisir ce qui se passe.

— Qu'il se hâte, alors ! rétorqua l'Arkonide, irrité.

Affichant une fausse bonhomie, Guvalash lança :

— Je vais vous expliquer la nature de la prison dans laquelle Merceile a échoué. Les Krémins reposent déjà depuis des millénaires dans la pièce adjacente. Leurs corps ont dégénéré ; ce ne sont pratiquement plus que des cerveaux géants, interconnectés par des câbles et des circuits. Ils émettent de si fortes impulsions que tout Cappin non habitué qui effectue un métatransfert à proximité est attiré et piégé par eux. Votre amie aura certainement besoin d'années pour recouvrer sa liberté…

Le Stellarque dut mobiliser toute son énergie pour contenir Ovaron. Les paroles arrogantes du vieillard avaient plongé le Ganjo dans une effroyable colère. Il se serait aveuglément lancé à l'attaque si Rhodan ne s'était pas interposé.

Le Ganjo sentit la résistance de son hôte et se calma. Perry soupira. De la sueur dégoulinait le long de son épine dorsale.

— *Je ne peux pas me battre sur deux fronts !* protestat-il avec rage. *Maîtrisez-vous tandis que je m'occupe du traître.*

Ovaron s'excusa.

— *J'ai perdu mon sang-froid. Ce démon veut manifestement retenir à jamais Merceile prisonnière dans un cerveau krémin.*

— *Vous connaissez ce peuple ?*

— *J'en sais aussi peu que vous à son sujet. Il s'agit manifestement d'individus particulièrement bien adaptés aux expériences criminelles des Métaguides.*

Le Terranien afficha un sourire acerbe.

— *Je doute que vous vous soyez attendu à tomber sur des renégats à votre retour. Maintenant, il vous faudra en plus affronter onze Ganjasis prêts à tout. Et ils vous feront davantage de difficultés que tous les Takérans réunis !*

Ovaron ne répondit pas, mais Rhodan percevait nettement la déception qu'il éprouvait ; il s'était probablement imaginé recevoir un accueil fort différent.

Il se concentra à nouveau sur les paroles de Guvalash qui continuait à discourir.

— … avons seulement poursuivi le travail de nos prédécesseurs qui, quelques millénaires plus tôt, ont ramené les Krémins de Pakos-Lesh.

— Tant qu'il parle, il ne présente aucun danger, souffla le Stellarque à Atlan, s'exprimant en intergalacte. Cherchons un moyen pour libérer Merceile.

Le Lord-Amiral regarda autour de lui.

— Où sont les cerveaux ?

— Quelque part dans les parages. Nous devons les localiser et les tuer. C'est notre unique chance.

L'Arkonide observait avec des sentiments mitigés les Métaguides armés et les nombreux robots de combat.

— On ne nous laissera pas faire !

— Non, confirma Perry. Nous allons devoir nous battre. Mais nous ne pouvons pas abandonner notre amie.

— Cela va de soi, émit Ovaron. Agissons tant qu'il est encore temps.

*
* *

Krecster-Kalopcs sentit une conscience étrangère pénétrer en lui. Ce n'était toutefois pas son visiteur usuel.

Il perçut des impulsions de panique. Qui que cela puisse être, l'inconnu était sous l'emprise d'une immense terreur.

Le Krémin découvrit avec surprise que l'intrus cherchait déjà à s'éclipser et qu'il ne parvenait pas à s'arracher à son corps. Il se protégea autant que possible du chaos mental. Il avait du mal à localiser des pensées isolées.

Le Ganjo depuis si longtemps attendu était-il tombé dans le piège ?

Mieux valait patienter. L'individu dont l'esprit se trouvait à présent dans son cerveau pouvait être un adversaire de ses bourreaux. Avec de la chance, la mort si longtemps espérée était enfin proche.

Les puissantes ondes d'angoisse ne s'étaient toujours pas apaisées. L'être désespéré tentait de fuir. Krecster-Kalopcs se demandait pourquoi il n'y arrivait pas. Ses geôliers n'avaient jamais eu de difficultés à se retirer quand ils le désiraient.

Cela faisait des années qu'il n'avait plus mobilisé ses forces avec autant d'intensité. Il était tout excité à l'idée de percevoir enfin autre chose que les pensées quasi stériles de ses gardiens.

Il rassembla toute son énergie et émit :

— *Calmez-vous ! Je ne suis pas votre ennemi. Peut-être pourrai-je même vous aider.*

En vain. L'esprit de l'autre s'agitait dans tous les sens.

Le Krémin crut comprendre que son visiteur avait en fait voulu atteindre quelque but lointain mais qu'il s'était produit un incident. Il ne semblait pas savoir où il se trouvait maintenant et de quelle façon il avait échoué ici.

Krecster-Kalopcs tâtonna à la recherche de la conscience captive.

— *Tu ne cours aucun danger. Et il reste encore une possibilité de rejoindre ton objectif.*

Toujours pas de réaction.

Il réussit enfin à s'infiltrer dans les pensées confuses et fit alors une incroyable découverte. C'était une femme !

Il rétracta immédiatement ses palpes mentaux. Cette nouvelle l'avait ébranlé. Il en ressentit aussitôt de la honte. L'inconnue le craignait. Et à juste titre ! Il était devenu un monstre hideux qui devait paraître tout simplement écœurant.

Mais pouvait-elle percevoir son apparence extérieure ? Rien dans son excitation actuelle ne le laissait supposer. Néanmoins, Krecster-Kalopcs aurait tout fait pour se débarrasser de l'étrangère.

Celle-ci commençait à se calmer. Si elle était toujours emplie de crainte, sa raison prenait lentement le pas sur ses émotions.

Le Krémin regrettait sa tentative de contact. L'intruse n'avait peut-être rien remarqué, d'où l'impossibilité de nouer un dialogue ?

Il sentit d'un coup des impulsions investigatrices, mais elle se retira juste après avoir effleuré sa conscience, demeurant toutefois proche.

Et soudain, l'esprit de l'inconnue se dilata. Elle prit entièrement le contrôle du corps de Krecster-Kalopcs avant qu'il ait même pu songer à s'y opposer.

Quand il retrouva son libre-arbitre, il y avait un blanc dans ses souvenirs. Il éprouvait de la honte à la pensée que cette femme avait sondé sa mémoire et tout appris de lui. Probablement était-ce pour cela qu'elle était repartie aussi vite.

Il percevait sa réserve.

Le Krémin sursauta quand il capta une onde de compassion.

Il ne voulait pas de pitié !

— *Comment êtes-vous arrivée ici ?* se renseigna-t-il par curiosité.

Elle l'informa, mais il ne comprit pas tout. Apparemment, elle était la compagne du Ganjo et était tombée dans ce piège à sa place. Ce mystérieux personnage était donc à proximité. Lui, cependant, ne semblait courir aucun danger.

— *S'il y a quelque possibilité de vous secourir, mes amis interviendront*, promit-elle. *Vous devez néanmoins m'aider d'abord à m'échapper et à retourner auprès d'eux.*

Il sourit en pensée. Dans ses impulsions mentales se lisait la résignation d'un être tourmenté depuis des millénaires.

— *Mes congénères et moi attendons la mort. C'est tout ce qu'il nous reste à espérer.*

*
* *

Guvalash se leva, aidé par le projecteur antigrav incorporé à son ceinturon spécial. Il fit signe aux autres Méta-guides.

116

— Quittons cette pièce ; nous avons à parler.

— Et les étrangers ? s'étonna Porser. Nous les laissons là ?

— Les robots les surveilleront.

Les onze Cappins sortirent par la même porte que celle qu'avaient empruntée les machines lors de leur irruption. Ils enfilèrent un long corridor avant de déboucher dans une petite salle. Tout un pan de mur était occupé par des appareils de contrôle et de détection L'Hexarque appuya sur un bouton. Un large écran s'alluma, montrant Rhodan, Atlan et Florymonth en pleine discussion.

Le vieillard se tourna vers ses acolytes.

— Le temps nous est compté. Le retour du Ganjo ne s'est pas déroulé comme nous l'avions prévu, mais nos plans n'en sont pas pour autant caducs. Nous le tuerons dès que nous l'aurons contraint à quitter le corps de cet étranger.

— Nous aurions dû l'abattre ! jeta un des plus âgés. Ovaron aurait effectué un métatransfert et, tout comme Merceile, aurait été capturé par les cerveaux des Krémins.

— Ce n'est pas si sûr que ça, répondit Guvalash. Il faut éviter tout risque. Ce n'est pas n'importe quel Ganjasi, il porte deux unités terzyom. Cela le protège peut-être vraiment des impulsions coercitives de nos prisonniers. Tant que nous n'aurons acquis aucune certitude, Rhodan devra rester en vie.

— Alors débarrassons-nous d'Atlan ou de ce géant, proposa un autre homme.

Si le chef du petit groupe l'avait un instant envisagé, il avait ensuite changé d'avis. Il préférait les épargner pour l'instant.

— Nous devons nous montrer patients, dit-il. Nous attendons depuis si longtemps que nous n'en sommes plus à quelques heures ou quelques jours. Le Ganjo et ses amis sont en notre pouvoir. Ils ne peuvent pas s'enfuir.

Nous avons ainsi largement le temps de chercher la meilleure façon d'éliminer Ovaron.

Il observa avec intérêt les visages de ses compagnons. La lumière était revenue dans leurs yeux ternes et leurs joues blafardes avaient rosi. L'événement qu'ils avaient espéré pratiquement toute leur existence était enfin arrivé, même s'il s'était révélé très différent de ce qu'ils avaient pu imaginer.

Guvalash réalisa avec un fort sentiment de triomphe que leur tentative ratée de prise de pouvoir avait en fait consolidé sa position. Maintenant, ils se fiaient complètement à lui. Le vieillard se doutait qu'ils se seraient inclinés devant le Ganjo s'il ne les avait pas guidés, lui, Guvalash. C'étaient de vieux idiots séniles qui ne possédaient plus beaucoup de force de caractère. Les méthodes qu'ils avaient utilisées contre lui prouvaient leur incapacité.

Il indiqua l'écran mural.

— Regardez-les ! Ils sont encore plus perplexes que nous. Ils hésitent sur la conduite à tenir. Ils ne pensent qu'à récupérer Merceile.

— Nos adeptes ne doivent surtout pas apprendre ce qui se passe ici, dit l'un des Métaguides. Il faudra veiller à ne commettre aucune erreur quand nous participerons à des fêtes religieuses.

L'Hexarque secoua la tête.

— J'ose espérer que nul d'entre nous ne se montrera aussi stupide. Notre stratégie est claire : au vu de l'extérieur, nous œuvrons pour le retour du Ganjo. Les prêtres nous suivront sans problème tant que nous nous présenterons comme les messagers d'Ovaron. Il n'y a pas de raison pour que cela change une fois que nous l'aurons tué.

Un autre demanda :

— Que pensez-vous de ce géant qui est apparu de façon si particulière dans le piège ?

Guvalash se laissa le temps de la réflexion car il savait

qu'il pouvait beaucoup tirer de la crainte qu'inspirait le monstre à ses acolytes.

— Je suis certain qu'il appartient aux étrangers qui ont surgi récemment dans notre galaxie à bord d'un immense vaisseau. Probablement est-ce un robot. Nous le détruirons dès que les conditions seront favorables.

Tandis que les Métaguides poursuivaient leur discussion, leur chef ne quittait pas le moniteur des yeux. Celui qui s'appelait Perry Rhodan éveillait tout particulièrement son attention. Il possédait une étonnante présence. Il conservait son sang-froid malgré la précarité de sa situation. Et cela valait également pour son compagnon aux longs cheveux blancs – Atlan.

— Qu'attendons-nous ? insista un des vieillards. Nous devons absolument entreprendre quelque chose.

Guvalash lui jeta un regard méprisant. L'homme se détourna, penaud.

Sur l'écran, les trois intrus étaient en train d'examiner la salle du transmetteur. Les robots avaient été programmés pour les laisser faire.

Rhodan et Florymonth étudiaient les machines et les dispositifs de contrôle, l'Arkonide se chargeant de tapoter sur les murs, à la recherche d'éventuelles portes dissimulées. Ils avaient manifestement l'intention de localiser l'endroit où étaient maintenus en captivité les Krémins. Ce qui signifiait qu'ils étaient déterminés à libérer la femme cappin.

Guvalash passa le bout de sa langue sur ses lèvres desséchées. Toute cette affaire commençait à l'amuser. Les journées monotones uniquement consacrées à l'attente et aux tâches routinières appartenaient pour de bon au passé. Il pourrait à nouveau faire preuve de ses talents. Dans ce jeu, il ne pouvait y avoir qu'un seul vainqueur : lui-même !

— Vous voulez vraiment les laisser fouiner comme ils l'entendent ? demanda un des vieillards.

— Pourquoi pas ? fit simplement l'Hexarque. Ils risquent au pire de découvrir les Krémins. Et cela ne les aidera pas pour autant.

Ce fut alors que les étrangers prirent l'initiative, plus tôt qu'il ne l'avait prévu. Leur offensive le cloua presque sur place et si la méthode utilisée l'effraya, elle suscita également en lui de l'admiration – à son corps défendant.

CHAPITRE VIII

Rhodan et Atlan activèrent les écrans protecteurs indi-
viduels de leurs spatiandres.

— Ne sors pas ton arme tout de suite, murmura le
Stellarque. Si nous n'arrivons pas à feinter les robots,
aucune victoire ne sera possible.

Ils s'approchèrent lentement de la paroi derrière
laquelle ils avaient pu déterminer l'existence d'une autre
pièce. Les Krémins qui avaient capturé Merceile se
cachaient probablement là. Et même s'ils se trompaient,
les deux hommes pourraient toujours fuir par ce chemin.

Ovaron était d'accord pour évacuer les lieux. Il savait
ne pas avoir à attendre de pitié de la part des Métaguides.
Tôt ou tard, ils le tueraient.

Florymonth n'avait pas été informé de leurs intentions
malgré l'insistance du Cappin. On ignorait comment il
réagirait. Il se pouvait parfaitement qu'il décide de
passer à l'attaque de sa propre initiative. Après tout, il
percevait régulièrement au travers du corps du Terranien
les impulsions individuelles du Ganjo.

— Il faut faire vite, fit Perry à voix basse. Nous ouvri-
rons le feu simultanément. Dès la première salve, tu dois
essayer de nous protéger des robots qui vont à coup sûr
se ruer sur nous. Pendant ce temps, j'essaierai de creuser
un trou suffisamment grand pour que nous puissions
nous y faufiler.

121

Atlan se contenta de hocher la tête. C'était un combattant aguerri qui avait l'habitude de ce genre de situation.

Rhodan jeta un œil derrière lui. Les machines s'étaient rassemblées au milieu de la pièce. Il n'était pas évident de prédire leur comportement. Peut-être avaient-elles reçu l'ordre de ne pas tuer les deux hommes, ni même de les blesser. Dans ce cas, elles tenteraient de les maintenir à l'écart du mur.

Le Stellarque observa la paroi de couleur blanche. Il ne faisait aucun doute qu'ils risquaient gros en se lançant ainsi dans l'inconnu. Ils pouvaient y laisser leur vie. D'autant plus qu'ils ignoraient quelle serait la réaction des onze vieillards. Il ne savait pas où ils se trouvaient à présent. Eux riposteraient assurément dès que leurs prisonniers ouvriraient les hostilités.

— Go ! annonça Perry.

Sa main se porta sur la crosse de son arme qu'il dégaina lentement. Il fit feu sans même tendre le bras, aussitôt imité par son ami. La console qu'il visait explosa sous la violence de l'impact énergétique. Les faisceaux des deux radiants convergèrent sur le poste dont il ne resta bientôt plus qu'une carcasse fumante. Le mur par-derrière commençait à rougeoyer.

— Ils arrivent ! cria Atlan en faisant volte-face.

Rhodan ne voyait pas sur qui son compagnon tirait mais il se doutait que les robots étaient passés à l'offensive.

Un trou de la taille d'une tête humaine apparut dans la paroi. Ses bords ardents fondaient comme neige au soleil. Le Terranien régla son arme sur dispersion maximale. Le diamètre de l'ouverture s'accrut rapidement.

— *Votre sang-froid me sidère !* émit Ovaron. *J'envisageais déjà de prendre le contrôle pour parer l'attaque à temps.*

Le Stellarque ne répondit pas. Il jeta un bref coup

d'œil par-dessus son épaule. Les unités ennemies se ruaient sur eux.

L'Arkonide ne chercha pas à toutes les abattre. Il savait que ce serait inutile. Son feu se concentra sur le plus gros des assaillants. Il réussit à l'endommager suffisamment pour paralyser ses mouvements.

Mais les autres étaient à présent sur lui. Leurs membres préhensiles se tendirent vers le Lord-Amiral qui se courba sans cesser de tirer. Un tentacule s'enroula autour de ses mollets et il chuta. Sans même réfléchir, il roula sur le dos et se laissa entraîner. La prise du robot se relâcha aussitôt. Atlan redressa le torse et visa le bras métallique. Il le sectionna net à la base. En un éclair, le Solitaire des Siècles fut à nouveau debout. L'appendice qui le retenait tomba à terre. Deux rapides enjambées le menèrent tout près du mur où le trou atteignait maintenant un mètre de diamètre.

Rhodan comprit l'urgence de la situation. Il recula tout en faisant feu puis, à la dernière seconde, il pivota sur ses talons et se jeta dans la brèche.

Il entendit alors un cri. En se retournant vers la salle du transmetteur, il vit que des machines avaient rattrapé l'Arkonide et l'empêchaient de bouger. Perry savait qu'il ne pouvait rien faire pour le moment. Les pensées d'Ovaron l'incitèrent de surcroît à fuir de là au plus vite.

Le Terranien constata qu'il se trouvait dans un étroit corridor de vingt mètres de long à peine. Il était fermé par des portes à chaque extrémité. Le Stellarque se décida pour celle de gauche et s'y précipita, prêt à défendre sa vie.

Deux petits robots sphériques le suivirent mais il ne s'en préoccupa pas. Il avait remarqué qu'ils n'utilisaient pas leurs armes radiantes, ce qui l'arrangeait grandement. De plus, cela voulait dire qu'Atlan ne risquait rien.

Rhodan s'arrêta à deux mètres du panneau et visa le

mécanisme de verrouillage. Des éclairs bleus crépitèrent ; le faisceau énergétique avait été stoppé net.

La conscience d'Ovaron émit mentalement un juron :

— *Un champ de force ! Vous n'arriverez pas à le neutraliser comme ça.*

Perry serra les dents. Il lança un bref regard en arrière. Les deux machines s'étaient rapprochées de façon menaçante.

Il arracha une microbombe à son ceinturon et la lança, puis il s'aplatit à terre.

Dans cet espace exigu, le bruit de l'explosion résonna longtemps avant de s'estomper. L'onde de choc s'abattit sur le Terranien et le plaqua contre le sol, mais il bénéficiait de la protection de son spatiandre. En revanche, les sphères avaient été complètement détruites.

Le Stellarque bondit sur ses pieds et attrapa une seconde charge.

Il l'expédia loin devant lui, si bien qu'elle alla rouler jusqu'à la porte opposée. Malgré l'écran énergétique, le panneau ne résista pas à la violence de la déflagration. Quand les effets se dissipèrent, le passage était dégagé.

Parfait ! pensa Rhodan, satisfait, et il prit son élan. En repassant au niveau de la brèche par laquelle il avait accédé à ce couloir, il vit que d'autres robots s'apprêtaient à se lancer à sa poursuite.

Perry esquissa un sourire sinistre. Il amorça deux bombes et les jeta dans la salle du transmetteur. Atlan n'était plus visible, on avait dû l'emmener plus loin. Il ne le mettrait donc pas en danger.

Les charges explosèrent dans une gerbe de feu, déclenchant une véritable réaction en chaîne. Plusieurs machines éclatèrent telles de vulgaires bulles de savon mais, à travers la fumée et les flammes, l'immortel put en voir une demi-douzaine de plus se précipiter dans sa direction.

C'étaient les dernières grenades, se dit-il.

Ovaron ne répondit pas. En fait, le Terranien sentait à

peine sa présence. Il lui était reconnaissant de lui laisser ainsi carte blanche. Le Ganjasi n'essayait pas d'influencer Rhodan en lui imposant sa vision des choses, ce qui était étonnant quand on connaissait sa personnalité volontaire.

Le Stellarque franchit la porte détruite et parvint dans une pièce remplie d'appareils de toutes sortes. Il se faufila entre deux larges socles. Des câbles de l'épaisseur d'un bras lui barraient le passage.

Un rideau d'énergie scintillait face à lui.

— *La poisse !* intervint Ovaron, déçu. *Ce n'est pas avec votre arme de poing que vous en viendrez à bout.*

Perry désigna le mur opposé du canon de son radiant.

— *Tous les conducteurs énergétiques arrivent là. Je suis quasi certain que les Krémins sont maintenus en captivité de l'autre côté.*

— *C'est possible*, admit le Cappin. *Mais comment passer ?*

Rhodan jeta un œil autour de lui. Il n'osait pas tirer sur ces installations ; il risquait de tout faire sauter et son spatiandre ne le protégerait pas d'une telle explosion.

Les premiers robots apparurent par la porte déchiquetée ; l'éclairage ambiant faisait briller leur carcasse métallique.

— *Et le plafond ?* proposa Ovaron. *Tentez de dégager une ouverture avec votre arme, vous pourrez peut-être fuir par là.*

Le Stellarque secoua la tête. C'était trop dangereux. Il était fort probable qu'il touche un des nombreux chemins de câbles et provoque ainsi une catastrophe.

Il s'agenouilla derrière une imposante construction et fouilla la salle à la recherche d'une autre solution. Partout, des appareils lui bloquaient la vue. Il se déplaça à quatre pattes entre les supports puis s'arrêta devant un espace libre.

— Le plancher ! pensa-t-il. *Je devrais arriver à percer un trou.*

Il recula de deux pas et visa.

Trois robots apparurent alors au-dessus de sa tête et fondirent sur lui. Ils l'immobilisèrent avant qu'il ait pu tirer sur eux et l'arrachèrent du sol. Rien ne servait de se défendre ; il n'aurait fait que s'épuiser inutilement. Il se laissa transporter dans les airs. Six autres unités escortaient ses ravisseurs.

— Cela vous soulagera sûrement peu d'apprendre que je n'aurais pas pu faire mieux à votre place, émit Ovaron, déçu.

— Merci quand même, répliqua Rhodan.

Les machines volaient très lentement mais le Stellarque se doutait parfaitement qu'elles avaient reçu l'ordre de le ramener dans la salle du transmetteur.

Il se résigna à son sort. Il ne lui restait plus qu'à guetter la moindre occasion pour fuir.

Quand les robots et leur captif se présentèrent devant la porte détruite, un raclement parvint aux oreilles de Perry. Il tourna la tête. Une fissure était apparue sur une paroi latérale, courant du sol au plafond.

Le mur s'effondra complètement. Des appareils et des tables chargées d'instruments s'écroulèrent dans une gerbe d'éclairs. Des flammes jaillirent.

Et par la brèche ouverte surgit Florymonth.

L'onde de choc des deux explosions avait projeté Atlan à terre. Les robots qui l'encerclaient et l'immobilisaient reprirent leur formation. De ceux qui se tenaient près du trou dans le mur lors de la déflagration ne subsistaient plus que des carcasses fumantes.

L'Arkonide espérait que Perry avait pu s'enfuir.

Un panneau coulissa au bout de la salle et les

Métaguides apparurent. Les vieillards étaient tous armés, parés à ouvrir le feu. À leur tête venait Guvalash, qui témoignait d'une étonnante souplesse pour son âge.

Il découvrit le Lord-Amiral au milieu des machines et se dirigea vers lui.

— Où est l'autre ? cria-t-il avec rage. Parlez, ou je vous abats !

Atlan indiqua tranquillement le trou dans le mur.

— Il a réussi à filer. Ces engins de malheur m'ont retenu, sinon je l'aurais suivi.

L'Hexarque jeta un œil furieux à la brèche béante. Il était manifeste qu'il ne s'était pas attendu à une telle réaction de la part des deux hommes.

— Nous devons donner aux robots l'ordre d'ouvrir le feu ! lança un de ses compagnons.

— Du calme ! brailla Guvalash. C'est moi qui prends les décisions. Des unités sont en route pour ramener le fugitif. Tous les champs de force sont activés. Il ne pourra pas aller bien loin.

L'Arkonide resta muet. Il préférait ne pas exciter davantage l'ancien qui semblait déjà hors de lui.

Le vieillard agita son arme.

— Porser et Krenshiam, allez chercher ce Rhodan ! Nous, nous restons ici pour éviter tout nouvel incident.

Florymonth, que tout le monde avait oublié, surgit d'un coin de la pièce. Son corps avait enflé jusqu'à toucher le plafond ; il faisait au moins six mètres d'épaisseur. Des décharges énergétiques tressautaient en permanence sous sa peau translucide.

— Attention ! s'exclama l'un des Métaguides. Voilà ce damné monstre !

Le géant traversa le local d'un pas pesant et arracha en passant un morceau de l'estrade du transmetteur. Il ne se soucia pas des dégâts causés.

— Cette chose devient folle ! hurla un petit Ganjasi au visage rubicond. Il faut la retenir !

Guvalash manipula fébrilement un minuscule appareil fixé à son ceinturon. Les robots qui encerclaient toujours Atlan dressèrent leurs bras terminés par des radiants et ouvrirent le feu sur Florymonth. Le techno-chapardeur fut enveloppé par des flammes et de la fumée. Des éclairs coururent sur tout son corps. Mais même ce tir concentré ne pouvait l'arrêter.

Une voix s'éleva au milieu du vacarme.

— Il persiste à avancer ! Nous devons employer les canons !

Le Lord-Amiral dirigea son regard vers l'Hexarque. L'ancien était comme pétrifié. Il ne semblait pas croire ce qu'il voyait.

Les robots continuaient à tirer. Ils obéissaient aveuglément aux ordres de l'aîné des Cappins bien qu'il fût évident que leurs armes n'avaient aucun effet sur Florymonth.

Quand le colosse atteignit les premières unités, son corps massif les balaya comme des fétus de paille. Les rares qui ne disparurent pas immédiatement dans des gerbes de flammes furent écrasés.

La vision de l'inexorable progression du géant resterait à jamais gravée dans la mémoire d'Atlan.

En quelques secondes, l'air dans la pièce avait été porté à une telle température que l'Arkonide éprouvait des difficultés à respirer. Il vit l'un des Métaguides s'effondrer ; deux machines l'emportèrent à l'écart.

Guvalash se glissa derrière le Lord-Amiral et pressa le canon de son arme contre son dos.

— Arrêtez ! croassa-t-il. Arrêtez tout de suite !

— Je n'y peux rien ! cria l'immortel. Voyez vous-même.

Les robots cessèrent pour de bon les hostilités quand Florymonth arriva sur eux. Implacable, il les broya avec ses bras. Une rafale toucha presque Atlan par accident.

— Il va détruire la salle du transmetteur si nous ne l'en empêchons pas ! s'exclama l'un des vieillards.

L'Arkonide vit avec satisfaction le géant se débarrasser des deux dernières unités. Les Métaguides avaient reculé jusqu'au mur. Quelques-uns firent feu, mais le colosse absorba sans difficulté l'énergie radiante.

Guvalash frappa Atlan.

— Vous, ne bougez pas ! ordonna-t-il. Au moindre mouvement, je vous abats !

Le Lord-Amiral se trouvait en plein milieu de la pièce. Impuissant, il constata que l'Hexarque courait se mettre à l'abri.

Florymonth se rapprochait de plus en plus.

Maintenant, c'est à mon tour ! pensa Atlan avec effroi. *Il va tout simplement m'écraser.*

Le techno-chapardeur dressait son imposante silhouette face à lui. Son corps semblait irradier. Les muscles de l'Arkonide se contractèrent. Il ne se laisserait pas massacrer sans rien faire. À l'instant où le géant serait sur lui, il se jetterait de côté, quitte à ce que Guvalash lui tire dessus.

Mais la créature s'arrêta soudain. Ses yeux pédonculés s'abaissèrent et fixèrent le Solitaire des Siècles.

— Florymonth ! lança celui-ci. Tu ne dois pas me faire de mal. Je suis l'ami d'Ovaron.

Le colosse poussa un cri incompréhensible. Puis il se détourna.

Il s'approcha de l'endroit où Rhodan avait percé un trou. Même les nombreux appareils disposés en travers de son chemin ne gênèrent pas sa progression. Ils se brisèrent sous son élan. Le Lord-Amiral avait fréquemment vu Icho Tolot ou le Paladin en action, mais ce n'était rien face à Florymonth. Sa taille le rendait aussi plus imposant. On eût dit une montagne en mouvement.

Le mur s'écroula et le techno-chapardeur se glissa dans l'étroit corridor au-delà, traînant après lui des débris de machines.

Les Métaguides avancèrent prudemment.

— Il est parti ! s'écria Guvalash.

Manifestement, lui-même ignorait s'il devait se montrer soulagé ou inquiet.

— Et maintenant ? demanda un vieillard ascétique dont les cheveux argentés tombaient jusqu'aux hanches.

— Il ne pourra pas traverser les écrans énergétiques ! répliqua l'Hexarque, mais sa voix hésitante trahissait son manque de conviction. Dès qu'il sera bloqué, nous enverrons des robots lourds avec ordre de l'abattre.

Le bruit que provoquait Florymonth en progressant s'estompa progressivement. Atlan comprit qu'il s'éloignait rapidement de la salle du transmetteur. Peut-être pour rejoindre Rhodan…

De nouvelles machines arrivèrent et étouffèrent les flammes. Les unités endommagées furent évacuées. Un des Métaguides dirigeait les travaux de déblaiement.

— Inutile de triompher ! jeta Guvalash à l'Arkonide. Nous allons détruire ce monstre et vous tuer tous.

— Pourquoi ne pas essayer de nous entendre ?

Le vieillard éclata de rire. Le Lord-Amiral crut d'abord qu'il avait perdu la raison mais l'ancien se calma aussitôt.

— Savez-vous ce que vous nous proposez ? Depuis des millénaires, nous œuvrons à l'anéantissement du Ganjo. Les efforts de nos prédécesseurs devraient-ils se révéler vains ? Ou moi et mes amis devrions-nous tirer un trait sur tous nos préparatifs ? (Le Ganjasi secoua sauvagement la tête.) Je vais tuer Ovaron – même si ce doit être mon ultime fait d'arme !

L'immortel perçut la haine et le pur fanatisme qui animaient Guvalash. Les autres Métaguides se seraient peut-être laissé convaincre mais rien ne pourrait détourner leur chef de ses intentions.

Cet adversaire était prêt à tout. L'Arkonide se demanda si les Takérans connaissaient l'existence de cette clique de traîtres. Probablement pas, sinon certains de leurs représentants auraient été présents.

L'Hexarque voulut ajouter quelque chose, mais sa voix se perdit dans le vacarme de nouvelles explosions. Manifestement, quelqu'un essayait de retenir Florymonth. Et là où avaient lieu les combats devait également se trouver Perry Rhodan.

*
* *

Les robots qui avaient capturé le Stellarque ouvrirent le feu sur le géant. Leurs faisceaux énergétiques ne pouvaient cependant rien contre lui. Il avançait en pulvérisant tout ce qui se trouvait sur son chemin. Son corps avait encore augmenté de volume.

— *Je prends la main, maintenant !* intervint mentalement Ovaron. *Quelqu'un doit lui parler.*

Rhodan accepta, laissant à la conscience étrangère le contrôle de son organisme.

— Florymonth ! cria le Cappin. Ton Ganjo t'appelle. Ces destructions absurdes sont inutiles. Nous devons libérer Merceile.

— Ganjo ! vociféra la créature. Où sont tes amis, Ganjo ?

— J'aimerais bien le savoir ! répliqua amèrement le Ganjasi. (Il désigna le mur devant lequel se dressait l'écran d'énergie, à l'autre bout de la salle.) Il faut passer à travers, Florymonth !

Le colosse s'approcha à pas lourds. Les plis de sa peau recouvraient presque complètement ses jambes.

Ovaron rendit son indépendance au Terranien. Étourdi, Perry secoua la tête. Il vit le géant détruire les deux derniers robots.

Il lui fallut ensuite faire un bond de côté pour laisser passer le techno-chapardeur qui occupait quasiment toute la largeur de la pièce.

— *Savez-vous où nous nous trouvons, au juste ?* s'enquit le Stellarque.

— *J'ignore même si nous sommes sur une planète. Mais il doit exister quelque part des Ganjasis qui me sont restés fidèles. Si nous réussissons à entrer en contact avec eux, nous serons sauvés.*

— *Les Métaguides s'y opposeront par tous les moyens.*

Ils interrompirent leur discussion silencieuse car Florymonth était arrivé face au rideau scintillant.

Rhodan se demandait avec anxiété comment il allait résoudre le problème.

Le géant se propulsa soudain en avant. Un éclair violent le frappa. Tout être vivant aurait été calciné sur-le-champ. Mais pas lui. Il se transforma en une gigantesque silhouette incandescente, tandis que la barrière radiante s'estompait progressivement.

Le corps du techno-chapardeur perdit sa luminosité. Perry réfléchit brièvement. Où la créature avait-elle bien pu détourner l'énergie excédentaire ? Peut-être vers l'hyperespace ? Il ne croyait pas que le colosse l'avait simplement assimilée.

Les derniers vestiges du bouclier s'évaporèrent.

— Maintenant, tu dois enfoncer le mur ! lui intima le Stellarque. Le Ganjo te l'ordonne !

Le géant s'élança et fracassa la paroi. Quand il eut disparu de l'autre côté, Rhodan aperçut à travers le trou béant des tables sur lesquelles étaient étendues de monstrueuses masses organiques.

CHAPITRE IX

Sitôt l'ouverture franchie, Rhodan et Ovaron saisirent l'exacte mesure de cette effroyable installation que Guvalash avait qualifiée de « réseau attractif fermé ».

Cinq tables métalliques de cinq mètres de long pour environ la moitié de large étaient alignées. Au-dessus gisaient des formes monstrueuses, les Krémins dont les cerveaux hypertrophiés laissaient à peine deviner les corps rachitiques et blafards. Les sangles qui avaient retenu jadis ces malheureuses créatures étaient devenues trop grandes. De toute façon, elles ne servaient plus à rien. Les prisonniers n'étaient plus capables de se déplacer. Leurs visages étaient entièrement noyés par leurs encéphales que d'innombrables câbles, tuyaux et sondes reliaient les uns aux autres.

Chacun des organes hémisphériques atteignait deux mètres et demi de diamètre. Perry n'avait aucune idée de ce qu'avait pu être leur taille initiale. Il était évident que ces masses répugnantes étaient encore en vie. De nombreuses petites veines dénudées palpitaient. Au frémissement des terminaisons nerveuses, on pouvait déceler une forte activité cérébrale. Des tumeurs de type cancéreux remplies d'un sang rouge vif s'étaient développées en surface, évoquant irrésistiblement des yeux brillants.

La première pensée d'Ovaron fut :

— *Merceile est prisonnière de ces choses !*

Incapable de supporter plus longtemps ce spectacle,

133

Rhodan détourna son regard. Ce fut seulement alors qu'il perçut l'effroyable odeur qui émanait des cerveaux.

Perry déglutit pour lutter contre la nausée qui l'envahissait. Il ne s'intéressa à nouveau aux Krémins que quand il eut repris le contrôle de lui-même.

Quelques taches rouges souillaient le sol sous les tables. Du sang séché.

Des vrilles de chair s'étaient formées à l'endroit d'où sortaient les câbles et des tuyaux, s'entourant autour d'eux comme du lierre grimpant.

Florymonth se tenait immobile à l'autre bout de la pièce, ses grands yeux pédonculés déployés.

— *Ces traîtres ont osé faire* ça ! pensa Ovaron, plein d'effroi.

— *Depuis combien de temps peuvent-ils être là ?* demanda le Stellarque.

— *Des millénaires !* répliqua le Cappin. *Inutile de nous voiler la face. Ce sont des membres de mon propre peuple qui ont développé ce métapiège ! Je n'arrive pas à le comprendre.*

L'émotion que Rhodan avait éprouvée à la vue de ces êtres innocents, victimes de Ganjasis avides de pouvoir, s'estompait peu à peu. Son inquiétude quant au sort de la biotechnicienne lui faisait progressivement oublier son dégoût.

Si le seul spectacle de ces créatures monstrueuses avait déclenché un tel choc chez un homme de son expérience, que pouvait bien ressentir une femme dont la conscience était prisonnière de ces cerveaux ?

De toute sa vie, jamais le Terranien n'avait été témoin d'un crime aussi abominable.

— *Comment faire pour libérer Merceile ?* demanda Rhodan à l'esprit d'Ovaron.

— *Il n'y a qu'un moyen*, lâcha finalement le Cappin après un long moment de doute et de tourments. *Nous devons tuer ces pauvres hères !*

134

Les pires craintes de Guvalash se confirmèrent quand, suivi par ses acolytes et Atlan, il traversa le mur démoli pour pénétrer dans la salle où s'alignaient les cinq tables. Il aperçut Rhodan et le géant à la peau verte près des Krémins. Sur un signe de sa part, quelques robots fondirent sur le Terranien et braquèrent leurs armes sur lui.

— Vous les avez donc trouvés, grogna l'Hexarque. Cela ne vous aidera pas pour autant.

Il esquissa un geste de retrait quand le Stellarque se retourna et le fixa. La menace muette dans son regard le fit vaciller.

— Comment avez-vous pu faire une chose pareille ? hurla le responsable de l'Empire Solaire. Vous avez dégradé et tourmenté de la pire façon qui soit des êtres intelligents !

Le vieillard rit d'un air moqueur.

— Êtes-vous toujours aussi sensible, Perry Rhodan ? Vous arrivez à jouer un rôle de premier plan dans votre galaxie avec de tels scrupules ?

Le Terranien serra les poings de rage.

— Même votre mort violente ne pourrait compenser cette ignominie, Guvalash. Nous ne laisserons pas vos plans criminels se réaliser. Vous allez mourir, et Ovaron retournera auprès de son peuple. De pareils forfaits deviendront impossibles.

— J'en tremble de peur ! ricana le vieux Cappin. Vos succès temporaires ne peuvent masquer le fait que votre combat est perdu d'avance. Vous êtes tombé dans le piège. Si vous persistez à lutter, nous ferons usage d'armes lourdes qui nous permettront également d'éliminer le géant.

Debout devant les cinq Krémins, Perry se demandait à l'intérieur duquel Merceile pouvait bien se trouver. Peut-être lui était-il même possible de se déplacer au sein de ce réseau encéphalique.

Guvalash avait remarqué que le Terranien s'intéressait aux installations. Il eut un rire hideux.

— Je vous déconseille fortement de trafiquer les contrôles. Vous risquez fort de tuer la femme à laquelle vous tenez tant.

Rien n'échappait à l'ancien ! Rhodan comprit qu'il était coincé. S'il tentait maintenant de détruire les cerveaux, les Métaguides ne resteraient pas les bras croisés à le regarder. En quelques minutes, plusieurs douzaines de robots avaient fait leur apparition. Certains étaient équipés de radiants lourds. Les vieillards étaient manifestement décidés à les employer contre Florymonth qui demeurait immobile à l'autre bout de la pièce.

Le comportement du géant intriguait toujours le Stellarque. Il était de leur côté, cela ne faisait aucun doute, mais il n'agissait pas en conséquence. Ovaron ne se trompait donc apparemment pas en affirmant qu'il obéissait à un programme que lui-même avait élaboré il y avait deux cent mille ans. Seulement, le Cappin ne se souvenait plus de son contenu.

L'explication de la conduite parfois singulière du colosse était cachée dans la mémoire du Ganjo. Hélas, celle-ci restait inaccessible. Cela leur aurait pourtant permis de mieux comprendre la créature artificielle.

— Discutons entre gens raisonnables, maintenant, proposa Guvalash. Plusieurs centaines de robots sont massés autour de cette pièce, pour la plupart munis d'armes lourdes. Toute autre tentative de fuite serait immédiatement vouée à l'échec. Même ce monstre ne pourra vous aider si nous faisons appel à des canons énergétiques.

— Vous n'oserez pas le faire ! intervint Atlan. Vous détruiriez cette installation avec !

L'Hexarque eut un rire méprisant.

— C'est exact ! Mais le métapiège aura finalement

rempli son rôle. Qu'importe s'il n'en reste plus que des ruines !

Rhodan réalisa que le vieillard avait raison. Il s'adressa à la conscience d'Ovaron :

— *Pourquoi ne fuyez-vous pas ? Vous avez une chance d'atteindre le* Marco Polo.

— *Je n'en suis pas si sûr. En outre, même les Ganjasis sont soumis à des devoirs moraux. Je ne vous laisserai pas tomber.*

— *Nous nous rendons ?*

— *C'est ce qui me semble le plus sensé,* dit le navigateur hexadim. *Nous ne pouvons rien faire pour l'instant. Peut-être aurons-nous plus tard l'occasion de venir en aide à Merceile.*

Le Stellarque fixa Guvalash.

— Nous nous rendons provisoirement. Mais si vous deviez nous agresser, Atlan ou moi, le Ganjo réintégrera son propre corps et, depuis le *Marco Polo,* informera tout Gruelfin de vos agissements.

L'Hexarque avait manifestement du mal à réprimer sa satisfaction.

— Vous êtes fort censé, le félicita-t-il. Cela nous épargnera à tous deux d'inutiles querelles.

— Quelle garantie avons-nous ? voulut savoir l'Arkonide.

— Aucune ! rétorqua le Ganjasi. Si ce n'est celle que vous avez vous-mêmes choisie : la possibilité, pour Ovaron, d'alerter la galaxie entière. Nous verrons ce que nous apportera l'avenir.

Ces paroles prouvaient sans l'ombre d'un doute qu'il n'avait pas définitivement abandonné ses projets de meurtre. Dès que l'occasion se présenterait, il tuerait ses prisonniers.

— Cette affaire ne me plaît pas ! jeta Atlan. Au lieu de nous laisser massacrer sans rien faire, nous devrions nous battre – tant que nous le pouvons encore.

Rhodan comprenait l'Arkonide. Seulement, pour l'instant, toute résistance équivaudrait à un suicide pur et simple.

— *Je ne vois plus que Florymonth pour nous venir en aide*, émit Ovaron. *Mais je crains que les robots n'ouvrent immédiatement le feu si je lui en donne l'ordre.*

— *Comment peut-il se montrer à ce point indifférent à notre situation ?*

Le Ganjo réfléchit. Il tentait de se rappeler. Or, sa mémoire demeurait lacunaire.

— Nous allons maintenant quitter cette pièce, déclara Guvalash. Aussi, je vous demande de me remettre vos armes.

Perry hésita. S'ils obtempéraient, il leur serait désormais impossible de se défendre.

— Vous devriez vous hâter ! fit le vieillard. Nous ne patienterons pas très longtemps.

Le Terranien jeta un œil à la ronde. À présent, le local grouillait littéralement de robots. Les machines lourdement armées s'étaient disposées en cercle autour de Florymonth.

— Alors ? insista Guvalash, impatient.

Rhodan saisit son radiant polyvalent.

Et à cet instant, le géant à la peau verte s'arracha à son immobilité. Quand le Stellarque s'aperçut qu'il bougeait à nouveau, il recula d'un pas.

L'Hexarque interpréta correctement sa réaction. Il pivota sur ses talons et constata que le colosse commençait à augmenter de volume. Sa tête touchait déjà le plafond.

Puis tout alla très vite.

Florymonth se jeta en avant, mais il ignora tant les robots que les Métaguides. Son corps puissant s'écrasa sur le cerveau de la table la plus proche. Il y eut un bruit évoquant une coquille d'œuf qui se brise.

Les yeux écarquillés, Rhodan vit la créature artificielle se diriger vers le Krémin suivant.

— Abattez-le ! hurla Guvalash d'une voix stridente.

Les machines ouvrirent le feu avec leurs armes lourdes. Florymonth disparut derrière un rideau de fumée, de flammes et d'éclairs éblouissants.

— Filons d'ici ! lança Perry à l'Arkonide.

Ils espéraient pouvoir tirer profit de la soudaine confusion.

Ils détalèrent et pulvérisèrent les unités qui protégeaient le trou dans le mur. Le Terranien entendit le vieillard crier. Un rayon siffla au-dessus de la tête de Rhodan et calcina la paroi du fond.

Il se jeta d'un bond derrière une des tables. Atlan le suivit de près. Les deux hommes étaient prêts à se défendre. Ils y voyaient à peine. Les silhouettes des robots se distinguaient vaguement au milieu du chaos ambiant. Des éclairs fulguraient sans cesse.

Deux Métaguides se précipitèrent vers eux en faisant usage de leurs armes, sans tenir compte du Krémin étendu qu'ils carbonisèrent.

Les écrans des spatiandres absorbèrent l'énergie des premières salves, puis des failles structurelles commencèrent à se dessiner.

Rhodan et le Lord-Amiral répliquèrent. Un des assaillants s'effondra. Il fut enveloppé par les flammes et on ne le vit plus bouger. Son compagnon s'était plaqué à terre derrière ce qui restait d'un robot. Le Terranien et l'Arkonide concentrèrent leurs tirs sur la carcasse et la désintégrèrent complètement. Le Ganjasi subit le même sort.

Un calme étrange s'instaura pour quelques secondes. Puis les deux hommes entendirent une table s'écrouler. Florymonth semblait être toujours en vie et poursuivait son œuvre de destruction.

Rhodan rabattit la visière de son casque. L'odeur et la fumée devenaient insupportables.

Les machines erraient à travers les flammes. Elles hésitaient manifestement sur la conduite à tenir.

Le Stellarque se releva. Sa tête se trouvait à présent à la même hauteur que les cerveaux des Krémins. Il constata qu'ils n'étaient plus que deux. Les autres avaient été écrasés par le géant qui cherchait maintenant à atteindre les derniers. Son corps absorbait sans difficulté aucune l'énergie crachée par les armes des robots.

Rhodan ne pouvait plus déceler la moindre trace des Métaguides. Apparemment, Guvalash avait donné à ses sbires l'ordre de se retirer après que deux d'entre eux avaient été tués.

— *C'est comme dans un cauchemar !* pensa Ovaron qui suivit tout ce qui se passait à travers les yeux de son hôte.

Son arme prête à faire feu, le Terranien se tenait tout contre les tables. Il vit que les cerveaux amassés là commençaient à brûler et à s'affaisser lentement sur eux-mêmes.

*
**

Une secousse parcourut le corps atrophié de Krecster-Kalopcs.

La conscience de Merceile se retira précipitamment alors qu'un flot d'émotions confuses déferlait sur elle.

— *Qu'est-ce qui se passe ?* s'exclama-t-elle mentalement.

Toutes ses tentatives de fuite s'étaient soldées par un échec, et maintenant elle était épuisée. Elle était déjà prête à se résigner.

Son hôte ne répondit pas. C'était la première fois qu'il l'ignorait complètement.

La biotechnicienne se doutait que quelque chose de grave s'était produit. *Peut-être que Rhodan et Ovaron sont intervenus*, espéra-t-elle.

— *Ça y est !* émit soudain clairement le Krémin. *Ça y est enfin !*

— *Quoi donc ?* voulut savoir Merceile. *Je ne comprends pas.*

Elle lut dans les pensées de Krecster-Kalopcs que l'un de ses congénères était mort mais elle ne parvint pas à déterminer si son trépas était dû ou non à une action violente.

— *Pourquoi ne m'ont-ils pas tué en premier ?* pensa le prisonnier, déçu.

Atlan et le Stellarque seraient-ils responsables de ce décès ?

La Cappin ne les croyait pas capables d'en arriver là. De toute façon, ni l'Arkonide, ni le Terranien ne pouvait deviner que ces pauvres créatures désiraient en finir avec la vie.

— *Qui a fait ça ?* demanda la jeune femme.

— *C'est au tour d'un autre !* hurla mentalement le Krémin, ignorant la question. *Je le sens partir.*

Son esprit était confus.

— *J'ai besoin de votre assistance !* insista Merceile. *Je sais que vous aspirez tous à mourir, mais vous ne pouvez pas exiger de moi que je partage le même sort. Je veux continuer à vivre. Vous devez m'aider à fuir de votre corps.*

Krecster-Kalopcs se souciait à peine d'elle. Il était plongé dans un état euphorique.

— *Il y est arrivé !* (Une joie immense animait ses pensées désordonnées.) *Il ne me reste plus longtemps à attendre, désormais.*

La mort de deux Krémins signifiait peut-être que le réseau encéphalique attractif n'était plus aussi efficace, se dit Merceile. Elle se concentra. Cette fois, elle perçut les impulsions métasomiques d'organismes étrangers. Excitée à l'idée de pouvoir revenir en Atlan, elle voulut effectuer le transfert.

La tentative échoua à nouveau.

Étonnée et déçue, elle replongea dans la conscience de son hôte.

Il lui fallait filer d'ici avant qu'il ne soit trop tard. Elle ne devait plus se trouver dans le corps de la créature à l'instant où il mourrait, sinon elle partagerait son sort.

Merceile était complètement désespérée. Elle ne savait pas quoi faire.

Le Krémin l'ignorait à présent totalement. Il ne songeait qu'à sa fin imminente.

La biotechnicienne prit le contrôle de son esprit. C'était d'autant plus difficile que Krecster-Kalopcs s'était déjà plongé dans un monde d'illusions auquel il ne voulait pas s'arracher.

Elle sentit périr le troisième prisonnier.

Les deux derniers attendaient leur tour avec fébrilité. Faisant preuve d'une monstrueuse force de volonté, la jeune femme asservit entièrement l'être qui la retenait captive. Elle repoussa toutes les pensées consacrées à la mort.

Tandis qu'elle était toujours occupée, le quatrième Krémin mourut.

Son hôte était désormais l'ultime survivant du réseau encéphalique.

— *Vous devez me libérer !* lui intima Merceile. *Vous devez au moins essayer de m'expulser. Vous êtes sur le point de succomber.*

Krecster-Kalopcs capta bien ses impulsions, mais la biotechnicienne n'était pas certaine qu'il les avait comprises. Aussi réitéra-t-elle sa demande.

Elle savait qu'il ne lui restait plus beaucoup de temps. Elle était obligée de rendre au Krémin son entière autonomie.

À peine fut-il à nouveau libre que la mort redevint son unique centre d'intérêt. Il était si excité qu'il pleurait mentalement. L'attente lui était insupportable.

Merceile tenta derechef de se transférer. Sa conscience

oscilla un instant entre deux corps puis elle fut ramenée brutalement dans le cerveau monstrueux.

Elle hurla en réalisant que celui-ci commençait à s'éteindre.

Le Krémin n'éprouvait aucun sentiment de reconnaissance. Chaque fibre de son être était tournée vers sa fin.

Il avait reçu de terribles blessures, sans pour autant ressentir de douleurs.

La jeune femme se projeta à nouveau. Le métapiège avait maintenant perdu toute sa puissance mais elle agit de façon si précipitée, terrorisée par la situation, qu'elle regagna instantanément son point de départ.

Elle sentait la mort arriver. *Sa* mort. Elle se rebella. Sa volonté devint irrésistible et elle arracha encore une fois la conscience de Krecster-Kalopcs aux abîmes des ténèbres éternelles.

— *Qui est là ?* émit celui-ci, fatigué. *Qui me dérange ?*

Merceile comprit que le moribond ne savait plus où il se trouvait. Il croyait apparemment être revenu dans sa maison croulante au bord de la Route de la Misère. Elle entendit avec les oreilles de son hôte, depuis longtemps réduites à l'état de vestiges, le vent souffler sur les huttes en ruine et le sable s'engouffrer par les nombreuses fentes.

Nous allons mourir ensemble ! pensa-t-elle avec désespoir.

À nouveau, elle se rebella. Dans un effort immense, elle s'arracha au cerveau agonisant.

Mais cette fois, elle ne fut pas ramenée en arrière. Ses sens métasomiques recherchèrent Atlan, le localisèrent, et ce fut avec un soulagement indescriptible qu'elle réintégra le corps de l'Arkonide.

*
* *

Dans les dernières secondes de son existence lamentable, les pensées de Krecster-Kalopcs retournèrent encore une fois à la réalité. Il sut à nouveau qui il était. Le rêve de la Route de la Misère était terminé.

Il avait même mal, mais cela ne le dérangeait pas. Il mourait de la mort qu'il avait tant désirée. Manifestement, sa fin était due à l'intervention du Ganjo. Qui que soit cet étranger, il lui était reconnaissant.

Il remarqua seulement alors que la femme avait disparu. Cela le soulagea car il savait qu'elle vivrait. Elle avait réussi à fuir de son cerveau au dernier moment.

Krecster-Kalopcs ne sentait plus rien. Même la haine envers ses bourreaux lui paraissait désormais ridicule.

Il s'éteignit rapidement.

*
* *

Florymonth gisait en travers des cerveaux broyés des Krémins. Son corps gigantesque rougeoyait tandis que les robots continuaient à tirer sur lui.

Rhodan et Atlan s'étaient couchés tout contre le mur, un des rares endroits encore épargnés par les flammes. Il n'y avait plus aucune trace des Métaguides. Seules les machines de combat étaient restées sur place, mais elles ne se préoccupaient que du géant à la peau verte et les laissaient tranquilles.

Le Stellarque espérait ne plus revoir les vieillards ; peut-être ceux-ci supposaient-ils que leurs deux prisonniers avaient péri.

Il sentit soudain son compagnon lui agripper le bras.

— Merceile ! s'exclama l'Arkonide. Elle est revenue !

Ovaron, comme Perry, éprouva un immense soulagement. Ils avaient déjà presque abandonné tout espoir.

— *Maintenant, essayons de filer de là !* émit le Ganjo, résolu. *Les traîtres ont disparu. Si nous réussissons à regagner la salle du transmetteur, nous aurons peut-être une chance. Je vais tenter de l'activer.*

Rhodan acquiesça mais ne se leva pas pour autant.

— *Qu'attendons-nous ?* se renseigna le Cappin.

Le Terranien sentit que le Ganjasi n'hésiterait pas à prendre le contrôle de son corps s'il demeurait étendu là.

— *Florymonth !* pensa-t-il hâtivement. *Il est toujours étalé sur les Krémins et sous le feu des robots. Qu'en faisons-nous ?*

— *Je pense qu'il est capable de se débrouiller tout seul*, dit tranquillement Ovaron. *Allez, venez !*

Le Stellarque se redressa. Atlan l'imita. Les machines qui se trouvaient à proximité les ignorèrent. Cela pouvait toutefois changer rapidement.

Quand Perry commença à s'éloigner, son attention fut à nouveau attirée par le techno-chapardeur. Il demeurait avachi sur les tables brisées, tel un crapaud démesuré. Les flammes ardentes éclairaient son corps gigantesque de reflets fantomatiques.

Tout alla alors incroyablement vite. Florymonth devint transparent en l'espace d'une seconde, puis il disparut complètement.

— *Qu'est-ce que ça signifie ?* demanda Rhodan à la conscience du Cappin. *Il est mort ?*

— *Bien sûr que non*, rétorqua Ovaron avec impatience. *Il s'est retiré.*

Perry proféra un juron.

— *Pourquoi n'est-il pas resté ? Nous en aurions bien eu besoin. Maintenant, nous sommes livrés à nous-mêmes.*

— *J'espère qu'il reviendra*, pensa le navigateur hexadim.

Atlan saisit son compagnon par le bras.

— Secoue-toi ! jeta-t-il. Filons d'ici !

Rhodan hocha gravement la tête. Pliés en deux, ils s'élancèrent au milieu des débris et des corps des Krémins. Le sol était humide de tout le sang qui s'était écoulé des cerveaux. Un couple de robots les remarqua et ouvrit le feu. Les deux hommes poursuivirent leur course. Leurs écrans protecteurs flamboyaient à chaque impact.

Des flammes jaillissaient également par le trou que Florymonth avait fait dans le mur. Le Terranien croyait presque sentir la chaleur à travers son spatiandre.

— On ne s'arrête pas ! lança-t-il au Lord-Amiral.

Ils se jetèrent par l'ouverture et pénétrèrent dans la salle voisine. Des explosions avaient détruit les nombreuses machines, dont il ne restait qu'un immense tas de décombres.

— On n'arrivera pas à passer ! s'écria Atlan.

Rhodan balaya la pièce du regard. Il aperçut alors des robots qui s'engageaient par la brèche dans la paroi. On les avait finalement découverts.

Résolu, Perry commença à escalader l'amoncellement. Peut-être réussiraient-ils à atteindre le transmetteur avant d'être rattrapés.

*
* *

Guvalash était taraudé par de fortes douleurs. La peau de son visage était brûlée et lui faisait atrocement mal. Il respirait difficilement. Étendu dans un siège pneumatique, il était soigné par deux robots-médecins. Juste à côté, les Métaguides étaient traités par d'autres unités. Deux d'entre eux n'étaient pas revenus du métapiège. Les étrangers les avaient abattus.

Mais cela n'émouvait guère l'Hexarque. Ces pertes pourraient être facilement compensées.

Pour la première fois depuis des décennies, il aspirait au calme. Aujourd'hui, toutefois, il devait rester éveillé et attentif. Il ne disposait pas pour l'instant de liaison avec la pièce des Krémins, mais il était persuadé que Rhodan et Atlan étaient toujours en vie.

Une des machines soignantes étendit un linge humide sur le visage du vieux Ganjasi.

Il le jeta à terre et se redressa.

Il balaya du regard la salle commune. Ils s'étaient repliés ici quand la situation avait échappé à tout contrôle.

Ses acolytes paraissaient tout aussi épuisés que déprimés. Aucun d'entre eux ne retournerait en arrière de son plein gré.

Sans se soucier des protestations des robots-médecins, Guvalash balança ses jambes hors du siège. Son cœur s'emballa. Ce n'était pourtant pas le moment de subir une de ces fichues attaques !

— Soutenez-moi fermement ! ordonna-t-il aux machines, car il se sentait toujours très faible.

Elles l'amenèrent au milieu de la pièce.

— Écoutez tous ! vociféra-t-il. Il faut nous attendre à ce que les deux étrangers soient encore en vie.

— Quelles sont vos intentions ? voulut savoir quelqu'un.

Les lèvres du vieillard devinrent deux traits exsangues.

— Le transmetteur dans le métapiège peut être désactivé d'ici – et c'est ce que je compte faire tout de suite. (Son sourire transforma son visage écarlate en une hideuse grimace.) Il est certain que c'est par là qu'ils tenteront de fuir. Mais ils n'y arriveront pas !

Ses paroles n'éveillèrent ni l'enthousiasme ni le consentement attendus.

— Fatigués ? demanda l'Hexarque sur un ton ironique. Croyez-vous sérieusement que je vais laisser tomber ? Que tout ce que nous avons accompli l'aura été en vain ?

L'un des Métaguides objecta timidement qu'avec la présence du géant, il ne fallait pas compter l'emporter sur les étrangers.

— Absurde ! le contra énergiquement Guvalash. Même ce monstre peut être vaincu. Nous n'avons pour l'instant

147

fait appel qu'à des robots. S'il le faut, j'emploierai des armes plus puissantes.

Ses jambes avaient cessé de trembler, si bien qu'il put se lever puis marcher sans assistance.

Il tapota de l'index l'appareil de contrôle fixé à sa ceinture.

— Vous pouvez vous reposer et réfléchir aux successeurs de nos deux camarades tués. Je vais entre-temps m'inquiéter de ce qui se passe dans le métapiège.

Il s'éloigna d'un pas peu assuré, sans un regard en arrière.

Les Métaguides le suivirent des yeux, éprouvant malgré eux de l'admiration. Ils étaient bien contraints de reconnaître en lui leur chef. Tout autre que lui aurait abandonné.

— Il n'arrivera pas à tuer le Ganjo ! dit un des Cappins, sûr de lui. Celui-ci est invincible.

— Vous n'y croyez pas vous-même ! s'emporta un deuxième homme. Guvalash est un vieillard, comme la plupart d'entre nous, mais il n'est pas notre responsable pour rien. Il possède des qualités que nous avons perdues depuis longtemps. Les prêtres seraient étonnés d'apprendre la lâcheté dont font preuve leurs supérieurs.

Ses collègues laissèrent leur regard errer sur le sol, conscients qu'il avait raison.

— Tout le pouvoir dont nous disposons n'a pas été bâti par nos mains mais usurpé. Nous nous abritons derrière le crédit qu'a toujours le Ganjo auprès de notre peuple, même après deux cent mille ans. En réalité, c'est lui le maître, car tout se fait en son nom.

— Vous vous exprimez comme un adepte de ce damné Ovaron ! lui reprocha un autre.

Ils furent interrompus car dehors, dans le couloir, retentit le rire fou de Guvalash.

encore initacte de la suite du transmetteur. Les cupolis
furent entraînés dans cette direction.

— Et dire qu'en voulant rencontrer les Oamaïsi !

***
* ***

Se déplaçant la plupart du temps à quatre pattes,
Rhodan et Atlan atteignirent le corridor permettant de
rejoindre la salle par laquelle ils étaient arrivés en ces
lieux. Les robots les talonnaient. Avec un soupir de soulagement, le Terranien se laissa glisser du tas de débris
sur lequel ils avaient dû grimper. Une mauvaise surprise
l'attendait toutefois : d'autres machines arrivaient par le
trou que lui-même avait percé dans le mur.

— Ils nous ont bloqué le chemin ! s'exclama le Lord-
Amiral, désespéré. Désormais, il ne faut plus compter
accéder au transmetteur.

Les deux hommes se collèrent dos à la paroi et ouvrirent le feu sur les unités qui les attaquaient des deux
côtés. Ils parvinrent à en abattre deux avant que leurs
radiants ne leur soient arrachés.

— *Cessez de vous défendre !* jeta Ovaron au Stellarque. *Vous ne feriez que vous blesser.*

Des tentacules s'enroulèrent autour du corps de Rhodan. Il fut soulevé dans les airs. Atlan subit le même sort.

— C'est là où il nous faudrait Florymonth, grommela
ce dernier. Il ferait le ménage parmi nos ravisseurs.

Les machines entraînèrent leurs prisonniers jusqu'à la
pièce où ils s'étaient matérialisés après leur grand saut
dans l'inconnu.

Là, le Terranien et l'Arkonide furent pris en charge par
un groupe de robots d'une taille supérieure, et dépouillés
de leurs spatiandres. Les deux hommes constatèrent que
des unités de maintenance étaient déjà à l'œuvre.
Certaines, munies d'extincteurs, s'engouffrèrent par le
trou dans le mur. Les vieillards désiraient manifestement
sauver ce qu'ils pouvaient du métapiège.

Une ouverture octogonale se dessina dans la paroi

encore intacte de la salle du transmetteur. Les captifs furent entraînés dans cette direction.

— Et dire qu'on *voulait* rencontrer les Ganjasis ! grogna Atlan.

Ovaron s'indigna :

— *Dites à votre ami arkonide qu'il ne peut pas qualifier de traîtres tous les membres de mon peuple !*

— *Merceile s'en est déjà probablement chargée*, répliqua Rhodan.

La conscience du Ganjo sembla se figer.

— *Maintenant, je sens ce que vous pensez vraiment ! Vous faites aussi peu confiance aux Ganjasis qu'aux Takérans. Votre dernière réflexion était : ce sont finalement tous des Cappins !*

— *Je me laisserais joyeusement convaincre du contraire*, dit Perry.

Ovaron se tut, amer. Le Stellarque était désolé de ne pas offrir un meilleur visage à son ami. Surtout à présent qu'ils avaient été capturés et qu'ils avaient besoin d'une parfaite entente.

Ce qui les attendait derrière cette porte les réunirait peut-être à nouveau...

CHAPITRE X

Avimol adressa un signe de tête à ses trois compagnons et se glissa dans la longue file de pèlerins qui serpentait lentement sur la route menant de l'astroport de Métarla à la ville de Métabor.

Il sentit son cœur s'emballer à la vue de cette mer de robes violacées au milieu de laquelle se distinguaient de petits îlots colorés : les tenues des prêtres qui servaient sur Aryvanum.

Les *mégaphrans* des hommes revêtus de mauve retentissaient dans l'air chaud ; les *tshreets* lançaient des sons cristallins tandis qu'en bruit de fond se faisait entendre le tambourinement sourd des *buhumbos* que maniaient les religieux en blanc.

Avimol tourna la tête et jeta un regard en arrière, par-delà la voie poussiéreuse qu'ils remontaient. Il aperçut au loin les silhouettes ovoïdes de plusieurs vaisseaux aux reflets métalliques et, sur le côté, l'hôtel *Epigania* où il avait passé la nuit avec ses compatriotes.

Il ne put s'empêcher de songer à Uarte, sa planète. Son visage s'assombrit instantanément. La vie y était rude, faite de privations et de dangers. Depuis que les Takérans avaient évincé les Ganjasis en leur arrachant le pouvoir, ses congénères étaient privés de leur ancienne technologie. Ils avaient trouvé des méthodes pour lutter contre les innombrables menaces, mais leur existence s'apparentait désormais à celles de ces petits rongeurs qui, pour survivre, devaient continuellement se terrer et risquer leur vie à chaque seconde.

Avimol soupira. Quelques pèlerins issus d'autres mondes se tournèrent vers lui, vers sa haute silhouette nerveuse. Des regards pensifs, voire méprisants, se posèrent brièvement sur son visage noble et étroit. Contrairement à la coutume ganjasie, ses cheveux bruns étaient coupés court. Tous les prêtres – en dehors du jeune homme et de ses trois amis – arboraient une épaisse toison qui leur tombait jusqu'aux épaules. Mais sur Uarte, ils n'auraient pas tenu une heure.

— Tu as vu ? murmura Soncopet, dont la face était couturée de cicatrices.

Loboruth eut un rire dédaigneux. Petit et trapu, il avait le front profondément entaillé. Il n'y avait pas si longtemps que cela qu'il avait été blessé en affrontant un *travellor*.

— Ces lâches devraient venir voir un jour comment ça se passe chez nous, dit-il suffisamment fort pour qu'on l'entende à dix pas à la ronde. Ils mourraient avant même d'avoir songé à avoir peur.

Les curieux s'écartèrent hâtivement. On devinait aisément en l'homme qui venait de s'exprimer un combattant aguerri et personne n'éprouvait le moindre désir de se laisser entraîner dans une rixe.

Quinfaldim, le troisième compagnon d'Avimol, sourit. La sueur coulait sur sa nuque graisseuse. On avait l'impression qu'il devait constamment balancer de gauche à droite son crâne anormalement gros pour l'empêcher de choir. Sa morphologie se distinguait aussi nettement de celle de ses congénères, minces et musclés. Il avait même de l'embonpoint. Sur son monde, il était tout à fait inapte aux missions en extérieur mais ses dons de stratège lui avaient permis d'occuper une position privilégiée au sein du clan vivant sur les îles des marais de Banaveld.

L'interminable file de pèlerins s'immobilisa quand

elle atteignit une vaste place. Au milieu se dressait un obélisque élancé, en acier bleu rougeâtre. Un écran-contour scintillant l'enveloppait étroitement.

Sa hauteur devait être d'environ six cents pas, pour une longueur d'arête à la base de quatre-vingts. Pour un Ganjasi d'Uarte, c'était un monument gigantesque mais il était ridicule comparé à l'Ovarash qui, même à cette distance, s'élevait, imposant, au-delà des toits des temples de Métabor.

Les sons des mégaphrans, des tshreets et des buhumbos se turent quand les pèlerins se déployèrent en demi-cercle autour de la colonne. Avimol tendit le cou et découvrit devant la construction une plate-forme flottant à dix pas au-dessus du sol. Elle soutenait un homme qui demeurait immobile.

Il portait une robe purpurine qui lui tombait jusqu'aux pieds.

Un murmure parcourut la foule.

Un Métaguide !

Un immense respect envahit l'Uarti. Il ne s'était pas attendu à être reçu ici par l'un de ces légendaires personnages.

Il ressentit en parallèle un soudain détachement qui l'effraya profondément car, sur sa planète, on ne devait jamais abaisser ses gardes si on voulait survivre. Puis il se souvint qu'il était sur le sol sacré d'Aryvanum, où le mal était proscrit, et il s'abandonna complètement à l'allégresse inhabituelle.

Un coup de gong résonna dans le silence de cette matinée baignée de soleil et le Métaguide prit la parole. Il annonça le prochain retour du Ganjo et parla d'un fanal qui proclamerait sa venue. Il ne le décrivit pas mais expliqua qu'il pourrait être vu de n'importe où sur cette planète. Chaque Cappin du peuple des Ganjasis le percevrait également en lui, où qu'il se trouve dans la galaxie Gruelfin. Avimol était déchiré entre son euphorie et le sens critique que son métier de technicien en biocamouflage avait développé en lui. Il désirait croire ce que disait l'homme sur la plate-forme antigrav. Seulement, sa raison s'y opposait.

Il jeta un œil sur ses compagnons et reconnut sur leurs visages des sentiments similaires aux siens. On lisait même une désapprobation ironique sur celui de Loboruth, probablement parce qu'en tant que combattant, celui-ci ne disposait pas des qualifications qui lui auraient permis de déceler tout de même un fond de vérité dans ces déclarations apparemment irrationnelles. À partir du moment où on appliquait des méthodes scientifiques, peu de choses pouvaient être rejetées comme absolument impossibles. Il fallait toutefois y mettre les moyens.

Ces réflexions n'empêchaient pas Avimol d'être troublé en écoutant les paroles du Métaguide ; ce dilemme l'interdisait de partager l'extase générale.

L'allocution terminée, les pèlerins se reformèrent en une file ordonnée qui s'ébranla très lentement en direction de la ville de Métabor. Les Uartis auraient pu aisément avancer plus vite mais il fallait tenir compte de ceux qui venaient de planètes à plus faible gravité ou au climat plus tempéré.

Soncopet et Loboruth discutaient à voix basse. Quinfaldim soutenait le rythme, la tête ailleurs, son crâne oscillant doucement. Sous l'effet de la chaleur miroitante de la fin de matinée, les perles de sueur ne cessaient de dégouliner dans son cou.

Avimol, en revanche, se sentait curieusement léger. L'intense rayonnement solaire ne le dérangeait pas car, par moments, un souffle de vent balayait le plateau depuis la Mer d'Émeraude, procurant un sentiment de fraîcheur. À gauche et à droite de la route s'étendaient de vastes surfaces de végétation luxuriante, parsemées de fleurs resplendissant de mille couleurs, d'arbres et de buissons d'une beauté exubérante. Un courant d'air apportait parfois des nuages de pollen et des arômes enivrants.

Quand le soleil Hyron culmina au zénith, la file de pèlerins, qui évoquait irrésistiblement un gigantesque mille-pattes, se traînait entre les bâtiments et monuments de Métabor.

Des serviteurs en blanc les amenèrent sous l'ombre clémente d'un temple afin qu'ils puissent se reposer et se rafraîchir. Le Grand Rassemblement au pied de l'Ovarash ne devait avoir lieu que le soir. Soncopet et Loboruth étaient tellement habitués à ne pas solliciter inutilement leurs forces qu'ils rejetèrent la proposition d'Avimol de se promener un peu en ville en attendant. Quant à Quinfaldim, il ne fallait pas songer à lui demander un effort. La longue marche l'avait épuisé.

Aussi l'Uarti s'éloigna-t-il seul. Il était toujours d'excellente humeur, certainement parce qu'il n'existait pas sur Aryvanum de menace nécessitant d'être constamment sur le qui-vive. Il savourait le plaisir de ne pas avoir à guetter en permanence le moindre bruit suspect qui l'aurait prévenu de la proximité d'un danger.

En route, il avisa d'autres groupes de pèlerins qui rejoignaient également le temple. Des milliers de prêtres de haut rang, dans leurs robes ondoyantes, se déplaçaient le long des rues à pas mesurés.

Entre les édifices s'étendaient de grands jardins où des frères mineurs veillaient au bon fonctionnement des installations automatiques d'ensemencement et d'entretien. Des brumisateurs enveloppaient les plantations de légumes de nuages humides, alimentant de petits ruisseaux qui gargouillaient et clapotaient en s'écoulant parmi les bosquets et les massifs de fleurs sur lesquelles venaient butiner d'innombrables insectes.

Avimol entra dans un vaste enclos qui faisait davantage penser à un parc. Il s'assit sur un banc près d'une fontaine, posa son équipement de biocamouflage à côté de lui et se laissa aller en arrière, serein.

Il est temps que le Ganjo revienne, se dit-il. *Lui seul peut rénover l'Empire Ganjasi. Le taux de natalité sur Uarte dépassera alors celui de mortalité et on pourra à nouveau se projeter à plus d'une heure dans l'avenir…*

La paix et le calme qui régnaient ici plongèrent le jeune homme dans une légère somnolence. Un soudain bruit de pas le réveilla instantanément. Il ouvrit les yeux sans bouger, ses muscles se contractant et se détendant, déjà parés au combat.

Puis il se rappela où il était et sourit. Il savait à présent qu'un être humanoïde d'environ la même corpulence que lui s'avançait sur le gazon tondu ras. À l'odeur, il reconnut qu'il s'agissait d'un mâle, qu'il portait des vêtements propres et qu'il se lavait régulièrement. Il tourna la tête et aperçut un homme de haute stature aux cheveux noirs. C'était un simple prêtre comme lui, ainsi que le prouvait sa robe violacée.

Voyant qu'on l'examinait, le nouveau venu s'inclina poliment.

— Je te salue, Frère, déclara-t-il. Permets-tu que je m'assoie un peu à ton côté ?

Le pèlerin se poussa légèrement.

— Je t'en prie, répondit-il. Mon nom est Avimol.

L'autre prit place sur le banc.

— Excuse-moi, Frère. J'aurais dû d'abord me présenter. Je m'appelle Askosan. À ce que je vois, tu es un Uarti. Que pensent tes congénères de l'arrivée imminente du Ganjo ?

Le technicien en biocamouflage dévisagea attentivement l'étranger. Cette question lui paraissait singulière. Qu'on puisse la poser révélait déjà des doutes inadmissibles – sans parler du ton employé !

— Je suis bien originaire d'Uarte, répliqua-t-il. Quant

156

à répondre à ta question : le Ganjo viendra quand le temps sera venu. Que veux-tu au juste me dire ?

Askosan lui sourit.

— Tu m'as répondu sans le savoir, Frère, car à quoi sert tout ce cérémonial si tout est déjà fixé d'avance ?

L'Uarti se raidit.

— Tu n'es pas un pèlerin ! jeta-t-il sèchement. Seul un *Perdashiste* peut s'exprimer ainsi.

— Tout à fait exact, Avimol. Je ne suis pas un « Frère Pèlerin », mais un adversaire des Métaguides.

*
* *

Les pensées d'Avimol se bousculaient. Il se voyait soudain confronté à une situation à laquelle il ne se sentait pas du tout préparé.

Il savait que les Perdashistes constituaient une organisation clandestine opposée à la puissance des Métaguides et à l'influence des prêtres. Ce mouvement existait depuis des millénaires mais il n'avait jamais fait parler de lui sur Uarte. Le jeune homme était certain que sa planète n'abritait aucun de ces contestataires.

Il hésita aussi à attaquer un Cappin qui se trouvait certes dans le camp ennemi, mais qui ne présentait pour lui aucun danger.

Askosan rompit finalement le silence inconfortable.

— Je sais que les Uartis savent garder leur sang-froid, c'est pourquoi je me suis adressé à toi, Avimol. Ton silence me prouve de toute façon que tu n'as pas d'idée préconçue sur nos buts.

— Vous êtes une secte d'impies, rétorqua Avimol même si, alors qu'il prononçait ces paroles, son esprit rationnel mesurait ce que cette réponse avait de superficiel.

— Nous ne doutons pas de tout, commenta tranquillement le Perdashiste. Par exemple, nous croyons également au retour du Ganjo. Nous avons même consacré

157

nos efforts à calculer la date de sa réapparition sur Aryvanum.

Avimol ne pipa mot. Son intérêt s'était à présent éveillé et il était maintenant tout ouïe pour ce que racontait son interlocuteur.

— Nous sommes parvenus à déterminer une plage de dix ans durant laquelle les probabilités sont maximales, poursuivit Askosan. Et la valeur la plus élevée correspond à... après-demain.

La réserve du jeune homme se mua en un franc intérêt.

— Après-demain ! s'écria-t-il, le souffle coupé. Alors, le Ganjo peut surgir à tout moment sur Aryvanum ? Mais si vous l'avez découvert, pourquoi vous opposez-vous alors aux prêtres ?

Askosan sourit, détendu. Sa main droite, qui était plongée dans une poche de sa robe depuis le début de la discussion, relâcha le paralysateur qu'elle serrait.

— Nous ne nous opposons pas à eux mais au fait qu'ils influencent la politique du gouvernement officiel, car nous savons pertinemment que les Métaguides abusent du pouvoir à leur profit personnel.

Le pèlerin ferma les yeux pour réfléchir à la monstrueuse accusation proférée par son compagnon contre ceux qui avaient entre leurs mains la destinée du Culte auquel lui, Avimol, appartenait.

Ne trouvant, malgré tous ses efforts, aucun argument suffisamment solide pour contrer l'accusation d'Askosan, l'Uarti hésita.

Il se remémora l'irritation qu'il avait toujours ressentie devant la grandiloquence et les formules toutes faites utilisées lors des cérémonies. Jusque-là, il les avait tenues pour un mal nécessaire destiné à soutenir la foi des Ganjasis d'un faible niveau d'éducation, ce que ne pouvaient accomplir des arguments rationnels.

Il réalisait soudain qu'on pouvait l'interpréter différemment : à savoir, comme un lavage de cerveau ayant pour but de faire des prêtres et des fidèles une masse docile.

— Le pouvoir est toujours exposé au danger de l'abus, argumenta-t-il finalement. Mais comment pouvez-vous savoir que c'est vraiment le cas avec les Métaguides ?

— Le Perdashisme ne se dresse pas contre notre gouvernement, répondit sèchement Askosan. Néanmoins, aussi longtemps que nous nous rappelons, nous avons été traqués et éliminés, et à chaque fois par des services officiels, sous le prétexte que nous projetions un coup d'État ou que nous tentions de déclencher une révolte sur une ou plusieurs planètes. (Il éleva la voix.) Il est arrivé que des prêtres se présentent comme des Perdashistes, fomentent des troubles et provoquent par de tels actes des représailles contre notre mouvement. Aussi, nous nous sommes toujours tenus au principe de résistance pacifique. Nos actions consistent à organiser des campagnes d'explications sur les véritables buts des Métaguides et de la contre-propagande, ainsi qu'à opposer des arguments scientifiques aux absurdités pseudo-religieuses du Culte.

Avimol était devenu pensif.

Ce qu'Askosan affirmait lui paraissait sensé, mais d'où savait-il que c'était bien la vérité ? Il fallait des preuves pour cela, la parole seule ne suffisait pas.

— Comment puis-je savoir que tu ne mens pas ? demanda-t-il.

— Bonne question ! répondit tranquillement son interlocuteur. Je ne peux te prouver immédiatement tout que j'ai dit, mais au cas où tu serais disposé à participer à une rencontre secrète, tu pourras recevoir certaines preuves aujourd'hui même.

Askosan hésita et ajouta avec un discret sourire :

— Toutefois, assister à la réunion d'une organisation clandestine ne va pas sans risques…

Le jeune homme réagit comme il fallait s'y attendre de la part d'un Uarti. Il se leva et dit fraîchement :

— Je ne crains pas le danger et suis prêt à participer à cette rencontre.

Le Perdashiste se leva à son tour.

— Alors, Frère Pèlerin, dit-il avec une légère ironie, je vais te prier de me suivre.

Avimol nota l'ironie mais s'exécuta en silence. Comme en état de transe, il sortit du jardin du temple par la porte fastueuse et accompagna Askosan dans les rues qui fourmillaient de serviteurs du culte en robes blanches, jaunes et lilas.

L'Uarti reconnut avec étonnement que son enthousiasme originel avait cédé la place au sentiment vivifiant de se mouvoir sur un terrain dangereux. Dès lors que son appréciation du Culte et des Métaguides avait changé, ses anciennes habitudes avaient repris le dessus.

Son compagnon le mena à travers un labyrinthe de ruelles jusqu'à la vieille ville. Là, les maisons étaient laissées à l'abandon, des plantes grimpantes recouvraient en partie les ouvrages de maçonnerie. Des oiseaux nichaient dans les ouvertures sombres d'anciennes tours ; de petits animaux effrayés détalèrent pour se mettre à l'abri.

Au bout d'un moment, Askosan tourna dans une venelle qui aboutissait à des ruines envahies par les herbes sauvages. Elle se terminait devant le portail d'une tour inclinée. Une odeur de moisi frappa Avimol au visage quand il entra sur les pas de son guide.

Ils descendirent un escalier raide en colimaçon. Le Perdashiste alluma une lampe de poche pour faciliter leur progression dans les ténèbres. Pour s'orienter et déceler les détails de son environnement, l'Uarti se fia cependant moins au faisceau de lumière qu'à son instinct et à son ouïe qui analysait les échos de ses pas.

— Dans le couloir qui s'ouvre maintenant à gauche se trouvent deux hommes, murmura-t-il à l'intention de son compagnon. À trente pas environ. Je sens leur peur mais je n'arrive pas à déterminer s'ils sont armés ou non.

Le cône lumineux de la lampe d'Askosan se braqua sur le visage d'Avimol puis le Perdashiste eut un petit rire forcé.

— J'avais presque oublié de quelle planète tu viens, Avimol, chuchota-t-il en retour. Je suis content de ne pas t'avoir comme adversaire.

Le prêtre ne répondit pas. Il n'aimait pas les paroles superflues.

— Ce sont des membres de notre organisation. Ils portent certes des paralysateurs, mais ils ne tirent jamais à la légère. Reste derrière moi.

Il hésita, attendant une réponse, et comme aucune ne venait, il tourna à gauche en bas de l'escalier et s'engagea dans l'étroit corridor dont le plafond voûté luisait d'humidité.

Au bout d'un moment une voix chuchota devant eux :

— Qui va là ?

— Le jour est proche, souffla Askosan.

Avimol ricana en entendant ce mot de passe, pour lui ridicule, puis il se reprit. Il ne pouvait pas juger le comportement de ces hommes selon ses propres critères. Quand il passa devant les deux sentinelles, il sentit leurs regards curieux se poser sur lui.

Ils empruntèrent un nouvel escalier en colimaçon, mais ne descendirent cette fois que de douze marches avant d'enfiler un autre couloir.

À l'aide de ses sens aiguisés, l'Uarti perçut la présence d'une vingtaine de Cappins avant même qu'ils ne parviennent à un coude derrière lequel brillait une lumière. Ils débouchèrent par un portail de pierre dans une salle hémisphérique faiblement éclairée. Vingt et un personnages se levèrent pour saluer Askosan.

— Je vous salue, mes amis ! fit à voix basse le Perdashiste. L'homme à mes côtés s'appelle Avimol et vient d'Uarte. Il est prêt à entendre nos arguments et à voir nos preuves.

Un grand individu mince d'âge moyen fit un pas en avant. Des cheveux ondulés, rouge brun, tombaient sur ses larges épaules. Des yeux vert sombre scrutèrent avec attention le visage du nouvel arrivant.

Puis il posa sa main aux doigts écartés sur la poitrine et dit d'une voix claire :

— Bienvenue, Avimol. Mon nom est Recimoran et j'espère que nous nous entendrons bien.

— Ça ne dépend pas de moi, répliqua sèchement l'Uarti.

Un léger rire lui répondit et il se détendit. Il se sentait à son grand étonnement attiré par ces hommes. Il combattit aussitôt cette impression susceptible d'occulter ses facultés de jugement.

Celui qui paraissait être le chef du groupe le conduisit jusqu'à un banc de pierre revêtu de couvertures chauffantes et le pria de prendre place. La réunion commença alors.

Avimol écouta avec attention chaque parole, et avant tout celles qui n'étaient pas prononcées.

CHAPITRE XI

Récit de Perry Rhodan

— Je reconnais qu'il faut parfois prendre des risques, Barbare, déclara mon ami arkonide courroucé, mais je commence à me méfier quand c'est toi qui organises les opérations !

Tel un tigre en cage, Atlan déambulait de long en large dans l'étroite cellule où nous étions enfermés, passant et repassant devant la paroi complètement transparente. Je comprenais ses sentiments. Nous étions aujourd'hui le 4 avril 3438, et cela faisait quatre jours que nous étions prisonniers de ces Cappins qui auraient dû se montrer ravis de notre visite, d'autant plus que nous amenions avec nous le Ganjo dont ils attendaient impatiemment le retour.

— *Ces gens se sont laissé enivrer par la puissance qui leur a été confiée, Perry*, chuchota en moi la voix d'Ovaron. *Ils ne veulent pas l'abandonner. Ils le devront pourtant quand je serai présenté en public dans mon propre corps.*

— *Les Ganjasis ne sont que des hommes*, répondis-je en silence.

Je m'adressai ensuite à l'Arkonide :

— Je n'avais pas prévu de me retrouver en captivité, mon ami, mais comme nous l'a montré l'exemple de Takéra, même mes opérations peuvent mener au succès.

163

Deux prêtres revêtus de robes mauves apparurent dans le couloir. Nous connaissions à présent leurs dénominations et l'organisation de leur culte. Il s'agissait de « primes servants ». Atlan avait changé de comportement avant même que nous ne soyons entrés dans leur champ de vision. Il s'adossa à un des murs latéraux, croisa les bras sur sa poitrine et afficha un sourire glacial. Les Cappins lui jetèrent un bref regard puis s'éloignèrent, irrités.

Je me laissai aller en arrière dans mon fauteuil. Je me demandais à nouveau ce qu'on allait faire de nous. Ce Guvalash m'était apparu antipathique dès le début.

— *Il n'échappera pas à sa juste punition*, entendis-je dans ma conscience. *Ce n'est pas uniquement un criminel, c'est aussi un traître. Il joue indirectement le jeu des Takérans.*

— *La puissance absolue corrompt absolument*, répondis-je sur le plan mental. *Nous devons agir dès qu'on nous sortira de là – ce qui se produira tôt ou tard.*

— *Vous êtes nerveux*, commenta le Ganjo.

Oh oui, je l'étais ! Je m'étais déjà retrouvé dans des situations analogues au cours de ma longue vie, mais jamais je ne m'étais montré aussi fébrile. Je désirais ardemment fuir de là. Seulement, on nous avait pris nos armes et nos spatiandres. De plus, notre cellule était sécurisée par un écran énergétique. Le local était peut-être également prévu pour être inondé de gaz. Non, nous devions patienter jusqu'à ce qu'on nous fasse sortir de là.

Deux robots apparurent à l'extérieur, en tous points semblables à ceux qui nous apportaient les repas. Je jetai un œil sur mon chronographe. C'était effectivement l'heure du déjeuner. Ces machines étaient la ponctualité même. Pour des prisonniers, nous n'étions pas mal traités. Quelques secondes plus tard, une trappe s'ouvrit dans la paroi de droite de notre cellule. Deux récipients ronds, de couleur blanche, glissèrent sur la table située à même hauteur puis l'ouverture se referma.

Atlan s'avança et souleva un des couvercles.

— Pas mauvais, dit-il. Viens, Perry, assieds-toi et mange ! Tu dois conserver tes forces.

Je me levai avec un soupir.

Mon ami arkonide avait raison. Je ne ressentais certes ni la faim ni la soif, mais il eût été idiot de laisser mon corps s'affaiblir en le privant de nourriture. Nous aurions bientôt besoin de toute l'énergie nécessaire.

J'ouvris la deuxième boîte. Elle contenait diverses barquettes métalliques constituant un repas complet : en entrée, un bouillon de légumes dont je ne parvins pas à identifier la nature et des boulettes molles faisant bizarrement penser à du coton ; en plat principal, une grosse part de viande rôtie avec de la sauce jaunâtre, accompagnée de morceaux coupés en cubes dont l'odeur évoquait tant le pain que la purée de pomme de terre ; et en dessert, de petits fruits oranges.

Les couverts se composaient uniquement de cuillères en plastique en forme de becs. Soit les couteaux et les fourchettes étaient inconnus des Cappins, soit on préférait éviter de nous fournir des ustensiles susceptibles de se transformer en armes. Atlan et moi mangeâmes en silence, puis nous nous étendîmes sur les deux larges couchettes.

Je me demandais à quelle distance nous pouvions nous trouver du métapiège. Quatre kilomètres à vol d'oiseau, si j'arrivais à reconstituer correctement le chemin qu'on nous avait fait suivre. Nous ne devions pas être plus éloignés que cela de la pièce où Florymonth avait anéanti les cinq cerveaux.

Où l'étrange robot se cachait-il, à présent ? Je doutais fort qu'il ait été détruit. Ce n'était pas une proie facile. Mais alors, pourquoi ne nous aidait-il pas ?

— *Peut-être s'est-il caché afin d'élaborer un plan pour nous libérer…* hasarda Ovaron. *Ou nous sommes trop bien isolés. Quoi qu'il en soit, dès qu'un des hommes en mauve passera devant la cellule, j'essaierai de m'en emparer par métatransfert et d'ouvrir notre prison de l'extérieur.*

Je secouai la tête.

— *Notre geôle est certainement entourée par un écran de nature hexadimensionnelle. Ça ne marchera pas.*

— *Je peux toujours tenter le coup. Asseyez-vous sur un des fauteuils de manière à bien voir au-dehors. Établir un contact visuel avec ma future victime me facilitera la tâche.*

Je balançai les jambes hors du lit, attirant aussitôt l'attention d'Atlan. Il se tourna vers moi et demanda :

— Qu'est-ce que tu veux faire, Perry ?

— Moi, rien, mais mon hôte a un plan, Arkonide.

Le front de mon ami se plissa.

— Ce n'est pas une bonne idée. Pourquoi vous montrez-vous tous deux si impatients ? Dans notre situation, il est préférable de guetter l'occasion idéale pour tenter une évasion.

Je m'abstins de répondre, me levai et allai m'installer sur le siège posé face à la paroi transparente. Qu'aurais-je pu lui dire, de toute façon ? Tout le monde n'était pas capable d'attendre stoïquement des jours et des jours l'instant propice pour passer à l'action, et qui plus est en témoignant d'un calme à toute épreuve. Il eût fallu, pour cela, posséder la mentalité d'un ancien Prince de Cristal.

Un Ganjasi revêtu d'une robe blanche ne tarda pas à apparaître dans le couloir. Un prêtre de troisième catégorie.

— *Son rang est trop inférieur*, m'expliqua Ovaron.

Un autre servant arriva peu après, habillé en jaune.

— *Alors ?*

— *Non plus, Perry. Il me faut un individu qui soit habilité à ouvrir notre prison.*

Atlan gardait le silence. Il se tenait néanmoins prêt à intervenir en cas de besoin.

Les minutes se traînaient interminablement. Je sentais l'excitation du Ganjo croître, et comme sa conscience et la mienne partageaient le même « logement », son état d'esprit me contaminait.

Mes mains aux paumes moites caressaient fébrilement les accoudoirs du siège.

Enfin, au bout d'une demi-heure, un Cappin en mauve se manifesta. Je me raidis instinctivement. Il passa toutefois son chemin et je perçus un juron mental de la part d'Ovaron. Il n'avait pas réussi à se transférer.

L'individu réapparut pourtant bientôt, accompagné d'un Métaguide. Les deux hommes se déplaçaient lentement. Ils s'entretinrent un moment – trop bas pour que nous puissions les entendre, puis nous regardèrent.

J'espérais qu'il ne viendrait pas à l'idée du Ganjo de s'emparer de l'un d'eux précisément maintenant ; l'autre s'en rendrait compte à coup sûr.

— *Du calme !* me jeta mon compagnon mental.

Les Ganjasis se retournèrent et s'éloignèrent. Quelques secondes plus tard, un robot fit son apparition et je vis s'approcher le prime servant. Il tenait à la main un petit appareil qu'il était manifestement aller quérir. Je remarquai alors qu'Ovaron n'était plus là. Il avait donc réussi à établir un métacontact et tentait à présent de contrôler le prêtre.

Mais il revint aussitôt. Sa cible n'avait pas montré la moindre réaction. Avant que j'aie pu formuler une question, une douleur atroce me transperça le crâne. C'était comme si on avait planté dedans une lame chauffée à blanc. Je me cabrai et m'effondrai dans le fauteuil, mes jambes étant prises de convulsions incontrôlables.

Après un laps de temps impossible à déterminer, j'aperçus à travers un voile laiteux le visage d'Atlan penché sur moi. La souffrance s'estompa rapidement mais je me sentais prêt à basculer dans la folie.

Il y eut deux coups secs puis mes joues s'enflammèrent. Je voyais et j'entendais à nouveau clairement.

— Reprends-toi, Barbare ! jeta le Lord-Amiral. Ovaron a été violemment rejeté par le méta-écran, n'est-ce
pas ? Il devrait à l'avenir éviter de telles expériences.

— *Je suis désolé*, s'excusa alors le Ganjo.

— Je me suis déjà senti en meilleure forme, admis-je.

Au même instant, un bruit de raclement retentit derrière Atlan. L'Arkonide pivota sur ses talons et, bien que
difficilement, je réussis à me lever.

La paroi blindée transparente coulissait lentement
dans le sol !

Que se passait-il ?

Huit Ganjasis revêtus de robes pourpres arrivèrent de
la gauche et se placèrent face à nous. Ils nous examinè-
rent comme s'ils escomptaient une quelconque réaction.
Le méta-écran jusqu'à présent quasi invisible prit une
teinte irisée, comme une bulle de savon, et commença à
s'incurver.

Nous n'allions pas tarder à être fixés sur notre sort.

Récit d'Ovaron

Quand le méta-écran me rejeta, ce fut comme si
j'avais été frappé par un éclair. Pendant un long moment,
je me crus projeté dans un univers non perceptible à mes
sens, puis je fus ramené brusquement à mon point de
départ.

L'énergie hexadimensionnelle qui avait afflué en moi
déferla dans le cerveau du Terranien, prenant une forme
purement psychique. Mon hôte devait être soumis à d'ef-
froyables tourments alors que moi, je n'éprouvais pratiquement rien. Je ne pouvais hélas pas lui porter assistance,

trop épuisé par les efforts que j'avais fournis pour revenir m'accrocher à la conscience de Rhodan.

Quand, peu après, le panneau transparent coulissa dans le sol, je pris entièrement le contrôle du corps de Perry. Il était encore trop confus pour réagir rapidement si le besoin s'en faisait sentir.

Son esprit fut par conséquent repoussé dans un coin. Il ne s'y opposa pas, bien que son premier réflexe fût de résister.

Durant mon accès de faiblesse, la singulière altération du méta-écran m'avait échappé mais à présent, j'étais ragaillardi et je vis que l'obstacle se déformait pour adopter une structure tubulaire.

Les Métaguides nous observaient avec attention. Ils n'étaient que huit, ce qui n'était pas sans m'inquiéter. Ces criminels s'étaient pour l'instant toujours montrés au complet.

L'un d'eux fit un signe de la main. Je compris que nous devions nous engager dans le tunnel ainsi formé. C'était une méthode particulièrement raffinée car, enfermés dans une enveloppe d'énergie hexadimensionnelle, nous serions parfaitement impuissants, même en quittant notre cellule.

— Allons jeter un coup d'œil à ce tuyau, dit l'Arkonide avec ironie, et il s'avança.

J'hésitai un instant puis, résigné, je lui emboîtai le pas. Les parois immatérielles étant très rapprochées, je dus rester derrière lui.

À l'exception de quelques déformations insignifiantes, le métachamp était à nouveau pratiquement invisible et j'avais l'impression que mes pieds – les pieds de Rhodan – touchaient vraiment le sol. Je frappai intentionnellement de la main la surface intérieure de l'écran. Aucune réaction. Cela indiquait une structure particulière.

— Ça ne me plaît pas, dit mon compagnon. Cette chose me rappelle de façon sinistre le sas énergétique, sur Takéra, qui nous a menés à des Vassaux assoiffés de sang. Rien d'étonnant, du coup, à ce que j'aie de mauvais pressentiments.

Nous nous déplacions au milieu d'un couloir d'acier, flanqués à droite par les huit Métaguides. Je les observai discrètement. Ils regardaient obstinément devant eux, ne nous jetant un œil curieux que par moments.

Après quelque temps, nous arrivâmes au pied d'un escalier. La pente devint bientôt si raide que je craignis de perdre l'équilibre, mais ce ne fut heureusement pas le cas.

Je commençais à me poser des questions sur toute l'énergie que l'on gaspillait à cause de nous, sans parler des nombreux projecteurs dissimulés un peu partout dans les murs.

Pourquoi ne nous amenait-on pas en haut avec un simple ascenseur ? Les Métaguides avaient-ils tellement peur de nous ?

Eh bien, leur appréhension n'était pas complètement injustifiée, vu ce que nous leur avions fait subir. Le tunnel ne pourrait vraisemblablement pas être maintenu dans un puits antigrav, vu que ce type d'installation fonctionnait à l'aide d'un champ de force polarisé. Atlan et moi pourrions en profiter pour maîtriser nos gardiens.

Et s'ils faisaient appel à des robots de combat ? Les Ganjasis n'auraient alors plus à craindre pour leur vie.

— *Pour la leur, non, mais pour la nôtre, oui*, murmurèrent les impulsions mentales de Rhodan dans ma conscience. *Manifestement, on a toujours besoin de nous, sinon on nous aurait depuis longtemps tués.*

Combien de temps nous restait-il encore à grimper ? Au moins, notre escorte était logée à la même enseigne. La façon dont les parois du tunnel énergétique s'adaptaient aux marches était étonnante. La technologie des champs-contours portée à sa perfection…

— *Comme avec l'écran protecteur de l'*Ancêtre, perçus-je involontairement dans les pensées de mon hôte.

Je dois essayer d'en comprendre le principe de fonction-
nement. L'Humanité ne se lassera jamais de nouvelles
connaissances.

— Je vois l'extrémité de l'escalier, annonça Atlan
depuis le sommet. Et un vaste espace. Nous sommes
attendus par un comité de réception. Au moins cinquante
prêtres, tous de rang inférieur.

Le dos de l'Arkonide me bouchait la vue mais quand
j'atteignis la dernière marche, je pus contempler ce qu'il
avait décrit. Le tunnel énergétique menait au milieu
d'une grande plate-forme et prenait fin là. De nombreux
Ganjasis nous encerclaient.

Nous nous immobilisâmes. Deux des Métaguides qui
nous avaient accompagnés nous firent signe de continuer.
Résigné, le Lord-Amiral se remit en mouvement. Je le
suivis. Le tuyau était toujours trop étroit pour nous laisser progresser de front.

Nous arrivâmes finalement au bout. Atlan jeta un œil
vers le haut. Je basculai également la tête en arrière – ou
pour être plus précis, la tête de Rhodan – et découvris
au-dessus de nous un puits faiblement éclairé dont le diamètre était le même que celui du plateau sur lequel nous
nous trouvions.

— Un ascenseur, constatai-je.

— Ces quelques hommes ne suffiront pas pour nous
retenir, déclara l'Arkonide avec un sourire féroce.

Comme en réponse à sa remarque, l'extrémité du tunnel
énergétique adopta une structure sphérique et se contracta,
nous pressant l'un contre l'autre. Le reste se dilua dans
l'air.

J'espérais qu'on avait pensé à laisser suffisamment
d'oxygène à l'intérieur ! Nos spatiandres nous avaient
depuis longtemps été enlevés.

La plate-forme s'ébranla et s'éleva lentement, avec
une sourde vibration. Au bout de deux minutes environ,
je sentis que le corps de Rhodan commençait à présenter

les premiers signes d'asphyxie. Mais l'ascenseur s'arrêtait déjà ; le méta-champ se déforma et reprit une structure tubulaire. Un air frais s'engouffra.

Par précaution, les cinquante prêtres se placèrent à l'entrée de plusieurs conduits d'aération de petit calibre, au cas où nous aurions tenté de nous faufiler par là. Nos huit Métaguides gesticulèrent à nouveau ; nous devions poursuivre tout droit.

Nous ne discutâmes pas et, après un certain temps, nous parvînmes au pied d'un large escalier. Je levai les yeux. L'extrémité du tuyau immatériel demeurait invisible.

À peine trente secondes plus tard, je perçus en moi un trouble inexplicable. Je pensai d'abord qu'il émanait de la conscience de Rhodan, mais le Terranien m'assura qu'il était au contraire perturbé par *mon* inquiétude.

J'essayai de me contraindre au calme. Sans succès. L'agitation se renforçait plutôt. Je ne m'étais jamais senti aussi confus et impuissant que maintenant. Ce fut en trébuchant que je me rendis compte que j'avais de plus en plus de mal à contrôler l'organisme de Perry.

Je poussai un soupir de soulagement quand nous arrivâmes sur une nouvelle plate-forme. Notre escorte, qui avait pris un peu d'avance, nous y attendait déjà.

À peine eûmes-nous quitté la dernière marche que le tunnel énergétique se rétrécit derechef pour affecter une forme sphérique. Mon excitation s'accrut sans que je puisse en reconnaître la cause.

Atlan devait avoir remarqué les tremblements de mon corps d'emprunt car il me jeta un coup d'œil inquiet. Je lui expliquai ce qui s'était passé, ce qui le rendit manifestement pensif.

Cette fois, le voyage en ascenseur fut heureusement plus court. Arrivés en haut, l'Arkonide et moi franchîmes une porte blindée ouverte et débouchâmes dans une vaste salle au plafond élevé.

La bulle-prison scintilla un peu plus fort que d'habitude, si bien que nous dûmes plisser les yeux pour mieux voir au travers. J'identifiai d'abord quatre énormes projecteurs d'hyperénergie disposés sur des plates-formes antigrav. Nous ne nous trouvions donc plus dans un secteur alimenté par les générateurs enfouis dans les profondeurs.

Puis je découvris un homme âgé légèrement voûté qui se dirigeait lentement vers nous.

Guvalash !

Un battement de cœur plus tard, mes perceptions s'estompèrent. Des vagues d'atroces douleurs parcoururent le corps que je contrôlais. Quelque chose heurta violemment ma conscience, menaçant de la faire sombrer.

— Perry, reprenez la main ! émis-je avec le peu d'énergie qui me restait, puis des impulsions étrangères déferlèrent en moi et je perdis le contact avec la réalité.

*
* *

Récit d'Atlan

Quand mon ami vacilla, je le saisis par le bras gauche pour le soutenir aussi discrètement que possible. Je ne voulais pas que Guvalash puisse tirer avantage de sa faiblesse.

Les yeux de Perry se voilèrent quelques secondes avant de redevenir clairs, puis la voix familière dit doucement, mais fermement :

— Tout va bien, Atlan.

Ce n'était toutefois que ce qu'il désirait me faire accroire. Au moment où j'ôtai ma main, je sentis un violent frisson le parcourir. S'il était à nouveau maître de son corps – ce qui me paraissait nettement être le cas –, l'agitation du Ganjo semblait manifestement se transmettre à lui.

Je ne pus me soucier plus longtemps des difficultés de

mon ami, devant consacrer toute mon attention à l'Hexarque.

Le vieux Ganjasi nous examinait avec insistance. Son visage ravagé affichait un sourire – aussi amical que celui d'un loup affamé face à un agneau impuissant.

Et des agneaux impuissants, c'était hélas ce que nous étions pour l'instant, car le métachamp du cylindre énergétique interdisait tout mouvement.

— Ovaron me signale qu'il subit un bombardement d'impulsions. Si seulement nous arrivions à faire quelque chose !

— Garde ton sang-froid, murmurai-je en retour sans quitter Guvalash du regard.

Malgré toute ma résolution, je ne pouvais empêcher l'excitation de me gagner. La preuve en était les sécrétions salées qui coulaient de mes yeux.

Qu'arrivait-il donc au Ganjo ?

Des ondes identificatrices, naturellement, espèce d'idiot ! intervint mon cerveau-second.

Un rire silencieux me parvint depuis la conscience de Merceile. Elle s'amusait manifestement de mon embarras. Dommage que je ne puisse la coucher sur mes genoux et lui administrer une bonne fessée !

Perry réprima un gémissement.

Je voulus redonner du courage à mon ami mais, à ce moment, j'aperçus Guvalash qui faisait un signe de la main. Je pensai d'abord qu'il s'adressait à nous, puis je remarquai que l'Hexarque regardait par-dessus mon épaule.

Je tournai la tête – et expulsai involontairement de l'air entre mes dents, car ce que je vis alors ne pouvait pas exister !

Ovaron s'avançait vers nous, revêtu d'un uniforme somptueux et d'une cape arborant ses insignes de rang et le symbole de sa famille.

Si je n'avais pas su avec certitude que son esprit était

hébergé par Rhodan et que son corps se trouvait sur le *Marco Polo*, qui sait si je n'aurais pas cru l'espace d'un instant avoir devant moi le véritable Ganjo ?

Mais le doute n'était pas permis. Ce n'était qu'une copie.

Le sens de cette mascarade m'apparut immédiatement : les Métaguides voulaient faire passer leur marionnette pour le souverain légitime des Ganjasis et de cette façon accroître encore leur puissance. Ils se mettraient ainsi sur un pied d'égalité avec les Takérans.

Ce plan était raffiné ; seulement, il se basait sur une supercherie. Un faux Ganjo pourrait peut-être fédérer autour de lui les Ganjasis survivants pour les libérer du joug de leurs ennemis mais ni lui, ni les instigateurs du complot ne possédaient le génie du vrai Ovaron. Par conséquent, ils perdraient la guerre et il était fort probable que le peuple ne se relèverait jamais de son échec.

Le sosie s'arrêta à quelques pas de nous. Il nous adressa un sourire cynique. Il avait naturellement appris de Guvalash qu'Ovaron se trouvait en Perry et Merceile en moi, et que tous deux pouvaient le voir par notre intermédiaire.

Je le dévisageai froidement. Il baissa les yeux et se dirigea vers l'Hexarque. Ses mouvements paraissaient soudain incertains. Et c'était *ça* qui voulait conquérir un empire stellaire !

Je me concentrai un peu plus et sentis l'esprit de la jeune femme se réfugier dans un coin de ma conscience. À côté de moi, Rhodan souffla violemment. Je lui jetai un regard inquiet, craignant que le balayage psychique n'en ait fait un vrai paquet de nerfs.

Or, son visage exprimait seulement du soulagement.

— Les impulsions sont parties, me chuchota-t-il.

Qu'est-ce que cela pouvait bien signifier ?...

Le véritable Ganjo a été définitivement identifié, me

transmit le secteur logique de mon cerveau. *Il va bientôt se produire quelque chose*.

Je commençais à me douter de ce dont il s'agissait. Le comportement de l'Hexarque et de ses acolytes m'irritait. Ils continuaient à nous observer avec attention.

L'instant suivant, ce fut comme si ma boîte crânienne s'emplissait d'un feu ardent. Le décor s'estompa sous mes yeux. J'entendis un cri, mais ne sus dire s'il avait été acoustique ou mental. Ma conscience et celle de Merceile s'unirent d'une façon qui me fit plonger dans un état de transe quasi cataleptique. Je ressentis simultanément des supplices infernaux et une félicité semblable à celle qui se produit à l'apogée de l'union de deux amants.

Mon esprit fut soudain rejeté. Une confusion sans bornes, de la honte, de la surprise, déferlèrent dans mon esprit comme les vagues de l'océan s'abattent sur la grève. Qu'était-il arrivé ?

Avais-je réagi à une telle étreinte spirituelle ?

Bien entendu ! se moqua mon cerveau-second. *Cependant, n'oublie pas que les femmes ne sont pas aussi détachées que toi, tu peux l'être sur ce genre de choses. Tu vas devoir faire comprendre à Merceile qu'il ne s'agissait que d'un état euphorique, une union psychique involontaire, mais ne va pas lui dire que ça t'a laissé froid.*

Je pris une profonde inspiration et tentai de repousser les souvenirs de cet instant. Cet effet euphorique ne pouvait qu'être lié à l'identification réussie du Ganjo. Tous les Ganjasis avaient probablement été affectés. Chacun réagissait à sa façon. Près de moi, Perry jurait à voix basse. Je ne lui prêtai pas attention, me concentrant sur l'Hexarque et la copie d'Ovaron.

Les deux hommes avaient reculé de quelques pas. Ils regardaient, troublés, les prêtres de rang inférieur qui se tordaient à terre, pris de convulsions hystériques. Quelques-uns roulaient sur eux-mêmes ; d'autres se jetèrent sur le sosie, les bras écartés, mais furent repoussés par les lieutenants de Guvalash.

Je ne pus réprimer un certain plaisir sadique. Quoi qu'ait pu déclencher ce sentiment euphorique, les Méta-guides étaient complètement surpris. Peut-être ne s'y étaient-ils pas attendu si tôt ?

Ma joie mauvaise ne dura pas très longtemps car je perçus soudain de fortes vibrations dans le sol, malgré le champ énergétique. Perry et moi perdîmes l'équilibre, heurtant la paroi intérieure du tunnel, et nous nous accrochâmes l'un à l'autre pour ne pas tomber.

Un pan de mur de la vaste salle s'effondra. Les débris s'écroulèrent sur quelques prêtres. Un éclair éblouissant fulgura à travers l'ouverture puis s'évanouit. Il subsista toutefois une faible lueur. C'était comme si un réacteur avait explosé, émettant de forts rayonnements par le trou béant.

Je ne risquais rien, pas plus que Rhodan. Nous étions protégés efficacement, par le méta-écran hexadimensionnel, de toutes formes de radiations.

Mais pour combien de temps ?

Des forces venaient d'être déchaînées, qui échappaient à tout contrôle. Cette partie de la planète allait peut-être voler en éclats dans les prochaines secondes.

Et nous étions condamnés à une totale impuissance.

CHAPITRE XII

Avimol rabattit sa capuche sur la tête et s'enroula davantage dans sa couverture. Il n'arrivait pas à trouver le sommeil, si bien que les ronflements et les respirations saccadées de ses compagnons résonnaient bruyamment à ses oreilles.

L'Uarti ouvrit les yeux et fixa le plafond élevé du dortoir qui hébergeait environ deux cents pèlerins, venus de tous les horizons possibles.

Il pensait à la réunion secrète à laquelle il venait d'assister. Ce qui y avait été dit l'avait fortement impressionné, mais c'étaient surtout les preuves présentées par Recimoran qui l'avaient convaincu : des cristaux enregistreurs et des copies de documents appartenant aux Métaguides. Avimol ne doutait désormais plus que ceux-ci manipulaient leurs partisans pour satisfaire leurs buts égoïstes et qu'ils ne reculaient pas non plus devant le meurtre pour faire taire les voix critiques.

Il s'était certes rallié au Perdashisme ; néanmoins, il ne commençait que maintenant à réaliser dans quelle situation délicate il s'était fourré. S'il croyait toujours au retour du Ganjo – l'organisation clandestine n'émettait aucun doute à ce sujet –, sa foi avait été sérieusement ébranlée. Il savait toutefois qu'il ne devait rien changer à son comportement s'il ne voulait pas attirer sur lui la méfiance des autorités. Au risque de sombrer dans la schizophrénie.

Il devait demeurer un pèlerin et un prêtre au-delà de tout soupçon, tout en œuvrant à un discret travail de sape.

À l'issue de la rencontre dans les souterrains, Avimol s'était rendu au Grand Rassemblement sur la place de l'Ovarash, comme Recimoran et Askosan le lui avaient recommandé. Noyé au milieu de la foule innombrable, il s'était laissé baigner par la musique, les chants et les discours des Métaguides, sans pour autant y adhérer totalement. Il ne comprenait pas comment il avait pu, plus tôt, déborder d'enthousiasme à l'instar de tous ceux qui l'entouraient. Il avait subi un véritable choc.

L'Uarti s'assit et rejeta sa capuche en arrière. Il observa un moment les dormeurs et le va-et-vient incessant entre les couchettes et les toilettes. Il méprisait ces gens qui avaient si peu de contrôle sur leurs fonctions organiques. Sur Uarte, personne n'aurait quitté les dortoirs-bunkers durant la période de repos nocturne.

Je ne dois pas les comparer à mes congénères, se corrigea-t-il. *Ce serait injuste. Chaque monde dicte ses propres exigences.*

Quinfaldim remua faiblement ; ses lèvres charnues s'agitèrent, puis il roula sur le ventre et replongea dans le sommeil.

Avec un soupir, Avimol s'extirpa de sa couverture, se leva et prit la sacoche de cuir qui contenait son équipement de biocamouflage. Il boucla le large ceinturon sous sa robe avant d'enjamber ses confrères endormis puis se dirigea vers la porte.

Dans le vestibule, il rencontra les hommes qui revenaient des toilettes. La plupart le croisèrent en traînant les pieds, l'ignorant complètement. Rares furent ceux à lui jeter un œil. L'Uarti s'arrêta devant le distributeur automatique de boissons et se servit un verre d'*alloque*, un breuvage au goût légèrement amer, composé d'extraits de plantes et de lait fermenté de *ztaplan*. Il l'absorba par petites gorgées et sentit tout de suite la fraîcheur l'envahir.

Il marcha lentement jusqu'à la sortie du temple que l'on avait aménagé en dortoir. Dehors, un air doux et sec l'accueillit. Il n'y avait pas un nuage et de nombreuses étoiles scintillaient sur la voûte céleste.

Son ouïe acérée sonda les environs. Les avenues et les ruelles de Métabor étaient presque désertes, seuls de rares pèlerins ou servants circulaient encore. Son odorat exercé perçut des exhalaisons corporelles mêlées à des effluves de nourriture et de boissons.

Le jeune homme se dirigea à pas feutrés vers la Grand-Place où se dressait l'Ovarash, sans savoir précisément pourquoi il avait fait ce choix.

Il se figea complètement quand un nouveau bruit se fit entendre dans la ville sainte quasi silencieuse. Il en reconnut très vite l'origine : un glisseur lourd en mouvement.

Obéissant à la force de l'habitude, née des vicissitudes de la vie quotidienne sur sa planète, Avimol se coula discrètement dans une niche du mur et se pressa contre une sculpture poussiéreuse. Seuls ses yeux bougeaient encore.

Il vit bientôt le véhicule. Celui-ci se déplaçait le long des rues sur un champ répulseur émettant un doux bourdonnement. Huit hommes en spatiandres légers, fortement armés et équipés de casques radio, étaient assis sur des bancs à l'arrière et tentaient de percer de leurs regards la semi-obscurité des artères faiblement éclairées.

Ils ne découvrirent pas le prêtre.

Ce ne fut qu'après coup que celui-ci réalisa qu'il avait adopté un comportement suspect. Le glisseur et ses occupants faisaient certainement partie des Protecteurs d'Aryva, les troupes de police d'Aryvanum. Leur méfiance se serait assurément réveillée s'ils avaient remarqué que quelqu'un cherchait à les éviter.

Je n'ai même pas cherché à me dissimuler, se défendit l'Uarti. *Ce n'était qu'un réflexe.*

Il s'arracha à l'ombre de la niche et reprit son chemin. Quelque chose hurla alors dans sa conscience. Il bondit sous le porche du plus proche bâtiment avant de saisir qu'il s'agissait d'un message.

LE GANJO EST LÀ !

Il demeura figé un long moment. Non, il n'y avait aucun doute. Il *savait* que le Ganjo était arrivé !

Un peu sonné, il quitta son abri. Il leva les yeux vers la voûte étoilée et vit depuis une multitude d'endroits, des faisceaux lumineux verdâtres fuser vers le ciel et donner naissance à d'innombrables petites taches étincelantes.

Des éclairs crépitaient tandis qu'elles s'étiraient et fusionnaient entre elles. Un grondement sourd emplit l'air.

Avimol se mit à courir. L'instinct guida ses pas vers la Grand-Place où il distinguait maintenant le scintillement métallique du puissant obélisque d'où jaillissait un intense rayon incandescent. *Si le Ganjo se montre, ce ne peut être qu'au pied de l'Ovarash*, se dit-il. Les premiers pèlerins émergeaient à présent des temples. Certains traînaient encore avec eux leurs couvertures ou arboraient les vêtements de nuit les plus disparates. Un gros homme s'avança difficilement, sans chaussures, et il hurla quand quelqu'un lui marcha sur les pieds.

L'Uarti leur prêta à peine attention. De temps en temps, il regardait en haut. Une sorte de chape luminescente était en train de se mettre en place. Sa lueur répandait une clarté verdâtre sur toute la cité.

Quand Avimol atteignit l'esplanade, l'écran énergétique imperméable avait fini de se déployer autour de la planète. Il ne scintillait plus mais déversait une luminosité émeraude ensorcelante, digne du plus admirable des joyaux.

Un cercle dense de servants de toutes les catégories s'était formé au pied de l'Ovarash. Les mégaphrans, buhumbos et tshreets faisaient un bruit assourdissant qui couvrait les murmures lancinants et les mélopées des incantations rituelles.

L'euphorie quitta d'un coup l'Uarti.

Il sentit un goût amer dans la bouche en réalisant que les instruments de musique et les chants étaient seulement là pour conditionner la foule, lui suggérer que le retour tant attendu du libérateur était bien l'œuvre de l'Hexarque et de ses acolytes.

— Criminels ! cracha-t-il de rage.

Le pèlerin à sa droite, un homme sec à la peau bleu clair et aux longs cheveux noirs, tourna la tête.

— Que dis-tu, mon frère ? demanda-t-il.

Avimol ne se contenait plus. Il indiqua les servants et dit :

— Ce sont des criminels ! Ils veulent profiter de toute cette agitation pour renforcer la puissance des Méta-guides. En réalité, ils préféreraient voir le Ganjo mort que vivant.

L'autre le dévisagea avec perplexité puis il recula, pivota soudain et cria d'une voix de fausset :

— Il a outragé le Ganjo ! C'est un Perdashiste !

Hurlant de rage, il tira un couteau et se jeta sur son voisin.

Celui-ci para l'attaque avec l'avant-bras gauche, se glissa sous son adversaire et lui planta le bout des doigts dans le larynx. Il sentit quelque chose se briser et le fanatique s'effondra sur lui-même avec le bruit d'un ballon qui se dégonfle.

Tout cela s'était enchaîné rapidement, mais les hurlements du pèlerin n'étaient pas restés ignorés. Une vingtaine d'autres prêtres s'approchèrent en hésitant. Quelques-uns répétaient les premières paroles de l'homme qui gisait, immobile, aux pieds d'Avimol :

— Il a outragé le Ganjo !

Le cri se répandit vite dans la foule, poussé même par ceux qui n'avaient pas assisté à la scène.

L'Uarti dévoila ses dents, arborant un faciès de loup. Il se voyait acculé, mais il n'avait pas l'intention de se laisser faire.

Il fit volte-face et s'élança au pas de course. Au début, certains Cappins tentèrent de s'opposer à lui ; il les évita ou se fraya un chemin par la force en portant des coups mortels avec son couteau.

Au bout d'un moment, il se mêla à la masse anonyme des pèlerins. Il ralentit, se glissa sur la gauche et cria en indiquant de son bras tendu, au hasard, un groupe de prêtres :

— Là, il est là ! Arrêtez-le !

Les hommes autour de lui se précipitèrent dans cette direction.

Bientôt, plus personne ne savait exactement qui étaient les chasseurs et qui était le gibier. Avimol fit comme s'il avait soudain le souffle coupé. Il s'immobilisa et haleta bruyamment. Les Ganjasis en colère le dépassèrent et il ne resta rapidement plus que des individus perplexes, abasourdis.

Il s'éloigna aussi discrètement que possible de la Grand-Place. Arrivé près d'un temple, il se glissa dans une des nombreuses niches pour réfléchir en paix.

Il avait été stupide de s'emballer ainsi et se laisser entraîner dans une bagarre. Deux manquements aux règles que les Perdashistes s'étaient à eux-mêmes imposées : travailler en secret et sans violence.

Mais il ne pouvait pas faire marche arrière. Enfin, il était tout de même parvenu à fuir. Il ne croyait pas que quelqu'un ait pu distinguer son visage au point de le reconnaître, à moins que...

Avimol blêmit.

Il se remémora soudain que seuls les Uarti avaient les

cheveux coupés à ras et, à sa connaissance, ils n'étaient actuellement que quatre sur Aryvanum, lui y compris.

Il rabattit sa capuche sur la tête.

Mais peut-être s'inquiétait-il pour rien. Les habitants des autres mondes n'étaient pas entraînés à développer leur sens de l'observation et à exercer leur mémoire. Sans doute personne n'avait-il noté cette particularité.

Il s'enfonça plus profondément dans la niche en percevant à nouveau le bruit d'un glisseur. Puis il se mordit la lèvre inférieure et écouta avec attention les messages transmis par haut-parleurs, qui se réverbéraient entre les hauts bâtiments.

Une voix monocorde annonçait qu'un assassin se cachait à Métabor, un criminel uarti déguisé en pèlerin. Tous les prêtres étaient conviés à se tenir en garde et à prévenir immédiatement les Protecteurs d'Aryva s'ils apercevaient le meurtrier.

Le véhicule avança encore sur quelques mètres, s'arrêta et, brusquement, huit policiers sautèrent de la plate-forme. Des ordres retentirent et, tandis que l'engin poursuivait sa route et que le message était réitéré, ils s'alignèrent et se dirigèrent vers le temple contre le mur duquel se dissimulait Avimol.

Celui-ci entendit alors des cris et des sifflements un peu partout. Manifestement, les forces de sécurité étaient en train de quadriller la ville sainte.

Il se détendit. Il savait qu'il était inutile de quitter son abri. On l'apercevrait immédiatement et il serait abattu à vue. Toujours sans bouger, il attendit que le Ganjasi placé en extrémité de ligne arrive sur sa cachette. À l'ouïe, il calcula que douze mètres environ séparaient chaque individu. Cela devrait suffire, et si ce n'était pas le cas…

Les pas fermes de l'homme s'approchaient inexorablement.

Lorsque le Protecteur d'Aryva se présenta en face de la niche et que le cône lumineux de sa lampe se pointa sur lui, le jeune prêtre résolu frappa avec violence. Il y eut un bruit hideux quand la nuque de sa victime se brisa mais, en dehors de l'Uarti, personne ne l'entendit.

Le Cappin serra contre lui le corps devenu flasque.

Le policier suivant progressa encore de six pas, puis il pivota sur ses talons et éclaira le mur du temple. Le pinceau de lumière s'immobilisa sur le dos du cadavre.

— Eh, Orshar, qu'est-ce que tu fais ? jeta-t-il.

Avimol rit doucement.

— L'appel de la nature ! rétorqua-t-il indistinctement. Une seconde, j'arrive.

Le Ganjasi s'esclaffa, compréhensif. Il ne pouvait pas distinguer le prêtre et le comportement de son camarade n'avait rien d'extraordinaire pour lui. Il poursuivit sa route, sans même se retourner une seule fois.

L'Uarti attendit encore quelques instants puis, sans un bruit, il laissa glisser le mort à terre et s'éloigna avec l'agilité d'un félin. Il ne se faisait pas d'illusions sur sa situation. Ce coup-ci, il s'en était sorti mais tôt ou tard, il serait identifié et pris.

Or, pour le capturer, il fallait d'abord le reconnaître…

Avimol tapota la sacoche renfermant l'équipement de biocamouflage. Tout ce dont il avait besoin maintenant, c'était d'une cachette et d'un peu de temps…

Récit de Perry Rhodan

Je me remettais peu à peu de la confusion qui m'avait envahi. Il était plus que temps car je sentais la catastrophe arriver à grands pas.

Les vibrations du méta-écran s'amplifièrent. Une partie du toit s'écroula sur un des générateurs de champ. Des éclairs éblouissants jaillirent de l'appareil et je dus fermer les paupières pour ne pas être aveuglé. Lorsque je les rouvris, le projecteur n'était plus qu'un tas de débris fumants.

Quand le tunnel énergétique vacilla, j'agrippai l'avant-bras d'Atlan.

L'Arkonide tourna son visage vers moi. Je vis qu'il était excité au plus haut niveau ; des sécrétions humides coulaient de ses yeux.

— Oui, Perry ? parvint-il à prononcer d'une voix criarde.

— Nous avons peut-être une chance, me hâtai-je de dire, vu que j'ignorais combien de temps j'avais pour parler. Dès que le méta-écran s'effondrera, on file d'ici !

La paroi scintillante trembla à nouveau, une brèche de la taille d'une main apparut puis se referma. Tout le tunnel de nature hexadimensionnelle se tordait soudain comme un gigantesque lombric à l'agonie.

Ma jambe gauche fut aspirée, et je me retrouvai à l'extérieur du tuyau.

Sans me préoccuper d'Atlan, je me précipitai vers le plus proche générateur. Quelque chose laissa fuser un éclair vif sur le côté. Je me jetai à terre, roulai sur moi-même et me remis sur pied. Derrière moi, le plastométal de la plate-forme de l'ascenseur était en ébullition.

D'un bond, j'atterris sur la plaque antigrav soutenant le projecteur. Le servant vêtu de mauve, qui manipulait l'appareil, voulut résister. Je plongeai sur la gauche, hors de l'angle de tir de l'arme radiante à moitié levée, repoussai brutalement la main tendue, saisis le poignet en le tordant vers l'extérieur et fis choir l'homme à terre. Je n'avais plus le temps de me montrer raffiné, aussi l'assommai-je d'un coup de pied à la tempe.

Je branchai ensuite le servomoteur de l'engin et le fis pivoter sur son socle. Plusieurs salves me sifflèrent aux oreilles et je me hâtai de dresser un mur d'énergie hexa-dimensionnelle entre moi et les Ganjasis.

— Merci, mon ami !

Atlan avait bondi à mon côté. Je venais, de toute évidence, de complètement supprimer la prison immatérielle.

L'Arkonide s'empara de l'arme du servant inconscient et répondit au feu des prêtres. Je ne lui prêtai pas attention, occupé à colmater les brèches de structure qui apparaissaient sur la paroi scintillante, mais les cris de frayeur des Cappins me révélaient qu'il visait juste.

Le fracas d'une violente explosion retentit à nos oreilles. Ce qui subsistait du plafond s'effritait. Je me courbai quand un morceau de la taille d'un poing me frappa à l'épaule. Le Lord-Amiral poussa un juron à mi-voix.

Le faux Ganjo et les huit Métaguides se tenaient toujours derrière le rideau d'énergie. Guvalash, en revanche, avait disparu. Je serrai les dents en pensant qu'il était sans doute allé chercher des renforts, fort probablement des robots de combat.

Ovaron avait naturellement suivi le fil de mes pensées.

— *Ouvrez un passage dans l'écran !* murmura-t-il à ma conscience.

Je compris ce qu'il voulait. Le maniement du projecteur n'était pas plus difficile que celui d'un glisseur et, en quelques secondes, je pus générer une lucarne d'une taille suffisante. Presque au même moment, je sentis un étrange vide en moi.

Le Cappin m'avait quitté !

De l'autre côté du rideau énergétique, le simulacre du Ganjo chancela. Il tomba à genoux puis, soudain, dégaina son radiant et abattit les trois Métaguides les plus proches de lui. C'étaient ceux qui avaient jusque-là tenté vainement de pousser leurs confrères à une contre-attaque.

Les cinq autres se réveillèrent de leur paralysie. Ils firent volte-face et, pliés en deux, se précipitèrent vers un panneau ouvert. Ovaron, qui avait pris possession de son sosie, voulut tirer sur eux mais une dizaine d'hommes se jetèrent sur lui et essayèrent de lui arracher son arme. Ils se contentèrent toutefois de leurs mains nues, ce qui laissait à supposer que la copie devait présenter une grande valeur.

Néanmoins, je ne pouvais ni ne voulais rester les bras croisés tandis qu'ils s'acharnaient sur le double car, contrôlé par notre ami cappin, celui-ci constituait un renfort appréciable.

Je coupai le projecteur. Le mur d'énergie disparut. L'ancien Prince de Cristal comprit aussitôt de quoi il retournait. Il sauta de la plate-forme antigrav et tint en respect les prêtres par un tir continu alors que je courais vers un servant mort pour récupérer son radiant lourd.

Si nous avions eu affaire à des soldats aguerris, nous n'aurions pas eu l'ombre d'une chance mais ceux-là cavalaient et rampaient dans le plus grand désordre en tirant n'importe où. Il n'était pas rare qu'ils touchent ainsi leurs propres gens.

Atlan et moi réussîmes à libérer le faux Ganjo. Nous ne prenions plus de gants ; la recrudescence des explosions et des secousses indiquait que le temps nous était compté. Nous devions sortir de là avant que cette partie des installations souterraines ne s'effondre complètement. Mais nous ne pouvions pas simplement détaler en tournant le dos à des hommes furieux. Il fallait que nous les contraignions à fuir ou que nous les tuions.

Ovaron s'agenouilla à l'abri d'un projecteur encore actif et tira avec un sang-froid impressionnant. Atlan se coucha derrière un tas de gravats provenant du mur écroulé. Par chance, plus aucune radiation n'entrait dans la pièce.

Je rampai jusqu'à une montagne de débris rougeoyants, ce qui restait d'un générateur de champ. À vingt mètres de moi environ, un servant grimpait sur la plate-forme d'un autre appareil en état de marche. Probablement voulait-il ériger une muraille énergétique devant nous.

Je visai avec soin le socle du générateur et pressai la détente. Un éclair éblouissant fulgura et je me plaquai à terre quand l'explosion se produisit.

Une onde de choc brûlante passa en sifflant au-dessus de ma tête. Des morceaux s'abattirent sur moi. Quelques secondes durant, je crus périr étouffé puis ce fut fini.

Lorsque je relevai la tête, il ne restait de la machine qu'un tas de plastométal bouillonnant. Une douzaine de cadavres à moitié calcinés gisaient à proximité. Plusieurs Ganjasis jetèrent leurs armes et s'enfuirent en courant.

Je me redressai lentement.

Quelques cloques ornaient ma main gauche et quand je voulus tâter mon crâne, je retirai une poignée de cheveux carbonisés. Je pivotai prudemment. À cinq mètres de moi, un prêtre était étendu sur le dos, les pieds tournés en dedans et les bras en croix. Un couteau à lame vibrante reposait à côté. Je m'approchai et vit que le visage de l'homme était calciné. Une mare de sang se formait sous son crâne.

Il avait manifestement tenté de bondir sur moi à l'instant où le socle avait explosé. L'onde de choc incandescente devait l'avoir touché de plein fouet et l'avait rejeté en arrière.

Un bruit de toux me fit regarder vers la gauche. Atlan était accroupi près du tas de débris qui m'avait servi de protection. Il était totalement recouvert de poussière et se forçait à cracher pour libérer ses voies respiratoires.

Quand je m'approchai de lui, il se leva, cligna des paupières et croassa :

— Ovaron… !

Je jetai un œil à l'endroit où j'avais vu pour la dernière fois le faux Ganjo. Il était grimpé sur la plaque antigrav de l'ultime projecteur encore en état de marche et était en train de l'activer. Il m'adressa un signe de la main.

— Tout va bien, Rhodan !

Je balayai la salle du regard. Des prêtres qui n'avaient pas pris la fuite, plus aucun n'était apparemment en vie. Il était temps que nous filions de ce lieu peu accueillant.

— Ovaron... répéta l'Arkonide en agitant son arme... Revenez, bon sang !

L'imitation sauta de sa plate-forme et s'approcha.

— J'arrive, Atlan. Je peux vous aider d'une façon ou d'une autre ?

Le Lord-Amiral toussa et cracha, puis il prit une profonde inspiration.

— Revenez dans le corps de Perry, Ovaron ! dit-il, cette fois avec une voix plus claire et sur un ton de commandement.

Je compris alors ce qu'il désirait. Détruire le double de notre ami, sans aucun doute une créature artificielle. Je me refusai d'abord à appliquer ce plan puis la logique me dicta que nous ne pouvions pas laisser cet outil criminel entre les mains des Métaguides.

Le Cappin devait avoir abouti à une conclusion identique car je le sentis soudain à nouveau en moi. Il confirma nos soupçons. Son sosie était de nature synthétique.

— Il est revenu en moi, annonçai-je d'une voix enrouée.

Atlan releva son arme à hyperénergie, la braqua sur le faux Ganjo et tira. Mais à l'instant même où son doigt pressa la détente, je vis une cloche scintillante se former autour du double d'Ovaron. Le faisceau radiant fut absorbé et des ondoiements noirs se propagèrent à la surface du bouclier.

La copie s'écroula, le visage tordu. Elle n'avait pas été touchée ; c'était la peur qui lui avait fait perdre connaissance. Quelques secondes plus tard, l'écran qui assurait sa protection adopta une forme sphérique. La bulle s'éleva rapidement jusqu'au trou dans le plafond, emportant le corps, avant de disparaître à notre vue.

Atlan leva son arme comme s'il voulait la fracasser au

sol mais il laissa finalement retomber son bras et attendit.

Je glissai le radiant dont je m'étais emparé dans un des étuis de mon ceinturon. Je dus forcer un peu pour qu'il entre, ce modèle étant un peu trop volumineux.

Une rumeur parcourut le plancher. Une secousse violente fit trembler la plate-forme de l'ascenseur et elle s'affaissa d'un côté d'un bon mètre.

— Il est temps de filer, dis-je à l'Arkonide.

Il hocha la tête et nous nous enfuîmes en courant vers la sortie. Là où s'était produit l'explosion, le sol continuait à bouillonner. Je commençais seulement à me demander sur quel monde nous nous trouvions exactement...

*
* *

Récit d'Atlan

Nous avions manqué une occasion qui ne se représenterait probablement jamais. En fait, j'avais cru qu'Ovaron se montrerait plus endurci que mon ami terranien, parfois trop sentimental, mais lui non plus n'avait pas réalisé immédiatement que le faux Ganjo constituait un terrible danger pour tous les Ganjasis. On ne devait pas le laisser déclencher une guerre qu'il serait incapable de gagner.

Nous fuyions une fois de plus pour sauver nos vies.

Nous avions à peine quitté la grande plate-forme de l'ascenseur qu'elle pivota lentement de cent quatre-vingts degrés. Tout ce qui se trouvait à sa surface glissa dans le vide.

Perry courait à toute vitesse ; il n'avait rien perdu de son énergie habituelle malgré toutes nos vicissitudes dans la galaxie Sombrero. Quant à moi, je commençais à en avoir plein le dos, comme on dit familièrement sur Sol III.

Je me jetai sur la droite quand deux Ganjasis en uniforme apparurent cent pas plus loin au niveau d'un virage, traînant derrière eux un canon mobile. Avant que j'aie pu tirer, Rhodan se laissa tomber à terre et ouvrit le feu.

L'arme et ses servants disparurent dans une terrible déflagration. Le plafond s'effondra sur une distance de cinq mètres. Nous fîmes volte-face et courûmes jusqu'au croisement que nous avions passé quelques secondes plus tôt. Là, un escalier en colimaçon menait vers le haut.

La présence d'hommes en uniforme m'inquiétait. Les Métaguides avaient donc entre-temps alerté les troupes régulières – policiers ou militaires, cela ne jouait aucun rôle pour l'instant. Ce qui importait, c'était que nous n'aurions désormais plus face à nous uniquement des amateurs, mais aussi des individus accoutumés à se battre.

Nous grimpâmes les marches quatre à quatre. Je sentis une nouvelle secousse. Les explosions semblaient s'enchaîner sans discontinuer. Manifestement, ce qui avait peu avant testé les ondes cérébrales d'Ovaron avait déclenché une série de processus qui mettaient à mal une bonne partie des installations antédiluviennes.

J'atteignis le sommet, complètement essoufflé. Une salle de forme cylindrique s'offrit à mes yeux. J'avais dans la bouche un goût d'acier et de sang. Mon cœur battait follement la chamade.

Perry ne tarda pas à arriver. Il s'adossa en haletant contre le mur de plastométal.

Je regardai tout autour de moi et découvris des jointures de portes, trois au total. Mais si plusieurs options nous étaient offertes, il nous manquait le temps nécessaire pour les examiner attentivement.

Rhodan se remit étonnamment vite. Il s'éloigna de la paroi et tâtonna la surface métallique du plus proche panneau. Nous savions depuis longtemps que Takérans comme Ganjasis employaient le même type de mécanisme de verrouillage que nous, à savoir des serrures à activation thermique, qui réagissaient à la chaleur de la main.

Le vantail bougea par à-coups, en grinçant ; les chocs incessants l'avaient légèrement endommagé. Au-delà, une courte rampe menait vers le haut.

Nos armes prêtes à faire feu, nous nous faufilâmes par l'ouverture dégagée et échangeâmes un regard significatif.

Une porte se devinait à l'autre bout du passage, mais elle était inaccessible ; un pan de mur s'était effondré, ne laissant de libre qu'un espace d'une vingtaine de centimètres de large.

Quand je tendis mon bras pour désintégrer l'obstacle, Perry secoua la tête.

— Nous risquons de trahir notre présence ici, Atlan, dit-il doucement. Passons ailleurs.

Il fit marche arrière et revint dans la salle oblongue. Je le suivis. Rhodan ouvrit un deuxième panneau et leva immédiatement la main en un geste d'avertissement.

J'entendis également à ce moment un bruit dans le couloir qu'il venait de dévoiler : le martèlement de bottes, le choc du métal contre le métal et des appels étouffés. Ce chemin nous était de ce fait interdit. Le temps pressait car il devenait évident que l'ennemi entreprenait un encerclement systématique.

Ne restait donc que le troisième passage…

J'apposai ma main sur la serrure thermique et fis un pas de côté. Rien ne se produisant, je jetai un œil prudent par l'ouverture. J'aperçus une nouvelle rampe, mais celle-ci descendait dans les profondeurs. En raison du faible éclairage, je n'en distinguai pas l'extrémité.

— Parfait pour nous ! s'exclama Perry avec entrain. Personne ne nous soupçonnera là-dessous. Attends un moment !

Le Terranien courut jusqu'à la première porte qui

s'était entre-temps automatiquement refermée. Je ne pus m'empêcher de sourire en entendant le feulement de son radiant. Il faisait une fois de plus appel à la ruse. Quand nos poursuivants découvriraient le panneau à moitié fondu, ils supposeraient que nous avions décidé d'accéder à la surface par là. Nous allions gagner ainsi un peu de temps.

Dès que Rhodan fut revenu, nous dévalâmes la rampe en nous efforçant de faire le moins de bruit possible. Au bout de quelques minutes, nous nous retrouvâmes devant un vantail ouvert qui donnait sur un laboratoire désert. Celui-ci avait été manifestement abandonné en toute hâte, comme le prouvaient les escabeaux renversés et les appareils de verre brisés.

Dans une petite cage grillagée grognait et gémissait un animal que je tins au prime abord pour un teckel. Mais en l'examinant de plus près je découvris quelques différences notables. En particulier, une fourrure rayée de jaune et de rouge, de longues et fines oreilles et des babines rose clair.

Perry murmura des paroles inintelligibles, courut jusqu'à la prison et l'ouvrit. La créature poussa un cri amical et bondit d'un saut au-dehors en remuant sa queue touffue. Elle nous suivit quand nous tournâmes à droite pour emprunter un corridor étroit. Je maudis intérieurement la sentimentalité du Terranien. Comme si, dans notre situation, nous avions besoin de nous encombrer d'un « chien » susceptible de nous trahir par ses aboiements, ses jappements ou je ne sais quoi !

Dix minutes plus tard, nous découvrîmes face à nous un fort rougeoiement. Il s'agissait en fait de ce qui restait d'un mur frappé par une décharge d'énergie. Il était en train de se consumer, avec des craquements et des bruissements. Nous réalisâmes brusquement que cela faisait au moins un quart d'heure que nous n'avions entendu ni explosion ni secousse.

Nous tournâmes à gauche avant la paroi ignée et nous retrouvâmes bientôt devant l'ouverture ovale d'un ascenseur à double sens. Les deux puits étaient illuminés et quand nous passâmes la main à l'intérieur, ce fut pour constater que les champs antigrav étaient en service.

Un regard suffit pour nous comprendre. Certes, il était dangereux d'emprunter ce chemin mais le corridor s'arrêtait là et chercher une autre façon d'atteindre la surface nous aurait coûté un temps précieux.

Perry avança un pied ; à ce moment, le « chien » planta ses crocs dans sa botte et le tira en arrière.

Je proférai un juron et voulus agripper l'animal. Je m'en abstins toutefois en entendant soudain quelqu'un parler plus haut.

Nous nous plaquâmes contre le mur, de part et d'autre du puits, et attendîmes. Les inconnus s'exprimaient en gruelfin. J'estimai qu'ils devaient être au moins huit à descendre.

Les voix se rapprochaient lentement, se faisant plus nettes. Plusieurs hommes passèrent à notre niveau. Avant qu'ils aient complètement disparu, quelqu'un cria deux noms et deux individus en uniforme sautèrent dans le couloir.

Nous nous jetâmes sur eux et les assommâmes simultanément en prenant garde à ce qu'ils ne basculent pas dans le vide.

Nous les laissâmes glisser à terre et les étudiâmes avec attention. Ils portaient des combinaisons gris clair taillées dans un matériau résistant. Leurs casques étaient pourvus d'un équipement radio. Sur le plastron figuraient des symboles inconnus au centre d'un cercle jaune.

Perry s'empara du radiant de l'une de nos victimes, ignorant le paralysateur, et vérifia le niveau d'énergie.

— Cent pour cent, dit-il, satisfait. (Il défit son ceinturon, le jeta et ceignit autour de ses reins celui de l'homme inconscient.) Un petit échange te serait aussi profitable, Arkonide.

Je l'imitai. Nous possédions maintenant chacun deux armes aux magasins pleins. Après avoir quand même récupéré nos anciennes recharges, nous nous tournâmes vers le puits dont le champ de force était polarisé vers le haut. Cette fois, le « chien » n'eut rien à objecter. Il bondit dans la cage avec aisance, comme s'il en avait l'habitude.

Nous arrivâmes rapidement au sommet, n'ayant parcouru qu'une centaine de mètres. Nous dégaînâmes nos paralysateurs et, par l'ouverture ovale, parvînmes dans une pièce circulaire d'environ dix mètres de diamètre.

Elle était vide et ne renfermait qu'une console de commande protégée par une petite cloche énergétique. Une serrure thermique, juste à côté, devait permettre d'activer ou de désactiver celle-ci.

Je repérai immédiatement deux portes. Il fallait toutefois s'attendre à ce que des sentinelles aient été postées derrière. Hélas, nous n'avions guère le choix : nous étions obligés d'utiliser l'une d'elles.

Voire les deux…

J'informai Perry de mes intentions et nous nous plaçâmes chacun face à un des panneaux.

J'ouvris d'abord le mien puis me précipitai auprès de Rhodan, et ce fut « sa » sortie que nous empruntâmes.

Mon plan fonctionna.

À l'instant où nous franchissions le seuil, les gardes dont nous pressentions l'existence s'engouffrèrent par la première porte. Au bruit de leurs pas, nous estimâmes qu'ils étaient deux.

Nous ne leur laissâmes pas le temps de se remettre de leur surprise. Après avoir constaté avec soulagement que nous étions enfin parvenus à l'air libre, nous prîmes nos jambes à nos cous pour traverser une place fortement éclairée jusqu'à un bâtiment massif dont la silhouette sombre se dressait jusqu'à vouloir toucher le ciel d'un vert lumineux.

Perry et moi courûmes nous mettre à l'ombre d'une large corniche qui faisait le tour de l'édifice et nous nous plaquâmes au sol.

J'épiai, sous mon bras replié, la bâtisse d'où nous étions sortis. Deux hommes en uniforme, munis de radiants, apparurent à ce moment. Ils scrutèrent les alentours.

— Rien à voir ! dit le premier.

— Des portes ne s'ouvrent pas d'elles-mêmes ! rétorqua l'autre. Attends ! Là, il y a quelque chose !

Il agita son arme, mais les gardes éclatèrent aussitôt de rire.

— Un *urutak* ! s'exclama l'un d'eux, et il continua à s'esclaffer.

J'entendis Perry retenir son souffle. L'animal qu'il avait libéré du laboratoire courait au milieu de la place, la queue dressée. Il s'arrêta à un angle du grand bâtiment et leva une patte. Ce pouvait bien être un « urutak », mais il se comportait comme un chien terrestre !

Les deux sentinelles discutèrent encore un moment à mi-voix puis elles remirent leurs fusils sur l'épaule et reprirent leur ronde interrompue. Dès qu'ils furent hors de vue, nous nous précipitâmes pour contourner le coin de l'immeuble, pliés en deux.

Là, nous nous adossâmes à une paroi et étudiâmes enfin avec attention les alentours. Devant nous s'étendait un petit parc ovale avec, au-delà, un pavillon à colonnades puis un mur. Dans le fond s'élevaient deux imposants édifices en forme de cloche. Juste derrière, nous distinguâmes, par des ouvertures, un long pilier effilé. Il dépassait de loin les autres bâtiments – et de sa pointe jaillissait un rayon verdâtre qui se perdait dans le ciel émeraude.

— Un fanal… avança Perry.

Je fronçai les sourcils.

Évidemment ! intervint mon cerveau-second. *Il indique que le Ganjo est de retour.*

Le brouhaha d'une foule nombreuse nous parvenait depuis l'endroit où se dressait le grand obélisque.

*
* *

Récit de Perry Rhodan

Étonné, je levai les yeux vers le firmament illuminé de vert. Le faisceau énergétique émis par la colonne confirmait que cette lueur n'était pas naturelle.

— Il annonce l'arrivée d'Ovaron, commenta doucement Atlan.

— *J'ai saisi ce qui se passe,* émit l'intéressé. *Ce sont mes impulsions mentales qui ont déclenché ce phénomène. Les Métaguides n'ont désormais plus besoin que du faux Ganjo. Nous n'avons plus aucune valeur pour eux ; nous pouvons dès lors être éliminés à tout instant.*

— Effectivement, dis-je à voix haute. Le véritable souverain des Ganjasis est dorénavant devenu superflu, gênant même…

— Résultat, dit l'Arkonide, à partir de maintenant, on ne va plus chercher à nous capturer mais à nous abattre à vue. Il va nous falloir une bonne cachette.

— Le mieux est de nous trouver un déguisement, mon ami. Cela nous permettra de surcroît d'explorer cette étrange ville en toute tranquillité.

Atlan rit doucement.

— Une telle proposition ne pouvait venir que de toi, murmura-t-il. Je suis d'accord. Mais nous devrions nous dépêcher car les gardes que nous avons assommés ne vont pas demeurer éternellement inconscients.

J'approuvai d'un hochement de tête puis étudiai les alentours. L'urutak se tenait juste devant moi. Il remuait la queue en me fixant de ses yeux noirs brillants. Il m'avait manifestement choisi comme maître.

Quand j'eus acquis la certitude qu'il n'y avait personne à proximité, je m'engageai sur un petit chemin dallé, traversai une pelouse de gazon et disparus entre deux hauts édifices. Au bout d'un moment, je me retrouvai derrière le pavillon près duquel j'avais aperçu un passage dans le mur d'enceinte. Il y avait une grille, heureusement non fermée à clé, mais elle grinça horriblement quand je la poussai.

Atlan et moi nous figeâmes quelques secondes et tendîmes l'oreille. Il n'y eut aucune réaction. Nous franchîmes l'ouverture et refermâmes délicatement la barrière derrière nous.

Nous étions maintenant dans une étroite ruelle, flanquée d'un côté par le parc et de l'autre par une rangée de bâtiments à deux étages aux fenêtres munies de barreaux.

Nous nous apprêtions à aller jeter un œil de plus prêt quand le bourdonnement d'une machine retentit à mes oreilles. Je revins précipitamment au portail, tirant l'Arkonide par le bras, et eus une coulée de sueur froide quand je le refermai. Cette fois, il ne fit heureusement aucun bruit.

Atlan m'indiqua par signes que je devais grimper sur ses épaules. Je fis ce qu'il me demandait et passai la tête par-dessus le sommet du mur. Un projecteur m'éblouit alors qu'un pinceau de lumière balayait la façade. Je me baissai aussitôt, mais j'avais eu le temps de distinguer un glisseur bourré d'hommes en uniformes qui se déplaçait lentement le long de la rue.

Il s'arrêta presque au niveau de la grille. J'osais à peine respirer et ma main tapota l'étui renfermant le radiant.

Nul ne quitta toutefois le véhicule.

Un haut-parleur grésilla soudain. Une voix annonça

que les « Protecteurs d'Aryva » recherchaient un Perda-shiste, un Uarti, qui avait tué trois pèlerins et un policier. Une forte récompense était promise à toute personne pouvant fournir des informations susceptibles de mener à l'arrestation du fugitif.

Je souris. Les méthodes policières, dans la galaxie des Ganjasis, ne différaient guère de celles en usage sur Terre.

Quand le message prit fin et qu'à l'augmentation de l'intensité du bourdonnement, je compris que le glisseur se remettait en mouvement, je risquai encore un regard. Le véhicule avançait lentement en balayant de son projecteur mobile le sommet du mur et les recoins obscurs entre les bâtiments. Je redescendis des épaules d'Atlan.

— La police locale se fait donc appeler les « Protecteurs d'Aryva », commenta l'Arkonide. Mais qu'est-ce qu'un « Perdashiste » et un « Uarti » ?

— Sans intérêt pour nous, rétorquai-je. Ce qui compte, c'est qu'il y a des pèlerins ici. Le déguisement idéal pour nous.

J'ouvris prudemment le portail. Il ne grinça que faiblement. L'Arkonide et moi nous assurâmes qu'il n'y avait personne, ni à droite, ni à gauche, puis nous nous élançâmes dans la rue. Nous longeâmes aussi près que possible les maisons basses à la recherche d'un passage. Il fallait éviter au maximum de se déplacer sur des axes où un véhicule de la police pouvait surgir à tout moment.

Nous arrivâmes finalement devant un immeuble à moitié démoli. La présence d'engins de construction prouvait que des travaux étaient en cours. Toute une façade avait été abattue, révélant de l'autre côté une large avenue sur laquelle se déplaçaient des silhouettes portant de longues robes.

— Attaquons et dépouillons deux de ces gars, proposa froidement Atlan.

À cet instant, une sirène retentit derrière nous. Une

voix jeta des ordres secs. Je retins mon souffle. Les Protecteurs d'Aryva savaient désormais que nous avions réussi à fuir jusqu'à la surface. On allait nous traquer dans la ville comme on l'avait fait dans les galeries souterraines.

Le Lord-Amiral et moi nous comprîmes d'un seul regard. Nous traversâmes le chantier en courant pour aller nous jeter derrière un buisson à moitié écrasé par des gravats. Ovaron et Merceile demeuraient complètement en retrait. À deux pas seulement, les pèlerins déambulaient le long de la route. La plupart étaient vêtus de rose et nous aperçûmes des servants en tenue blanche, jaune et mauve.

Deux véhicules rapides passèrent en vrombissant dans la rue que nous avions abandonnée. Il devenait urgent de changer d'identité. Mais comment attirer quelqu'un à nous sans éveiller aussitôt l'attention ? Les prêtres étaient à portée de main et pourtant inaccessibles.

Je tressaillis involontairement quand l'urutak jappa sur ma droite. L'animal était susceptible de nous trahir ! Comme il était placé, on pouvait le voir depuis l'avenue.

Quatre individus arrivés à notre niveau le regardèrent avec curiosité et poursuivirent leur chemin en riant. J'eus une sueur froide. S'il prenait à quelqu'un l'idée de venir voir de plus près… !

Deux autres s'arrêtèrent. Ils appelèrent à voix basse, rirent et firent des signes. Le canidé recula d'un mètre et gémit misérablement.

— Pauvre bête, dit l'un des hommes avec un accent particulier.

Il claqua doucement de la langue et s'approcha précautionneusement. Son compagnon lui emboîta le pas.

Le « chien » se retira encore un peu plus loin.

— Qu'est-ce que tu veux faire de cet animal ? demanda le deuxième pèlerin. Laisse-le filer, Javillam.

— Peut-être est-il blessé.

Le dénommé Javillam contourna le buisson, me vit et se figea, la bouche grande ouverte. Je le saisis par le col, l'attirai à moi et le frappai au cou du tranchant de la main. Il s'affaissa sans un bruit. Atlan réagit instantanément et se jeta sur l'autre homme. Peu après, celui-ci rejoignait son camarade derrière la broussaille.

— Ton urutak est un génie ! me lança l'Arkonide en commençant à déshabiller sa victime.

Je fis de même avec la mienne et passai sa robe au-dessus de ma tête. Je rabattis ensuite la capuche sur mon visage.

— Désolé, dis-je au Cappin étendu à mes pieds, avant de lui administrer une décharge paralysante.

Il en avait pour trois bonnes heures de sommeil.

— Tu lui règles son compte et après, tu lui voles son vêtement, se moqua Atlan en m'entraînant d'une poigne douce mais ferme. Où sont passés tes principes ?

Ignorant son commentaire, j'indiquai l'homme étendu à ses pieds.

— Tu l'as endormi ?

— Bien entendu, m'interrompit-il. Et avec une pleine charge.

Nous dissimulâmes les deux pèlerins au cœur du buisson pour éviter qu'on ne les repère prématurément, puis nous nous engageâmes sur l'avenue animée. Au début, fort inquiets, nous observions du coin de l'œil les autres pèlerins, mais dès que nous eûmes réalisé que nul ne nous prêtait attention, nous gagnâmes en assurance.

Sans que nous en ayons discuté préalablement, nous dirigeâmes d'un commun accord nos pas vers le gigantesque obélisque. Plus dense était la foule, plus faibles étaient nos chances d'être démasqués par hasard, et les pèlerins se massaient probablement autour de la colonne.

Nous mîmes environ une demi-heure pour arriver en périphérie d'une vaste esplanade. Au moins vingt mille prêtres, dont de nombreux servants de toutes catégories, s'étaient rassemblés ici et buvaient les paroles que déversait un Métaguide monté sur une plate-forme flottant devant la colonne.

— Tiens ! Tiens ! fit Atlan. Ne serait-ce pas notre ami Guvalash ?

Je reconnus à ce moment la voix, bien qu'elle fût altérée par le haut-parleur utilisé.

D'innombrables sphères lumineuses se formèrent soudain au-dessus de la place, affichant en relief la silhouette et le visage de l'Hexarque.

Celui-ci tendit un bras et attira à lui un deuxième personnage.

L'Arkonide siffla entre ses dents.

L'homme n'était autre que le faux Ganjo. Les impulsions de colère émises par Ovaron envahirent ma conscience.

Le chef de la secte fit un signe puis présenta la créature comme le souverain enfin de retour.

Pendant de longues minutes, la foule déborda d'enthousiasme. Près de nous, un Cappin aux cheveux blancs s'effondra sur lui-même, terrassé par l'extase. Personne ne s'en préoccupa.

Quand la vague d'émotion se fut apaisée, Guvalash posa un bras autour des épaules de son compagnon et cria :

— Devant vous se tient l'homme qui va mener les Ganjasis à la victoire sur les Takérans ! Hélas, des criminels ont essayé de l'influencer avec des drogues et des appareils hypnosuggestifs.

— Hypocrite ! cracha Atlan.

— Il s'agit d'étrangers extérieurs à Gruelfin, poursuivit l'Hexarque. Notre Ganjo a été projeté dans leur galaxie et a obtenu leur assistance alors qu'il se trouvait en grave danger. Mais il a vite découvert que ces Terraniens jouaient un double jeu. Ils voulaient le contraindre à leur remettre une grande partie de son pouvoir !

« Ce plan démoniaque n'a pu être empêché que par la résistance du Ganjo et grâce à mon aide. Avec les Métaguides, je suis parvenu à libérer notre souverain.

« Hélas, deux de ces individus, qui s'appellent Perry Rhodan et Atlan, ont réussi à fuir quand le Fanal a été allumé, provoquant des dégâts dans nos antiques installations. Ils se cachent à Métabor. Mes frères, je vous demande de vous disperser sur-le-champ et de participer à la traque des criminels.

Guvalash donna une description précise de nos vêtements puis les sphères 3D s'évanouirent.

La place se vida très rapidement. Les pèlerins exécutaient non seulement les instructions du vieillard sans discuter, mais ils montraient un zèle impressionnant. Dans tous les yeux brillait une lueur fanatique.

Atlan et moi nous retrouvâmes soudain seuls sur l'esplanade. Avant que nous ayons pu corriger notre erreur, un glisseur transportant des troupes se rapprocha. Huit Protecteurs d'Aryva sautèrent sur le sol et se dirigèrent vers nous.

— Pas un geste ! aboya leur chef. Nous vous arrêtons pour ne pas avoir obéi aux ordres de l'Hexarque.

Par chance, ils nous prenaient seulement pour des pèlerins récalcitrants. Sans hésiter, nous dégainâmes nos armes et paralysâmes les huit policiers. Le pilote du véhicule réagit prestement. Il démarra et fonça sur nous.

Nous nous jetâmes à terre. Le Lord-Amiral ouvrit le feu avec son radiant énergétique. L'appareil explosa dans une gerbe de flammes. Mais déjà, deux autres glisseurs avaient fait leur apparition dans un hurlement de sirènes. L'Arkonide visa l'un d'eux tandis que je me chargeais du second. Ils n'étaient toutefois pas isolés. Plusieurs autres convergeaient maintenant sur la place. Des hommes en armes se déployèrent et nous encerclèrent. Face à une telle supériorité numérique, nous étions complètement impuissants.

— L'obélisque ! cria Atlan, et il se mit à courir en direction de la colonne gigantesque.

Je le suivis en décrivant des zigzags. Tout autour de nous, le sol bouillonnait et fumait sous l'impact des salves radiantes. Tôt ou tard, nous serions touchés. Néanmoins, je compris la décision de mon ami. Les policiers se garderaient bien de tirer sur leur édifice sacré. Bientôt, les rafales se firent plus sporadiques et s'arrêtèrent pour de bon dès que nous fûmes au pied de la construction.

Respirant difficilement, nous observâmes les hommes qui s'approchaient, l'arme au poing. Nos déguisements étaient devenus inutiles, aussi nous débarrassâmes-nous des robes encombrantes.

Notre situation était désespérée. Même si les Cappins renonçaient à faire usage de leurs radiants tant que nous serions à proximité de l'obélisque, ils pouvaient nous chasser de là et ensuite nous régler notre compte. Il ne nous restait rien d'autre que de défendre chèrement notre peau.

Je m'adossai au socle de la colonne et m'apprêtai à faire feu.

L'instant suivant, le mur froid, dans mon dos, céda brusquement. Je saisis instinctivement le bras de mon ami et basculai en arrière. Les Protecteurs d'Aryva hurlèrent et se précipitèrent sur nous.

La paroi se referma alors sur leur nez, et ne bougea plus.

Je me retournai et déglutis difficilement. L'Arkonide et moi nous trouvions dans une vaste salle et contemplions ce qui pouvait n'être que la matérialisation des cauchemars d'un dément.

*
* *

Ce à quoi nous étions confrontés consistait en un véritable carnaval de machines schizophrènes. Des robots de toutes les formes possibles accomplissaient de grotesques danses sur le sol tandis qu'au-dessus d'eux tressautaient, tournoyaient ou ondoyaient d'hallucinantes cascades de lumière. Le bourdonnement de puissants générateurs se mêlait aux chants électroniques et à la musique assourdie.

Six engins d'apparence vaguement humanoïde nous entourèrent, se prirent par les mains et sautillèrent tout autour de nous, puis ils émirent des craquements et des grincements avant de nous pousser au milieu de la salle.

Pourvu que les Protecteurs d'Aryva ne découvrent pas la porte par laquelle nous avons atterri ici !

Elle ne s'ouvrira pas pour eux, m'informa mon cerveau-second. *Cet endroit a pour but d'accueillir dignement Ovaron et c'est uniquement grâce à ses impulsions mentales que vous avez pu entrer.*

Je gémis en entendant mon secteur logique qualifier d'« accueil » ce tohu-bohu.

— Arrêtez ! cria Perry quand trois robots se saisirent de lui et l'emportèrent.

Il se débattit et frappa autour de lui. Dans l'excitation, il s'était exprimé en intergalacte.

— Je pense que ces gars ne comprennent que le gruelfin ! lui lançai-je.

Rhodan me jeta un regard courroucé, irrité d'avoir commis une aussi grossière erreur. Finalement, il cessa toute résistance et ordonna dans la langue véhiculaire de cette galaxie :

— Déposez-moi immédiatement ! Je suis le Ganjo et j'exige que vous répondiez à mes questions !

Il avait donc également saisi que les machines l'avaient

identifié comme souverain des Ganjasis en raison des impulsions cérébrales émises par Ovaron.

Les robots obéirent sur-le-champ.

Mais ils n'étaient toujours pas décidés à fournir des explications. Ils se retirèrent simplement et retournèrent s'aligner au milieu du spectacle dantesque des danseurs et des chanteurs. Les cascades de lumière éblouissantes et crépitantes se formèrent à nouveau au-dessus de nos têtes. Des coups de gong retentirent et la musique synthétique enfla au point de porter nos nerfs à ébullition.

Et soudain, les bruits cessèrent, le feu d'artifice s'éteignit et les machines s'éparpillèrent. Plongé abruptement dans les ténèbres, je ne vis d'abord rien puis mes yeux s'habituèrent à la pénombre. Je distinguai les contours d'imposants appareils.

— Atlan !

Je me retournai et regardai dans la direction indiquée par le Terranien.

Une sphère verdâtre brillante, agitée de faibles pulsations, flottait au milieu de la salle. Elle devait atteindre environ un mètre de diamètre. C'était à présent l'unique source de lumière à l'intérieur du socle de l'obélisque.

— *Salutation au Ganjo venu sauver son peuple et le ramener à sa grandeur passée !*

Ces paroles se formèrent dans ma conscience, mais je sus tout de suite qu'elles ne pouvaient venir que de cette boule.

— Je te remercie pour ce digne accueil, dit Perry.

À une nuance dans sa voix, je compris que c'était en fait Ovaron qui parlait.

— *Que pouvons-nous faire pour toi ?* demanda la sphère luminescente.

— Beaucoup de choses, répondit le Cappin. Les Métaguides ont présenté aux pèlerins un double de moi-même, une copie artificielle de mon corps, et ils utilisent le signal activé par mes propres impulsions mentales comme preuve de son identité. Ils veulent conserver leur puissance, aussi nous traquent-ils sans relâche et dès que nous serons arrêtés, mon ami et moi serons tués.

Les pulsations du globe verdâtre augmentèrent. Je sentis affluer dans ma conscience des ondes de confusion et de perplexité.

— *Nous savons qui est le véritable Ganjo.* (Cette fois, ces mots furent prononcés dans mon cerveau avec une légère hésitation.) *Lui seul peut expliquer au peuple des Ganjasis qu'ils ont devant eux un imposteur. Nous pourrons lui procurer de la nourriture et de la boisson pour cette tâche, ainsi que de l'aide médicale, si cela se révèle nécessaire.*

Quelle amère déception après l'espoir du début ! Tout cet appareillage coûteux dans le socle de l'obélisque ne pouvait rien faire de plus pour nous que calmer notre soif et notre faim, voire soigner quelques égratignures !

— Ce n'est pas beaucoup ! répliqua Ovaron. (À sa voix, on reconnaissait qu'il était forcément déçu.) Très bien, nous devrons nous contenter de ce que tu as à nous proposer. Apporte-nous à manger et à boire. Ah, autre chose…

Le Cappin cita plusieurs termes qui m'étaient inconnus.

— *Qu'il soit fait comme l'ordonne le Ganjo*, répondit la sphère.

Quelques secondes plus tard, une table de forme curieuse, couverte de plats, se matérialisa devant nous, ainsi que deux tabourets rembourrés. Aussitôt après, le globe lumineux pâlit et s'évapora complètement dans le néant.

— Venez, Atlan, dit Ovaron. Au moins, nous pourrons reprendre des forces avant de débattre de la suite à donner à notre aventure.

Je me forçai à rire.

— Le dernier repas du condamné !

Nous grignotâmes et bûmes lentement en choisissant les

mets avec soin, sélectionnant selon l'apparence ce qui nous paraissait contenir le plus de protéines et de vitamines.

Quand nous eûmes fini, deux tiers de nourriture non consommée restaient sur la table. Nous avions mangé juste ce qu'il fallait pour apaiser notre faim – pas un gramme de plus. Ce n'était pas le moment de nous alourdir.

— Très bien, tenons notre conseil de guerre, à présent, dit Perry qui semblait maintenant avoir repris le contrôle de son corps. (Il me regarda.) Notre choix est simple : soit nous restons ici en sécurité, mais sans rien pouvoir faire, soit nous quittons l'obélisque à nos risques et périls avec une faible probabilité de nous en sortir.

Le Terranien toussota, légèrement embarrassé quand, au lieu de lui répondre, je le dévisageai avec un sourire ironique. Je savais parfaitement qu'il ne prenait pas la première option au sérieux. Fidèle à sa nature, il préférerait mille fois risquer sa peau que de moisir à se tourner les pouces dans un endroit sûr.

— Ton expression vaut plus que toute parole, déclarat-il finalement. On n'obtiendra de toute façon rien en demeurant terrés ici.

— Si, rester en vie, le contredis-je.

Là, ce fut lui qui eut un petit rire moqueur.

— Temporairement, ex-Empereur, temporairement. Tu ne crois quand même pas que les Métaguides vont se contenter de la situation actuelle ? Tôt ou tard, ils trouveront un moyen de neutraliser cette installation et nous tomberons dessus. Il vaut mieux que nous prenions l'initiative.

— Et que comptes-tu faire une fois dehors ? demandai-je. Subjuguer l'ennemi par ton seul regard ? On ne va pas aller loin !

Il afficha un sourire glacial.

— T'es-tu donné la peine d'examiner de près ce qui nous entoure ? Probablement pas. Moi, j'ai repéré au moins trois projecteurs énergétiques. Ils servent probablement à générer la sphère luminescente, mais il doit être également envisageable d'édifier un champ de force avec.

Il leva les yeux vers l'endroit où, peu avant, avait flotté le globe verdâtre.

— Nous avons besoin de votre conseil !

Cette fois, j'écoutai avec attention le bruit que faisaient les machines. Le bourdonnement jusque-là régulier s'accrut puis la boule de lumière se matérialisa au-dessus de nos têtes.

— *Que pouvons-nous faire pour le Ganjo ?*

Les paroles retentissaient à nouveau directement dans mon cerveau.

Perry s'informa sur les possibilités de dresser un écran énergétique autour du socle de l'obélisque puis de l'étendre brusquement.

Une minute passa avant que d'autres impulsions se manifestent dans mon esprit et se transforment en mots.

— C'est tout à fait réalisable, mais un tel champ ne pourra demeurer stable qu'un court moment. Il ne sera pas non plus capable de repousser des corps solides. En outre, pour tous les objets soumis à son influence, le temps s'écoulera cent fois plus lentement, et ce durant un *pahal*.

Perry m'adressa un clin d'œil. Ses pensées se lisaient directement sur son visage. Le Terranien avait instantanément pris sa décision. Je cherchai dans mes souvenirs la signification du terme « pahal » et me rappelai qu'il correspondait en gros à un quart d'heure.

— Combien de temps cet effet persistera-t-il une fois le générateur coupé ? demanda le Stellarque.

— Environ un sixième de pahal, répondit la sphère lumineuse.

J'essuyai les larmes d'excitation qui coulaient de mes yeux. Cela nous donnait tout au plus deux minutes et demie pour passer devant les Protecteurs d'Aryva quasiment figés et disparaître quelque part.

Perry afficha un large sourire.

— Bien, génère maintenant le champ d'énergie et étends-le aussi loin que possible. Dans un sixième de pahal exactement, tu ouvriras la porte.

La sphère lumineuse ne répondit pas mais pâlit puis s'évanouit. Peu après, le bourdonnement des machines se transforma en un puissant grondement et le sol vibra si fort qu'il fit s'entrechoquer les plats sur la table.

Perry et moi nous levâmes et nous dirigeâmes lentement vers la sortie.

CHAPITRE XIII

Immobile, Poshok fixait sans comprendre l'*eth* dont les feuilles se coloraient de rouge sous la lumière du soleil matinal.

Le prêtre, un servant de troisième catégorie, ne saisissait pas comment un arbre qui devait avoir au moins dix ans avait pu pousser du jour au lendemain au milieu d'un potager. Depuis huit ans qu'il s'occupait d'entretenir le jardin du temple d'Yshmir, rien de la sorte ne s'était jamais produit. Et, de toute façon, c'était une impossibilité biologique.

Ou quelqu'un l'avait planté durant la nuit, ou un miracle s'était produit.

Poshok frissonna sous l'effet de la brise encore fraîche. Il plaqua sa robe blanche contre lui puis leva les yeux vers le ciel où brillait toujours le Fanal, un peu pâle toutefois dans la clarté naissante.

Personne n'avait planté cet arbre. Il y aurait eu des traces. Or, on ne voyait même pas la moindre motte de terre retournée et les plates-bandes étaient intactes. Elles s'interrompaient seulement là où le tronc sortait du sol.

Pas de doute, c'était un miracle, certainement en rapport avec le signe annonçant le retour du Ganjo.

Poshok soupira puis il se retourna et courut vers le temple pour informer les autres servants.

À peine l'homme eut-il disparu que les contours du

végétal s'estompèrent pour révéler Avimol, toujours revêtu de sa robe rose.

L'Uarti gémit.

Adopter l'apparence d'un eth s'était révélé éprouvant. Cela l'avait certes protégé de ses poursuivants pendant la nuit, alors qu'il risquait d'attirer maintenant l'attention sur lui.

Le vieil homme qui avait observé « l'arbre », bouche bée, croirait peut-être à une intervention surnaturelle mais pas ses collègues, et surtout pas sa hiérarchie.

Afin de ne pas laisser d'empreinte traîtresse, le technicien en biocamouflage bondit pour se retrouver directement sur le chemin dallé. Cette précaution était sans doute inutile car là où il s'était dissimulé, certaines plantes avaient été écrasées.

Avimol rabattit son capuchon sur la tête et pressa le pas. Il se jeta sous un buisson quand un aéroglisseur survola le jardin du temple. On continuait donc à le chercher. De plus, on traquait deux criminels terraniens, ce qui ne faisait qu'accroître l'agitation à Métabor. Le jeune prêtre espérait qu'on les arrêterait bientôt ; les pèlerins se calmeraient peut-être enfin.

L'Uarti attendit que l'appareil volant eut disparu puis il se mit à courir jusqu'à un petit local technique. Il avait déjà été fouillé deux fois durant la nuit par la police et la porte forcée était grande ouverte.

Quand des voix excitées retentirent dans la direction du temple, Avimol sut qu'il ne lui restait plus beaucoup de temps. Il devait impérativement changer à nouveau d'apparence.

Il s'introduisit dans la pièce et referma le panneau derrière lui. Il ouvrit ensuite la sacoche contenant son équipement de biocamouflage. Les possibilités de ce dernier étaient réduites. En dehors d'un arbre, il ne pouvait se transformer qu'en un *pshonnak*, un lézard venimeux, ou effectuer de légères modifications au niveau de sa morphologie.

Le reptile mortel étant inconnu sur Aryvanum, ne subsistait que la seconde possibilité. Avimol hésita. Il était en train de violer le serment qu'il avait prêté sur sa planète. Mais finalement, le pragmatisme l'emporta.

Une dizaine de minutes plus tard, il était devenu un pèlerin à la peau blafarde, aux longs cheveux blancs et aux mains délicates dont la robe flottait autour de ses jambes décharnées.

Il s'avança lentement à tâtons jusqu'à la porte et épia par l'étroit entrebâillement qu'il avait intentionnellement laissé. L'Uarti ricana, dévoilant « ses » chicots jaunâtres, quand il vit vingt servants de différentes catégories immobiles devant la plate-bande désormais vide où le vieil homme avait découvert l'arbre miraculeux. Les prêtres échangeaient des paroles excitées, parmi lesquelles Avimol perçut quelques jurons, manifestement destinés au vieillard.

On le tenait visiblement pour un fou, ce qui n'avait rien d'étonnant, sa preuve s'étant volatilisée. La terre piétinée révélait tout au plus que quelqu'un s'était trouvé là.

Le fugitif attendit patiemment que les prêtres se soient dispersés. Il voulait éviter à tout prix d'éveiller leur méfiance.

Il se dirigea ensuite d'un pas tranquille vers le petit passage s'ouvrant dans le mur du jardin, poussa la porte et sortit dans la rue.

Un glisseur transportant des Protecteurs d'Aryva passa à ce moment. Les policiers assis à l'arrière l'observèrent avec indifférence. Ils ne cherchaient pas un vieillard à la chevelure blanche mais un Uarti au corps d'athlète et à la peau brûlée par le soleil. Avimol sourit intérieurement. Il redevint toutefois aussitôt sérieux.

On ne l'attraperait pas, c'était assuré. Mais il ne pourrait pas regagner Uarte en conservant cette apparence, même s'il réussissait à s'introduire à bord du vaisseau devant rallier sa planète natale. Seuls des autochtones seraient autorisés à descendre une fois là-bas.

Le seul moyen qu'il avait de rentrer chez lui était d'utiliser les méta-amplificateurs d'Aryvanum. Seulement, les contrôles étaient particulièrement stricts. Il lui faudrait de faux papiers pour pouvoir les franchir.

Le jeune homme décida de satisfaire d'abord son estomac qui criait famine. Il avisa un camion-buvette servant repas et boissons de l'autre côté de la rue. Une trentaine de personnes s'y pressaient. La ville était relativement déserte. La plupart des pèlerins devaient l'avoir traqué toute la nuit et étaient à présent revenus dans leurs quartiers pour dormir.

Penser au sommeil lui arracha un bâillement. Assumer son rôle d'*eth* pendant si longtemps l'avait épuisé. Il traversa lentement la rue et fut presque renversé par un glisseur de transport. Les champs répulseurs le rejetèrent sur le côté d'au moins cinq pas.

Plusieurs pèlerins se précipitèrent aussitôt pour lui porter assistance. Très inquiets pour son état, ils l'amenèrent jusqu'au bar ambulant et lui servirent un petit déjeuner. Ainsi, Avimol n'eut même pas à faire la queue. Il se remit rapidement de sa chute, remercia ceux qui l'avaient aidé et partit bientôt à la recherche d'un endroit pour dormir.

Il coupait par un parc somptueusement agencé quand il eut l'impression de succomber à des hallucinations. Les rares nuages gris pâle dans le ciel se déplaçaient soudain à une folle vitesse, les feuilles mortes fusaient comme des balles tout près de son visage, et les branches des arbres et des buissons s'agitaient violemment, bien qu'il n'y ait eu qu'une faible brise.

Avimol s'immobilisa et se retourna lentement. C'était comme s'il voyait les environs avec des lunettes teintées en rose. L'air était empli d'étranges sons : des sifflements perçants et des hurlements, de violents claquements et comme des coups de tonnerre. Et tout cela sans origine perceptible.

Il y eut à un moment un fort craquement et il crut voir filer une ombre au-dessus de lui. Quand il tourna la tête, il découvrit une épave rougeoyante sur le balcon d'un édifice. Une forme étrangement tordue pendait à la cime d'un arbre juste en dessous.

Manifestement, un aéroglisseur s'était écrasé sur la bâtisse mais l'Uarti n'arrivait pas à s'expliquer quand cela avait pu arriver. Tous les signes indiquaient que l'accident venait de se produire : il aurait donc dû en être témoin. Un véhicule ne surgit pas comme cela du néant !

Au milieu du parc gisaient les ruines d'un antique temple. Là, le jeune prêtre nota un vague mouvement mais ne put voir personne.

Puis soudain, sans transition, son environnement redevint tel qu'il avait été auparavant. Les nuages se déplaçaient calmement dans le ciel, les feuilles mortes descendaient avec lenteur et les branches ployaient délicatement sous la brise matinale. Même les étranges bruits s'étaient tus.

L'Uarti était inquiet. Il craignait pour sa raison. Il aurait bien aimé reprendre son aspect normal pour vérifier si cet étrange phénomène se reproduisait. Mais il ne pouvait se le permettre tant qu'on le recherchait.

Puis il se rappela avoir vu remuer quelque chose près du vieil édifice délabré. Dans ce cas au moins, il pourrait vérifier s'il s'agissait ou non d'une hallucination. Le visage grave, Avimol se dirigea d'un pas lourd vers les ruines.

Le Temple de Gajanath avait jadis dû être le plus grand de Métabor. Il n'avait pas été construit en matériaux plastométalliques préfabriqués comme ceux d'aujourd'hui mais en béton. Selon la tradition, une explosion avait anéanti le bâtiment et tué de nombreux servants et pèlerins des millénaires plus tôt. Il n'avait jamais été rebâti, et les conditions climatiques avaient achevé l'œuvre de délabrement.

Avimol escalada une petite colline formée par des décombres, s'écorchant les doigts au contact de buissons épineux. Il arriva au sommet en haletant. Un masque de biocamouflage conférait à son détenteur toutes les particularités de l'homme dont il adoptait la forme, avec les avantages et les inconvénients.

Avimol savait qu'il ne pourrait jamais fouiller les ruines en restant un vieil homme chétif. Il eut beau regarder attentivement autour de lui, il n'aperçut personne. Il gagna l'abri d'un pan de mur écroulé en se déplaçant à quatre pattes et reprit son aspect original.

Il perçut presque aussitôt des bruits et des odeurs que son masque lui avaient dissimulés. Il entendit nettement les pas de deux individus qui marchaient à l'intérieur des ruines. Ils transpiraient fortement, mais pas de peur ; ce n'était que les conséquences d'un gros effort. La façon dont ils se mouvaient témoignait d'une vaste expérience dans le domaine des déplacements furtifs. L'absence de paroles et les fréquentes pauses trahissaient également qu'ils avaient l'habitude de ce genre de comportement.

Pourtant, Avimol ne croyait pas avoir affaire à des Protecteurs d'Aryva. Il découvrit les traces qu'ils avaient laissées et remarqua qu'ils avaient tenté de les effacer.

Les deux Terraniens en fuite lui revinrent alors à l'esprit. Furieux, il se rappela qu'ils avaient voulu manipuler le Ganjo pour servir leurs buts criminels. La colère s'empara de lui. Les Métaguides comptaient certes également dérober au souverain une partie de son pouvoir mais il s'agissait au moins de congénères – de Ganjasis.

Malgré sa méfiance éveillée à juste titre, la présentation des faits par Guvalash avait convaincu l'Uarti.

Avimol tira son couteau à lame vibrante et quitta son

abri en progressant avec mille précautions. Aussi silencieux qu'une ombre, il suivit les traces des deux hommes, plongea par un trou dans le crépuscule d'une cave humide et se faufila dans les profondeurs d'un pas déterminé.

Quand il remarqua que les inconnus ne bougeaient plus, l'Uarti s'étonna. Était-il possible qu'ils l'aient entendu ? À peine pensable ! Et pourtant, ils demeuraient immobiles dans l'obscurité, à une vingtaine de mètres de lui, et à l'odeur de leur transpiration se mêlait une trace d'excitation.

Avimol décida de les prendre à revers. Il descendit un escalier glissant, se hâta en silence le long d'une galerie et s'approcha de ses victimes par le côté opposé. Les deux hommes bougèrent à un moment mais sans s'éloigner. Ils s'étaient seulement légèrement écartés l'un de l'autre.

L'Uarti eut un sourire furtif. Il était maintenant quasi certain d'avoir devant lui les deux Terraniens, et il voulait les tuer pour leur trahison.

Il dut ramper le long d'un couloir en grande partie obstrué avant d'arriver face à un mur. Une brèche permettait d'accéder à une crypte en mauvais état. Les ténèbres ne présentaient pas un inconvénient pour lui, au contraire. Certes, il ne voyait pas dans le noir, mais il percevait chaque mouvement et entendait le moindre souffle de respiration.

Les Terraniens s'étaient séparés. L'un d'eux se tenait près d'une colonne à moitié brisée, sur sa gauche, tandis que l'autre se dissimulait à droite derrière un tas de blocs de béton. Les deux regardaient vers l'unique accès que la cave possédait.

Tel un serpent, l'Uarti se faufila millimètre par millimètre pour traverser l'étroite fente. Il ne faisait aucun bruit, il avait même bloqué sa respiration.

Arrivé de l'autre côté, il se rua sur l'individu près du pilier, son couteau prêt à frapper.

L'instant suivant, un choc violent ébranla son bras.

218

L'arme lui échappa et alla heurter une paroi dans l'obscurité. Un deuxième coup manqua Avimol de peu.

Il roula sur le sol, avant de se redresser avec l'agilité d'un félin. Il sentait les deux étrangers tout à côté de lui. La réaction inattendue de sa victime l'avait stupéfié et il se concentrait à présent complètement sur la prochaine attaque. Cette fois, il tuerait le Terranien, même à mains nues.

Il se précipita dans le noir, décidé à rompre la nuque de son adversaire. Au dernier moment, celui-ci esquiva. La pointe d'une botte frappa violemment l'Uarti à la poitrine, le rejetant en arrière. Il grogna de rage. Accompagnant le mouvement, il se retourna sur lui-même tout en tombant puis, d'une détente des pieds, se propulsa sur l'étranger.

Son crâne percuta le ventre de l'inconnu tandis que ses mains cherchaient à atteindre le cou pour le tordre. Mais il n'y arriva pas. Un genou le heurta durement à la bouche, et un direct au menton le fit reculer.

Avimol sentit le deuxième homme arriver sur lui. Il laissa son corps fléchir et donna un violent coup de coude en arrière quand le premier individu voulut l'agripper. Un cri étouffé lui répondit, la prise se relâcha.

Le jeune prêtre pivota sur la droite afin de pouvoir attaquer latéralement l'autre Terranien. Il courut ainsi vers sa perte. Un tranchant de main d'une dureté imparable, même pour un Uarti, s'abattit sur la base de son crâne.

Avimol s'effondra comme une masse, inconscient.

Récit de Perry Rhodan

L'étranger avait lutté comme un diable mais j'étais parvenu à le mettre hors de combat d'un atémi porté à la nuque.

Durant notre fuite vers le temple en ruines, le temps

avait « suspendu son vol » et j'avais pu récupérer une lampe sur un policier figé. Je l'allumai pour éclairer le visage de notre adversaire.

À ma surprise, il n'avait rien d'un fanatique. Il était inconscient et du sang coulait de ses lèvres fendues. Je découvris une légère bosse sur son front.

— Tout va bien, Perry ? demanda Atlan.

L'Arkonide respirait avec difficulté et se tenait légèrement penché en avant. Apparemment, il avait pris un coup dans le ventre.

— À part un estomac meurtri, tout va bien, répondis-je.

Mon compagnon afficha une caricature de sourire.

— Ça se voit, tu as le visage verdâtre ! Je suppose que ce gars voulait nous tuer. Il y a longtemps que je n'avais pas subi une telle agression.

— Oui, c'est un rude combattant, admis-je.

Je tâtai son cou. Mon atémi aurait suffi pour tuer net n'importe quel Ganjasi ou Terrien mais quand je sentis sous mes doigts des muscles d'acier, je sus qu'il s'en relèverait assez vite.

Il devait avoir dans les quarante ans et, contrairement aux autres prêtres, arborait des cheveux courts coupés en brosse. Son visage était buriné et, bien que parcouru de nombreuses cicatrices, il n'était pas pour autant défiguré. L'homme semblait ne posséder aucune arme en dehors de son couteau à lame vibrante, à moins que la sacoche en cuir dissimulée sous sa robe en contînt.

Je l'ouvris prudemment. Elle renfermait divers objets dont la nature m'échappait complètement. Je n'avais jamais rien vu de semblable.

— J'aimerais bien savoir ce que c'est, dit pensivement l'Arkonide en faisant rouler dans sa main un anneau métallique d'un pouce d'épaisseur.

Le diamètre de l'objet devait être de dix centimètres, et la pierre taillée au milieu ressemblait à un rubis.

— Pas d'expérimentation ! l'avertis-je.

Atlan reposa promptement la bague et referma le sac.

Ovaron demeurait toujours aussi discret.

Quand l'étranger respira profondément, nous reculâmes de quelques pas et dégaînâmes nos paralysateurs. Nous n'avions pas l'intention de nous laisser entraîner dans un deuxième combat.

Le Ganjasi ouvrit soudain les yeux. Moins d'une seconde plus tard, il bondit sur ses pieds et nous dévisagea, quelque peu confus.

— Au moindre signe d'hostilité, nous ouvrons le feu, l'avertis-je rapidement. Alors, pas de folie. Discutons tranquillement, comme il est d'usage entre gens raisonnables.

— Comme il *devrait* être d'usage, ajouta l'Arkonide sur un ton sarcastique.

— Je m'appelle Perry Rhodan, poursuivis-je, et voici mon ami Atlan. Nous sommes les Terraniens censés avoir trahi le Ganjo mais tel n'est pas le cas. Guvalash est un menteur et un criminel.

Je m'étais exprimé en gruelfin, et je notai que l'étranger m'avait compris.

— L'Hexarque et ses Métaguides sont également mes ennemis, fit l'homme qui s'était légèrement détendu. Bien, discutons. Mon nom est Avimol et je suis venu d'Uarte sur Aryvanum en tant que pèlerin. Je me suis joint aux Perdashistes et je suis recherché par les Protecteurs d'Aryva.

Atlan lâcha un bref éclat de rire.

— Alors nous sommes des alliés potentiels, Avimol. Nous faisons la paix ?

— Non ! Vous êtes des traîtres et vous ne valez guère mieux que les Métaguides. Tuez-moi, sinon c'est moi qui vous tuerai !

Je secouai la tête.

— Tu n'y arriveras jamais. Je répète : nous ne sommes pas des traîtres. L'être que Guvalash a présenté comme le

Ganjo est une copie. Le vrai se trouve sur mon vaisseau, et j'héberge son esprit dans mon corps. Ce sont bien ses impulsions mentales qui ont activé le Fanal. Depuis, nous sommes devenus inutiles.

— Il ne sait pas s'il peut nous faire confiance, déclara Atlan. Il faut nous en séparer, sinon nous risquons à tout moment de nous prendre un coup de couteau dans le dos ou de subir je ne sais quelle attaque.

Il avait raison, je l'aurais juré.

— Qui sont ces Perdashistes que tu as ralliés ? demandai-je néanmoins.

Avimol m'observa avec insistance avant de répondre doucement :

— Je ne vois pas de raison de le taire. Notre organisation essaie d'informer le peuple des Ganjasis sur le rôle criminel des Métaguides. Nous voulons que le Ganjo reçoive à son retour tous les pouvoirs qui lui sont dus.

— Comment voulez-vous y arriver si vous ne pouvez même pas faire la différence entre le vrai et le faux Ganjo ? soufflai-je, suivant une inspiration d'Ovaron.

— Montre-nous deux Ganjos et nous découvrirons lequel est le bon, répliqua Avimol du tac au tac.

— C'est impossible pour le moment, réfutai-je. Mais si tu nous mettais en contact avec les autres Perdashistes ? Nous aimerions bien collaborer avec eux !

Nous avons surtout besoin de leur aide, ajoutai-je *in petto*.

Je sentis immédiatement l'Uarti se contracter. Sa méfiance s'accrut. Probablement pensait-il que nous voulions le manipuler pour quelque but obscur.

— Même si je savais où joindre mes amis, je ne vous y amènerais pas, déclara Avimol.

— Qu'y a-t-il dans votre sacoche ? demanda Atlan à brûle-pourpoint.

Le visage du Cappin se figea. Il recula d'un pas.

— Qui touche à son contenu meurt sur-le-champ ! cria-t-il, excité.

— Nous y avons déjà jeté un œil, affirmai-je.

Avimol tressaillit et banda ses muscles. Je secouai légèrement mon paralysateur pour lui rappeler que le canon était toujours braqué sur lui. Il se calma alors en soupirant. Ma petite ruse psychologique avait marché. Maintenant, il savait que nous n'avions pas peur de lui, ce qui ébranlait quelque peu sa confiance.

— Toutefois, ajoutai-je, nous respectons les secrets des autres personnes tant qu'elles ne font pas preuve d'une hostilité intransigeante.

À ma grande surprise, l'Uarti éclata de rire. Il m'avait manifestement percé à jour. En tout cas, cela détendit l'atmosphère. Atlan et moi sourîmes à notre tour.

— J'y vais, maintenant, dit Avimol. Peut-être trouverai-je mes amis ; je vous en informerai alors. Je ne peux rien faire de plus.

— Compris, déclarai-je. Mais nous ne restons pas ici. Vous pourrez toutefois nous laisser un message dans cette crypte.

Avimol ne répondit rien à cela. Il nous regarda avec hésitation puis s'écarta de nous. Atlan et moi maintînmes nos lampes braquées sur lui.

L'Uarti localisa avec une facilité déconcertante l'endroit où gisait son couteau à lame vibrante, puis il disparut dans la galerie obscure.

Nous attendîmes trente secondes puis le suivîmes aussi prudemment que possible. Avimol devait toutefois avoir opté pour le chemin le plus direct et il se déplaçait si silencieusement qu'en temps normal, nous aurions hésité à lui emboîter le pas.

Quand nous débouchâmes à l'air libre, le soleil était presque au zénith. Atlan et moi étudiâmes les alentours avec attention, mais il n'y avait plus aucune trace de l'Uarti.

Le parc était désert, à l'exception d'un vieux pèlerin voûté avec une longue barbe blanche qui lui tombait sur les épaules…

* * *

Récit d'Atlan

Les temples avaient depuis longtemps cédé la place à des arbres d'une hauteur imposante. Cela faisait des heures que nous fuyions devant les Protecteurs d'Aryva dans cette forêt qui paraissait sans fin. Cependant, notre sort était peut-être déjà joué d'avance.

Si les policiers avaient retrouvé notre piste, ils avaient eu largement le temps de verrouiller complètement le périmètre de la ville et de ses environs.

Sans transition, nous émergeâmes soudain en terrain découvert. Deux hommes en uniforme se tenaient debout près de leur glisseur. Manifestement, ils nous guettaient.

Nous n'eûmes aucune difficulté à les neutraliser. Je m'élançai. La cible que j'avais choisie m'entendit arriver et voulut se retourner, mais je lui avais déjà passé le bras autour du cou. Je resserrai violemment ma prise. Le Ganjasi s'affaissa. Je le traînai jusque derrière un buisson, récupérai ses deux armes et m'intéressai alors à Perry.

Le Terranien avait agi de la même façon que moi. Son visage semblait rigide et résolu. Malgré son inclinaison à la sentimentalité, il pouvait se révéler implacable.

— Leurs vêtements ! me chuchota-t-il.

Nous dépouillâmes nos victimes de leurs tenues que nous enfilâmes prestement. Peut-être gagnerions-nous ainsi de précieuses secondes en cas de rencontre inopinée avec leurs collègues. Nous nous jetâmes ensuite dans le véhicule. Je pris les commandes et, bientôt, nous laissâmes la forêt derrière nous.

Près de moi, Perry tressaillit et je le vis lever son arme hyperénergétique. Il tira. Une explosion retentit assez haut au-dessus de nous. J'entendis juste alors le hurlement de propulseurs à impulsions.

Des aéroglisseurs !

Deux engins ovoïdes brillant d'un ton argenté fondaient sur nous. Je fis décrire des zigzags à notre véhicule. Les premiers faisceaux radiants frappèrent le sol devant nous, à gauche et à droite.

J'accélérai à fond, arrachant un gémissement aux générateurs de champ répulseur.

Quand Rhodan m'annonça qu'un autre engin nous plongeait dessus, je virai à droite dans une étroite impasse entre des bâtiments à moitié effondrés. Nous avions rejoint la vieille ville en périphérie de la capitale, là où se dressaient d'innombrables temples.

— *Je suis désolé, Merceile*, pensai-je. *Nos chemins vont devoir se séparer. Transférez-vous sur le* Marco Polo, *vite !*

Un bref instant de panique, puis Merceile émit en retour :

— *Vous ne devez pas laisser tomber, Atlan !*

Un éclair fulgura dans le ciel, et notre glisseur fut touché à l'arrière. Il tournoya sur lui-même dans une danse folle, glissa en grinçant sur le sol et percuta de l'arrière une haie d'épineux qui s'enflammèrent aussitôt.

Perry et moi nous laissâmes tomber dans les buissons en feu, nous protégeant le visage avec le bras. Le bruit des propulseurs hurlait à nos oreilles. Un deuxième impact pulvérisa l'appareil et me projeta parmi des blocs de pierre tombés d'un mur. Je fus touché au front et commençai à saigner mais, sur le moment, je ne le remarquai même pas.

— Ici ! cria Rhodan depuis la gauche.

Je trébuchai, chus à terre, me relevai et chancelai à nouveau. Quelque chose recouvrit mes yeux, m'empêchant de voir, jusqu'à ce que je réalise que c'était mon propre sang.

Je l'essuyai du revers de la manche. Mon compagnon me saisit par le bras et m'entraîna de force à travers un trou dans les ruines. J'étais trop étourdi pour pouvoir me débattre. Le mugissement des machines tout autour de nous s'amplifia à nouveau – et soudain, le monde prit fin dans une apocalypse de rafales énergétiques.

Je battis des paupières et avisai mon ami terranien qui me souriait.

— Ça va, Arkonide ? demanda-t-il en souriant.

— Couci-couça, répondis-je, puis je fronçai les sourcils. Que se passe-t-il ? Sur qui tirent les Protecteurs d'Aryva ?

L'engourdissement qui me paralysait s'envola d'un coup et je pus à nouveau penser clairement.

Le bruit des combats s'estompa et reprit plus loin. Une silhouette familière apparut à l'entrée de notre abri et sauta jusqu'à nous. C'était Avimol. Il saignait d'une blessure à l'épaule.

— Les Perdashistes vont vous sortir de là, dit-il.

Son visage ne trahissait rien des douleurs qu'il devait ressentir.

Il porta à ses lèvres un appareil de communication de la taille d'un œuf et donna quelques indications sur notre position, auxquelles je ne compris rien. Pendant ce temps, les explosions s'éloignaient.

Environ deux minutes plus tard, un petit glisseur aérien se posa près de nous. Deux hommes en combinaison gris clair nous aidèrent à embarquer. Quand je pivotai vers l'Uarti, le jeune homme était déjà dix mètres plus loin, courant au milieu d'un tas de décombres. Il se retourna brièvement et agita son bras en bon état. Puis il disparut à mon regard. Nous étions déjà dans les airs, filant à toute vitesse.

La vieille ville que nous abandonnions enfin subissait un lourd bombardement. L'astroport se distinguait droit devant nous.

Un vaisseau des Perdashistes nous y attendait peut-être mais je doutais sérieusement que nous puissions arriver jusqu'aux pistes. De petits points brillants convergeaient sur notre position, venant de toutes les directions : des appareils hostiles.

Cela ne semblait pas troubler le Cappin aux commandes de notre engin. Il grimpa en flèche comme s'il voulait gagner le vide cosmique.

Quelques secondes plus tard, je compris quel était son plan. Un des astronefs ovoïdes avait décollé dans un bruit de tonnerre. Il s'éleva droit dans le ciel sur environ cinq cents mètres puis bascula sur le côté. Il se rapprocha ensuite de nous à une vitesse inquiétante.

Heureusement, le commandant ne comptait pas laisser notre pilote se débrouiller tout seul pour accoster le navire en vol. Nous fûmes happés par un rayon tracteur et déposés peu après en toute sécurité dans un hangar à l'intérieur du gros vaisseau.

Les deux Ganjasis qui nous avaient récupérés se tournèrent vers nous et tendirent leurs mains.

— Vos armes, s'il vous plaît ! dit l'un d'eux sur un ton courtois, mais ferme.

Perry et moi leur remîmes nos équipements sans opposer de résistance. Il eût été absurde de livrer un combat contre des hommes susceptibles de devenir des alliés.

— Quel sera notre statut ? demanda prosaïquement Perry.

— Considérez-vous temporairement comme des prisonniers, répondit le pilote. Nous vous emmenons maintenant auprès du commandant Recimoran, il décidera de ce que nous allons faire de vous.

Quand nous arrivâmes dans le poste central dans lequel plusieurs membres d'équipage étaient au travail, nous reconnûmes sur la galerie panoramique les ombres et les stries lumineuses caractéristiques de l'espace linéaire.

L'homme assis devant le pupitre de commandement se

fit relever, puis il se redressa et s'avança à notre rencontre. C'était un Ganjasi mince et nerveux aux cheveux rouge brun tombant jusqu'aux épaules. Son visage trahissait l'intelligence et l'expérience.

Il s'arrêta juste devant nous et nous observa de ses yeux vifs. Puis il sourit.

— Mon nom est Recimoran. Je suis le commandant de l'*Odikon*. Lequel de vous deux est Perry Rhodan, s'il vous plaît ?

Il s'exprimait avec recherche.

Le responsable de l'Empire Solaire inclina légèrement la tête.

— C'est moi.

Le Cappin le détailla avec attention, puis ce fut mon tour.

— Et vous êtes Atlan. (Il sourit encore puis reprit abruptement son sérieux.) Nous avons rompu notre vœu de non-violence pour vous venir en aide.

— Nous vous sommes obligés, dit le Stellarque. Puis-je savoir où vous nous emmenez ?

— Il est trop tôt pour cela. S'il vous plaît, prenez place à cette table et racontez-moi tout. Je vous rassure : je ne crois pas un traître mot de ce qu'affirment les Métaguides. (Il marqua une pause.) Selon Avimol, le véritable Ganjo se trouverait à bord de votre vaisseau… ajouta-t-il finalement en regardant Perry.

Celui-ci haussa imperceptiblement un sourcil. Manifestement, l'Uarti n'avait pas parlé de la présence d'Ovaron dans son corps. Peut-être le prêtre ne nous avait-il pas cru. J'espérai que mon ami n'en dirait rien. Il était toujours bon de garder quelques atouts dans sa manche.

— C'est exact, affirma le Terranien. Le Ganjo présenté par Guvalash n'est qu'un simulacre.

Nous nous assîmes et Perry prit la parole. Il esquissa l'histoire de l'Humanité, décrivit comment il avait fait la connaissance du souverain ganjasi et quel était son rôle, relata les expériences temporelles et passa à l'arrivée du *Marco Polo* dans la galaxie Gruelfin.

Recimoran tendit davantage l'oreille quand le Stellarque aborda notre enlèvement par le robot Florymonth et la suite de nos aventures. Il évita à dessein de citer Ovaron et Merceile.

Quand il eut terminé, le Cappin réfléchit quelques secondes avant de déclarer :

— Je vous remercie pour ces informations, Perry Rhodan. Vous n'avez plus à vous considérer comme des prisonniers. Mais de grosses difficultés nous attendent. Il ne sera pas facile d'aider le véritable Ganjo à reconquérir le pouvoir.

Il voulut se lever mais j'intervins rapidement :

— Encore un instant, s'il vous plaît !

Il me dévisagea avec intensité.

— Vous vous faites appeler Perdashistes ? D'où vient ce terme ?

Le commandant sourit.

— Nous avons baptisé notre organisation en l'honneur de Perdash le Grand, un scientifique qui fut le premier à découvrir les agissements criminels des Métaguides. Je vous quitte, à présent. On va vous conduire dans une cabine confortable.

Tandis qu'il retournait au pupitre de commandement, Perry demanda à voix basse :

— Pourquoi une telle question, Arkonide ?

J'esquissai un sourire.

— J'ai remarqué que tu correspondais avec ton invité et j'ai voulu détourner l'attention de Recimoran.

— Bien observé, me chuchota-t-il. Ce que mon « invité » m'a signalé me semble très important. Il sait exactement où nous nous trouvons, car il a reconnu la planète. Il y a plus de deux cent mille ans, elle s'appelait Sikohat. C'était l'un des lieux de villégiature préférés des Ganjasis. Elle se situe en périphérie de Gruelfin. Il s'agit du deuxième des cinq satellites du soleil Hyron.

Il marqua une pause significative avant d'ajouter :

— À vrai dire, nous ne sommes plus dans Gruelfin, mais dans une petite galaxie appelée Morshatzas.

Je me laissai aller dans mon fauteuil. Nous en savions enfin un peu plus sur ce monde qui avait failli devenir notre tombeau.

— Puis-je vous escorter jusqu'à votre cabine ? fit une voix.

Je redressai la tête et aperçus un Ganjasi qui nous souriait courtoisement, debout à côté de la table des cartes.

Tandis que nous nous levions pour nous laisser mener jusqu'à nos quartiers provisoires, l'*Odikon* poursuivait son vol à travers l'espace linéaire, filant bien au-delà de la vitesse de la lumière.

*
* *

Pour Avimol, c'était un vrai miracle d'avoir survécu au bombardement. Avec un sourire satisfait, il écoutait le hurlement des blocs-propulsion de l'*Odikon*.

Il s'extirpa péniblement des gravats qui le recouvraient jusqu'aux hanches. Son épaule gauche lui faisait mal et un éclat de bombe lui avait entaillé la peau du crâne. Il remarqua alors que ses deux jambes étaient brisées.

L'Uarti s'appuya contre un gros bloc, arracha de sa robe en lambeaux une étroite bande et s'en servit comme pansement pour sa blessure à la tête. Il essuya ensuite le sang qui avait coulé sur ses yeux. Résigné, il attendit que se présentent les Protecteurs d'Aryva. Il avait encore son radiant et saurait mourir en combattant.

Après quelque temps, trois silhouettes surgirent dans son champ de vision. Il releva lentement le canon de son arme puis tressaillit soudain, surpris.

— Ne tire pas, Avimol, retentit une voix familière. C'est nous : Soncopet, Quinfaldim et Loboruth !

Il reconnut alors ses congénères d'Uarte. Sur Aryvanum, seuls ces trois hommes auraient pu le retrouver aussi vite.

— Voulez-vous me livrer aux Protecteurs ? demanda-t-il avec rage.

Quinfaldim s'approcha et un sourire orna son visage gras couvert de sueur.

— Nous avons appris pourquoi les policiers te pourchassaient, Avimol, et nous avons décidé de t'aider. Contre quatre Uarti, ces tueurs n'auront aucune chance. Nous nous en sortirons, je le sais.

Avimol sourit en retour puis il tendit les mains.

— Merci, mes amis. Tout va bien aller, à présent.

CHAPITRE XIV

L'Âme-du-Vaisseau trouva Recimoran assis devant la galerie d'écrans. Le commandant était confortablement installé dans son fauteuil, les mains croisées derrière la tête, occupé à observer les deux Terraniens grâce aux caméras disposées dans leur cabine – il ne pouvait pas savoir que l'un d'eux était en fait un Arkonide. Le Cappin semblait pensif.

Le nouveau venu attendit que son supérieur remarque sa présence.

— Fentorsh ! fit l'officier en fronçant les sourcils. Je ne savais pas que c'était toi qui portais le *bandeau* durant ce vol.

— Je n'avais rien à vous dire.

— Ah, parce que ça a changé…

— Oui.

— À cause des étrangers ? supposa Recimoran.

L'Âme-du-Vaisseau sentit que le reste du personnel interrompait son travail. Il ne désirait pas attiser leur inquiétude mais cet entretien devait avoir lieu. Il ne pouvait plus reculer.

— C'est à cause des étrangers ? répéta le responsable de l'*Odikon*.

— Oui, répliqua Fentorsh en hésitant.

Les discussions s'étaient maintenant complètement tues. Seuls le grondement des blocs-propulsion et le cliquetis à peine perceptible des appareils de détection

232

trahissaient que le navire filait à travers la galaxie à une vitesse de loin supérieure à celle de la lumière. Les Perdashistes étaient tendus, désireux d'en apprendre davantage sur leurs passagers. Depuis que Recimoran avait pris les deux hommes à bord, une nette nervosité s'était emparée de plusieurs personnes. Celui qui se faisait appeler Perry Rhodan n'avait rien caché de son origine et ses intentions. Pouvait-on cependant accorder confiance à ses affirmations ?

L'Âme-du-Vaisseau était d'avis que oui.

Seulement, il y avait autre chose… Un danger impossible à exprimer par des mots.

Une menace à peine perceptible dirigée contre le bâtiment. Grâce à ses facultés, Fentorsh croyait deviner que les Terraniens n'étaient pas venus seuls.

Il sentait croître l'impatience de ses camarades. Ils voulaient des explications.

Il réajusta le bandeau sur sa tête. Il était probablement trop réservé pour cette tâche, mais chacun devait l'assumer à tour de rôle. Il ne lui fallait pas se laisser écraser par les responsabilités que cela impliquait, tout simplement parce que des incidents survenaient durant sa période de service particulier.

— Les deux étrangers constituent un risque sérieux, affirma-t-il d'une voix rauque.

Le malaise qu'il suscita par ces paroles lui confirma que l'équipage s'était manifestement attendu à une déclaration de la sorte. Seul Recimoran garda sa sérénité.

— Nous les avons soigneusement fouillés, rappela-t-il, et nous leur avons enlevé leurs armes. Ils ne disposent d'aucun appareil susceptible de nous porter préjudice. De surcroît, tu as toi-même admis leur bonne foi.

Fentorsh rougit. Se retrouver si soudainement sous les projecteurs ne lui plaisait guère. Il aurait aimé tourner les talons et se précipiter hors de la centrale. Seulement, déshonorer ainsi le bandeau aurait été impardonnable.

Il s'enhardit.

— Je ne peux pas vous décrire le danger en détail, mais il est bien réel.

— Ce n'est pas possible ! répliqua Recimoran.

Vandrocan, le bras droit de ce dernier tout autant que son meilleur ami, se leva de son siège. Son regard sauta d'un homme à l'autre.

— Il porte le bandeau, il ne saurait mentir !

Si Fentorsh fut surpris de ce soutien inattendu, il comprit rapidement que celui-ci résultait plus d'une aversion de l'officier pour les étrangers que d'un véritable sentiment de sympathie à son égard. Le second n'avait jamais jusque-là caché qu'il le considérait indigne d'être l'Âme-du-Vaisseau.

— Mais il peut se tromper ! rétorqua le commandant.

Manifestement, il voulait justifier auprès de l'équipage les décisions prises sur Aryvanum. Il indiqua l'écran. Les deux individus concernés étaient assis dans leur cabine et discutaient. Ils ne donnaient pas l'impression de dissimuler une quelconque menace.

— Observez-les ! insista Recimoran. L'*Odikon* n'a jamais eu de passagers aussi calmes.

Fentorsh fixait ses pieds. Sa gorge était comme nouée. Il cherchait désespérément un moyen d'avancer ses arguments.

Il finit par bredouiller :

— Les deux étrangers ne… ne sont pas… nos ennemis. Mais ils… ils ne sont pas seuls. C'est ça le… le danger.

Vandrocan croisa les bras sur sa poitrine puissante. Il jeta un regard méprisant au Perdashiste anxieux.

— Enlevez-lui le bandeau !

Le commandant balaya la suggestion du revers de la main.

— Il n'est pas dans la coutume de destituer une Âme-du-Vaisseau en fonction avant la fin de son mandat. Nous devons le laisser en place.

Le second se détourna, irrité.

Pour Fentorsh, le besoin d'expliquer avec davantage de clarté son point de vue l'emporta sur sa timidité. Les paroles qu'il avait jusqu'à présent cherchées en vain vinrent soudain à ses lèvres.

— Le navire va s'écraser. Nous périrons tous. Les deux étrangers y compris. C'est le bandeau qui me le dit…

Il releva la tête et fixa pour la première fois le commandant droit dans les yeux.

— L'*Odikon* est perdu ! cria-t-il, paniqué.

*
**

L'esprit d'Ovaron s'était isolé dans le coin le plus reculé du corps de Perry Rhodan, n'évoquant plus qu'une flamme laissée en veilleuse. Il lui octroyait ainsi une totale liberté de pensée et d'action, bien que seul le choix de la réflexion lui fût utile pour l'instant.

Il était parfaitement conscient qu'ils étaient surveillés. Recimoran leur avait certes assuré qu'ils n'avaient plus besoin de se considérer comme des prisonniers, mais la réalité était tout autre.

La porte de la cabine était fermée de l'extérieur et ils avaient été privés de leurs équipements. Deux sentinelles armées gardaient constamment l'œil sur eux.

L'Arkonide s'accommodait le mieux de la situation, faisant preuve de son flegme habituel. Perry était surtout perturbé de ne pas avoir réussi à engager de conversation avec les Perdashistes. Il aurait bien aimé en entendre davantage sur ce qui se passait dans cette microgalaxie.

Le petit amas stellaire du nom de Morshatzas était situé à quatre-vingt-quatre mille cinq cent soixante-deux années-lumière de distance de Gruelfin. Il mesurait à peine sept cents années-lumière de long et comportait environ cent trente mille étoiles.

Deux cent mille ans plus tôt, longtemps même avant

qu'Ovaron n'ait été porté disparu dans la galaxie des Terraniens, les souverains des Ganjasis l'avaient choisi pour s'y retirer en secret.

— À quoi songes-tu ? s'enquit Atlan, arrachant Perry à ses pensées.

Le Stellarque leva les yeux. L'Arkonide était confortablement installé dans un massif fauteuil. Manifestement, Merceile s'était également mise en retrait.

— Je me demande pourquoi les Takérans n'ont pas découvert cette cachette, répondit Rhodan. Après tout, aucun Tashkar n'a jamais vraiment cru à l'extermination complète des Ganjasis. Depuis la guerre d'anéantissement, ils les traquent sans relâche. Comment se fait-il qu'ils ne les aient jamais retrouvés ? Ils ont bien dû venir voir ici un jour ou l'autre…

Le Lord-Amiral sourit.

— Tu sais que nous avons déjà posé cette question à nos amis. Ils n'en savent rien.

— On ne peut pas simplement faire disparaître une galaxie comme ça, même si elle est relativement petite comme l'est Morshatzas.

— Les Ganjasis ont bien dû trouver un moyen, commenta Atlan. Nous saurons tôt ou tard lequel.

Rhodan ne cachait pas son scepticisme sur ce point.

Ils n'obtiendraient rien des Perdashistes. Cette organisation avait probablement trop peu d'envergure pour disposer d'informations de cette importance.

Perry sentit la conscience d'Ovaron s'éveiller en lui.

— *Vous avez eu tout le temps pour réfléchir. J'espère que vous en avez bien profité !*

Le Terranien ne put s'empêcher de sourire.

— *Je commence déjà à raisonner comme un Cappin,* déclara-t-il. *Au lieu de me préoccuper de mes propres problèmes, je me demande quel est le secret de Morshatzas.*

— *C'est peut-être tout simplement que les destins de*

nos deux peuples sont indissociables, fit le Ganjo, convaincu de ce qu'il avançait.

— *Possible*, admit Rhodan en hésitant. *Ou alors, je m'enfonce la tête dans le sable pour ne pas songer à l'imminence de la méta-invasion de ma Galaxie-patrie.*

L'esprit désincarné ne répondit pas, mais Perry le sentit s'agiter. Il se doutait que cette activité soudaine n'était pas due au hasard.

— *J'ai un plan !* annonça Ovaron.

— *À savoir ?*

— *Je vais effectuer un métatransfert dès que le vaisseau émergera dans l'espace normal pour s'orienter, ce qui ne saurait tarder. Je tenterai d'atteindre mon corps à bord du* Marco Polo.

Rhodan frissonna. Si son compagnon mental maîtrisait certes la technique du transfert métasomique comme personne, la seule pensée de l'incommensurable distance qui séparait l'*Odikon* de l'ultracroiseur terranien lui faisait éprouver des doutes sur les chances de réussite du Ganjo.

Atlan sembla percevoir la soudaine inquiétude de son ami.

— Qu'y a-t-il ? demanda-t-il en scrutant le Stellarque. Ovaron fait des siennes ?

— Il désire réintégrer son organisme.

Merceile réagit sur-le-champ et, prenant instantanément le contrôle de l'Arkonide, s'exprima par sa voix :

— Il ne le faut pas ! C'est trop dangereux !

Perry s'étonna alors de la discrétion du Cappin. Il avait escompté que celui-ci prendrait la main pour s'entretenir directement avec sa congénère. Il n'en fut rien. Tout se passait comme s'il voulait éviter toute discussion houleuse.

— *Réfléchissez bien à ce que vous voulez faire !* le mit en garde Rhodan. *Même si vous réussissez à rejoindre votre corps, il n'est pas du tout certain que vous retrouviez le chemin du retour. Après tout, vous ne savez même pas où nous sommes actuellement.*

— Je le saurai sous peu. Mais il ne faut pas traîner. Si nous laissons l'initiative à de petits groupes comme les Perdashistes, nous aurons bientôt perdu toute influence. Il est temps d'agir.

Le Terranien était conscient que le Ganjo lui taisait les véritables raisons de cette soudaine décision. Il n'avait rien dit de ce qui l'avait motivée.

Alors qu'Ovaron commençait à se concentrer, la porte de leur cabine s'ouvrit brusquement.

Un individu fluet se tenait devant l'entrée. Il était blême et tremblait de tout son corps. Perry nota tout de suite une curiosité : un cercle métallique, une sorte de bandeau, posé sur sa tête.

— Attention ! pensa-t-il avec force. *Il y a quelque chose qui ne va pas avec ce gars !*

— Je vois, répliqua le Ganjasi. *Je repousse mon essai à plus tard. Écoutons d'abord ce qu'il a à nous dire.*

Le Cappin s'avança d'un pas hésitant. Ses yeux étaient exorbités, vitreux.

— Il est comme en état de transe, remarqua Atlan. Peut-être devrions-nous appeler pour qu'on le fasse sortir d'ici.

— Attendez ! jeta Ovaron avec la voix de Rhodan. On a éventuellement enfin une chance d'obtenir des informations !

Le Perdashiste s'arrêta devant Perry, lequel constata avec soulagement que le nouveau venu n'était pas armé. Le visiteur tendit soudain les bras, l'extrémité de ses doigts touchant la poitrine du Terranien.

— Le danger émane de vous ! cria-t-il. L'Âme-du-Vaisseau est infaillible !

Il arracha alors de sa tête le bandeau dans un geste désespéré et l'expédia dans un angle de l'étroit local.

— Je ne peux plus le supporter ! hurla-t-il. Je ne peux plus !

Il se pencha en avant et fixa avec intensité l'objet gisant à terre. Puis il porta les deux mains à sa bouche et les mordit jusqu'à l'os. Le sang commença à couler.

— Mais qu'ai-je fait ? gémit-il.

Il s'avança en chancelant, ramassa le cercle de métal et le reposa sur son crâne en tremblant.

Son rire dément força involontairement le Stellarque à reculer.

— J'ai déshonoré le bandeau. Je ne suis plus digne de le porter…

Atlan échangea un regard avec Rhodan et se tapota la tempe avec l'index en un geste sans équivoque.

Recimoran fit alors son apparition, escorté de deux de ses hommes. Il embrassa la scène d'un rapide coup d'œil.

— Il vous a importunés ?

— Pas directement, répondit Perry. Mais son comportement est fort étrange.

L'officier ganjasi opina du chef. Le Perdashiste déséquilibré se laissa emmener sans opposer de résistance.

— Fentorsh est actuellement l'Âme-du-Vaisseau, expliqua le commandant. Seulement, cette charge est à l'évidence trop lourde pour ses épaules.

— L'Âme-du-Vaisseau ? répéta le Terranien, perplexe.

— Le bandeau qu'il porte sur la tête est une découverte de nos ancêtres. Nous ne savons pas avec précision comment il fonctionne mais il transmet certaines impulsions au cerveau de son détenteur, lequel est alors capable d'anticiper les réactions et les sentiments d'individus avant même qu'ils les expriment.

— *Une sorte d'amplificateur psi*, émit la conscience d'Ovaron. *Je me souviens que nos scientifiques faisaient des recherches dans ce domaine. Cet objet doit capter les émotions subconscientes.*

Recimoran qui, bien entendu, n'avait pas perçu l'échange, poursuivit :

— Il échoit à tour de rôle aux différents membres de l'équipage. Celui qui la porte est appelé l'Âme-du-Vaisseau.

Rhodan le remercia pour ces détails.

— Fentorsh semble ne pas nous faire confiance.

Il pensa au plan du Ganjo et réalisa que l'homme artificiellement doué d'empathie avait dû se douter de quelque chose.

— Il a parlé d'une catastrophe imminente, dit gravement le commandant. Je crois qu'il s'est trompé. Il affirmait que l'*Odikon* pouvait être anéanti. (Il fixa le Terranien.) Avez-vous une explication à donner ?

— Non, déclara Perry tout en émettant mentalement : *Vous avez entendu, Cappin !*

Recimoran s'excusa une nouvelle fois pour l'incident, se montrant toujours courtois. Quand il voulut quitter la cabine, Atlan se mit en travers de son chemin.

— Combien de temps va encore durer ce voyage ?

— Nous aurons bientôt atteint notre but, fit avec franchise le Ganjasi.

— Et où allons-nous ?

L'officier hésita avant de répliquer :

— Quel intérêt ?

— Répondez donc ! s'énerva l'Arkonide.

Le commandant céda.

— Très bien, nous nous dirigeons vers le système de Syveron.

À cette annonce, Rhodan perçut une soudaine réaction de son locataire. Atlan, en revanche, haussa les épaules.

— Le nom ne me dit hélas rien.

— C'est bien ce que je pensais.

Recimoran s'éloigna et referma la porte de la cabine derrière lui.

— Ovaron connaît cette étoile, commenta Perry.

Le Lord-Amiral sourit.

— Merceile aussi.

— *Syveron était déjà à mon époque le principal système de Morshatzas*, émit la conscience du Ganjo. *Il possède quinze planètes qui ont toutes été colonisées. La sixième, Erysgan, était autrefois la capitale. Je suppose que les Ganjasis disparus l'utilisent maintenant comme base centrale.*

Le Stellarque fixa Atlan qui hocha la tête. Il avait reçu une explication similaire de la part de la jeune femme dont il hébergeait l'esprit.

— L'endroit est dangereux ? demanda Rhodan à voix haute.

— *Je l'ignore*, répliqua mentalement Ovaron.

— *Vu les circonstances, ne vaudrait-il pas mieux abandonner votre plan ? Pensez à l'avertissement de l'Âme-du-Vaisseau.*

— *La visite de Fentorsh et apprendre où nous allons n'ont fait que me conforter dans ma décision*, répondit le Ganjo. *Je suis prêt, maintenant.*

Réalisant qu'il ne servait à rien de discuter plus longuement, Perry se tut et attendit que le Cappin effectue son métatransfert.

— Réfléchissez bien à ce que vous faites, insista Merceile avec la voix d'Atlan.

Son congénère ne se laissa pas déconcentrer.

Rhodan sentait la monstrueuse tension à laquelle était soumise la conscience du souverain. Elle se propagea au Terranien qui se crispa et s'effondra dans son siège.

Atlan, inquiet, s'approcha.

— Ça va ! haleta le responsable de l'Empire Solaire. Ce sera bientôt fini.

L'esprit d'Ovaron s'échappa de son corps. Le saut qui devait lui faire traverser des distances incommensurables avait enfin commencé. Au bout de quelques instants, Perry put se détendre.

— Il est parti ! dit-il.

Deux secondes plus tard se produisit la catastrophe.

Ce fut fort différent des métatransferts précédents. D'abord, tout alla incroyablement lentement. C'était comme si le corps de Rhodan se composait de glu poisseuse à laquelle la conscience d'Ovaron ne pouvait s'arracher.

En fait, ce phénomène était dû à une incompréhensible inertie. Le Ganjo était suffisamment expérimenté pour ne pas expliquer cela par un trop long séjour dans le cerveau de son hôte. Il aurait pu demeurer là une année entière et réussir quand même à se projeter ailleurs à tout moment. Le Cappin commit pourtant une erreur.

Il attribua cette difficulté à l'immense gouffre qu'il avait à franchir. Il n'avait encore jamais tenté de saut sur une telle distance, d'où cette faute de jugement.

L'esprit d'Ovaron plongea dans l'infini, sans toutefois rompre complètement le contact avec l'organisme de Rhodan. Il semblait y avoir un obstacle dont il ne parvenait pas à déterminer la nature.

Mais il était trop tard pour faire marche arrière. Une terreur comme il n'en avait jamais connu envahit le Ganjo.

Il flottait quelque part dans le néant entre deux corps, celui de Perry demeurant plus proche que la masse de protoplasme sur la nef amirale terranienne. Sa conscience se tendit telle la corde d'un arc. L'effort devenait peu à peu insupportable.

Le souverain était désemparé. Le métatransfert avait échappé à tout contrôle, influencé par des forces incompréhensibles.

Existait-il à l'intérieur de l'*Odikon* un piège similaire

à celui que les Métaguides avaient préparé à son intention ?

Impossible !

Son échec devait s'expliquer autrement. Ce fut alors qu'il perçut la barrière !

Elle se dressait entre lui et son objectif à bord du *Marco Polo*. Une paroi d'énergie pure. Immense, infranchissable.

L'esprit d'Ovaron dérivait… non, se précipitait vers cette chose.

Qu'est-ce que c'est ? pensa-t-il, confus. *Mais où suis-je donc ?*

Il sentit des forces monstrueuses déferler sur lui et le projeter dans un tourbillon à N dimensions.

Il réalisa avec effroi qu'il risquait de flotter ainsi dans le néant pour l'éternité.

Il s'approchait de plus en plus de la muraille, conscient déjà qu'il ne pourrait pas la traverser. Était-ce elle qui protégeait la microgalaxie Morshatzas ? Mais d'où venait-elle ? Même un peuple doté de capacités supérieures comme les Ganjasis ne pouvait ériger une telle chose.

Je ne vais pas y arriver, songea Ovaron, effondré. Où allait-il donc se retrouver ? Le danger de demeurer à jamais prisonnier de cet obstacle n'était pas à exclure.

Il tenta de réintégrer précipitamment le corps de Rhodan mais resta figé sur place.

Quand le Ganjo heurta la barrière, il encaissa un violent choc puis il fut rejeté en arrière. La panique s'empara de lui. Il perçut instinctivement que sa conscience se chargeait en énergies quinti- et hexadimensionnelles. Il ne pouvait s'en libérer.

Un sentiment trompeur lui donna l'impression que tout se déroulait très lentement. En réalité, deux secondes à peine s'étaient écoulées depuis qu'il avait quitté le navire.

Et maintenant, il regagnait son point de départ. En

temps normal, il aurait dû éprouver du soulagement, mais avec ce qu'il ramenait avec lui, ce retour était tout autre que souhaitable.

Ovaron savait qu'il s'était mué en une bombe.

Et cette bombe s'apprêtait à se rematérialiser à bord de l'*Odikon*.

*
* *

Recimoran releva la tête avec étonnement quand le léger vrombissement d'une turbine retentit, preuve que la climatisation venait de se mettre en marche. Restant assis, il se pencha vers ses instruments de mesure, à la recherche d'une explication.

La température moyenne à bord s'était accrue d'un degré.

Le commandant se retourna et pressa le bouton d'alarme. C'était le signe manifeste que quelque chose n'allait pas.

L'événement était de surcroît incompréhensible car l'*Odikon*, toujours en vol infraluminique, ne se trouvait pas à proximité d'un gros soleil et aucun des dispositifs de sécurité incorporés aux différentes machineries n'avait réagi.

Pour l'instant, rien ne permettait de justifier une telle augmentation.

— Ça monte très vite ! annonça Vandrocan.

Recimoran déglutit et brancha l'intercom général.

— La température à bord s'accroît rapidement ! jeta-t-il dans le microphone. Que chacun enfile son spatiandre ! Contrôle immédiat de tous les systèmes !

Tandis qu'il parlait, la climatisation s'était mise à tourner à plein régime. Le Ganjasi fut pris d'une soudaine suée.

Mais ce n'était pas uniquement dû à l'emballement thermique, son inquiétude y était aussi pour beaucoup.

Il pensait à l'avertissement de Fentorsh.

Son regard se porta machinalement sur l'Âme-du-Vaisseau, laquelle était assise immobile dans un angle du poste central, ses yeux fixant le vide.

— Il faut trouver d'où ça vient ! s'exclama Vandrocan dans le micro. Inspectez surtout les accumulateurs énergétiques et les senseurs !

Recimoran désigna les écrans de contrôle.

— Pourquoi les endroits défectueux ne s'affichent-ils pas ?

— La température monte régulièrement dans tout le navire, l'informa Cotushan, l'ingénieur en chef, un homme corpulent au visage sombre. J'ai les premiers relevés.

Le commandant essuya la sueur sur son front.

— Il reste à en déterminer la cause.

Son interlocuteur passa une main sur son menton mal rasé.

— Tout semble indiquer la cabine des deux Terraniens. Cela me paraît absurde car ils ne possèdent ni armes ni instruments susceptibles de produire un tel effet.

Recimoran jeta à nouveau un œil dans le coin où était assise l'Âme-du-Vaisseau.

Fentorsh n'avait-il pas prédit une catastrophe ?

Le maître de l'*Odikon* frissonna. L'inquiétude commençait à le gagner. Jusqu'à ce jour, de tels incidents n'avaient pu l'ébranler, mais pour un Ganjasi à l'esprit résolument rationnel, être dans l'incapacité d'identifier la source d'un danger était déroutant.

La température grimpait de plus en plus vite.

Ses mains se faisaient moites. Il baissa la fermeture magnétique de sa veste. Quelques Perdashistes revêtaient à présent leurs spatiandres. Les systèmes de climatisation n'arrivaient pas à compenser la chaleur soudaine. Même l'air qui sortait de la soufflerie lui paraissait brûlant.

— Le phénomène est identique quel que soit l'endroit du navire, dit Cotushan qui interrogeait sans discontinuer le cerveau central. C'est déjà un premier indice. Je crois qu'il s'agit d'une sorte d'explosion.

— Une explosion ? répéta Recimoran, perplexe.

— Une lente expansion d'énergies supradimensionnelles. Même si je ne sais pas comment elles ont pu s'introduire à bord. Ça ne me plaît pas. Ça va très vite devenir insupportable.

— Si ce sont bien les étrangers, nous n'avons pas le choix : nous devons les tuer !

Vandrocan s'était levé. Sa fine combinaison était trempée de sueur et collait à son corps. Ses muscles saillants se dessinaient au-dessous. Il dégaina son arme.

— Je vais de ce pas leur régler leur sort !

— Halte ! cria le commandant. Ils sont autant affectés que nous par ce phénomène.

Pour confirmer ses paroles, Recimoran alluma un écran. La cabine des deux Terraniens apparut aussitôt.

À moitié déshabillés, Rhodan et Atlan étaient étendus sur leurs sièges. Ils essayaient tant bien que mal de supporter la chaleur croissante.

— Nous ne les tuerons pas. Au contraire : nous allons leur fournir des spatiandres pour leur donner une chance de survie.

Le second du navire rangea brutalement son radiant dans son étui.

— Cette décision va signer notre arrêt de mort !

Seul Vandrocan pouvait se permettre de s'exprimer de cette façon. Le commandant sentit que leur amitié menaçait de se briser dans cette situation de crise. L'homme cherchait une solution rapide. Il était prêt à sacrifier les deux étrangers bien que rien n'indiquât que l'*Odikon* puisse être sauvé ainsi.

Recimoran ordonna à un des gardes d'amener les équipements nécessaires aux deux captifs.

— Il est temps que nous enfilions nos propres spatiandres, dit-il alors à son bras droit.

Le géant sourit, conciliant. Comme bien souvent, il s'inclina devant l'intellect supérieur de son chef. Le commandant poussa un léger soupir de soulagement. Devoir affronter Vandrocan en ce moment aurait encore compliqué les choses. Il rabattit son casque et laissa l'air frais se répandre à l'intérieur. Il savoura cette sensation un instant puis l'augmentation de température affecta également les systèmes de climatisation de sa tenue.

Cotushan, que son accoutrement mal ajusté transformait en un gigantesque insecte, se détourna brusquement de son pupitre.

— Les *kendrocks* de la salle des machines numéro quatre ont lâché ! jeta-t-il, alarmé. Ils sont trop sensibles. Je crains que ce ne soit qu'un début. S'il fait plus chaud, nous devons nous attendre à une panne généralisée.

Ils ne parvenaient toujours pas à déterminer l'origine de cette chaleur. L'ingénieur envoya un homme en spatiandre inspecter l'*Odikon* depuis l'extérieur.

On pouvait suivre nettement sa progression sur les écrans de visualisation. Ses mouvements paraissaient maladroits. Plusieurs aussières magnétiques le reliaient au navire. Recimoran tressaillit quand la voix de l'individu retentit dans ses écouteurs de casque.

— Tout est en ordre ici. Aucune trace d'augmentation de température.

— Je m'en doutais ! grogna Cotushan. L'explosion a eu lieu dans le bâtiment et a libéré des énergies supradimensionnelles. (Il rit soudain.) Mais c'est tout ce que nous savons pour le moment. Et ça s'aggrave !

L'astronaute réintégra le sein du vaisseau, l'ingénieur considérant qu'il ne servait à rien d'étudier chaque centimètre carré de la coque.

Recimoran s'intéressa à nouveau à l'écran montrant les étrangers. On leur avait entre-temps apporté des spatiandres et ils les avaient endossés.

Il brancha le circuit intercom général.

— Je quitte à présent le poste central, annonça-t-il. Vandrocan me remplacera durant mon absence.

Il remarqua le regard bouleversé de Cotushan. Celui-ci n'arrivait manifestement pas à comprendre que le principal responsable abandonne la passerelle en de telles circonstances.

L'officier s'extirpa de son fauteuil en s'aidant des deux bras. Chaque mouvement requérait un gros effort. Il tapa sur l'épaule de l'ingénieur pour le tranquilliser. Son lieutenant était déjà prêt.

— Les étrangers ? se contenta de demander ce dernier.

Recimoran hocha la tête.

Son adjoint se fendit d'un large sourire. On allait enfin entreprendre quelque chose contre ces individus !

Quand le commandant s'éloigna, il entendit Cotushan annoncer que d'autres appareils étaient tombés en panne.

Il gagna le pont de l'équipage en utilisant un puits anti-g de transport. Le navire lui donna une impression d'abandon.

Tous les membres du personnel étaient à leurs postes. Le silence n'était ici et là rompu que par la voix de Vandrocan qui transmettait ses ordres par radio.

Quand le Perdashiste arriva devant la cabine de ses passagers, il était à bout de souffle. L'envie irrésistible d'ôter son spatiandre le prit mais il se retint. Avec la température régnant à présent, c'eût été une véritable folie.

Il poussa la porte et trouva les deux hommes assis sur leurs sièges. Leurs visages luisants de sueur se distinguaient à travers les visières de leurs casques.

— Commandant ! s'exclama Rhodan, étonné.

Recimoran hocha gravement la tête.

— J'espère que j'obtiendrai ici une réponse à mes questions.

À sa grande surprise, il fut aussitôt compris.

— Je sais pourquoi vous êtes venu, dit Perry. Vous

avez parfaitement raison. Hélas, nous ne pourrons pas vous aider.

L'officier se laissa tomber sur un fauteuil disponible. Il avait l'impression que ses jambes étaient deux blocs de fonte. Un souffle brûlant semblait s'échapper de la climatisation. Les paupières du Perdashiste étaient presque collées par la transpiration.

— Que s'est-il passé ?

Avant que le Stellarque ait pu parler, un nouveau phénomène se produisit, une brutale décompression qui affecta tout le navire. L'équipage ne dut son salut qu'au port des spatiandres.

— Une implosion ! s'exclama Rhodan, parfaitement conscient que l'air refoulé ne pouvait disparaître du bord. Un choc en retour sous forme de surpression est inévitable !

Recimoran le regarda, stupéfié. D'où l'étranger tirait-il de telles connaissances ?

La température commença à chuter rapidement.

Il n'avait cependant aucune raison de s'en réjouir, car les paroles suivantes de son prisonnier lui laissèrent présager un désastre bien pire.

— Il va vite faire froid ! Très froid !

— Que signifie tout cela ? jeta le Perdashiste, nerveux.

Rhodan paraissait désemparé. Il n'était manifestement pas à même d'expliquer en seulement quelques mots la situation à son interlocuteur.

— Commandant, revenez immédiatement au poste central ! résonna à cet instant la voix de Vandrocan. Une catastrophe s'est produite.

— Les machines ne vont pas résister à la soudaine chute de température, lança Cotushan avec sa franchise habituelle. Je dois couper tous les appareils.

— Faites ce que vous jugerez bon !

Recimoran savait qu'il était bien forcé de se fier à l'ingénieur. Se décidant promptement, il fit signe à Rhodan et Atlan.

— Suivez-moi !

Ils enfilèrent le corridor au pas de course et se jetèrent dans le puits anti-g qui les emmena jusqu'au niveau de la passerelle. L'officier percevait d'étranges bruits par ses écouteurs de casque. Les matériaux soumis à rude épreuve commençaient à souffrir. Toutes les machines à bord s'étaient tues.

Un navire fantôme ! pensa-t-il.

À présent, l'*Odikon* courait le risque de dériver à tout jamais dans le vide cosmique.

Arrivé en bas, Recimoran se précipita en avant sans se soucier de ses deux compagnons. Rhodan et Atlan, à qui il ne restait d'autre choix que de porter assistance aux Perdashistes, lui emboîtèrent le pas. Ils firent leur entrée dans le poste central sous des regards hostiles.

Vandrocan bondit sur ses pieds, indigné.

— Vous les avez amenés ici ?

— Ils peuvent nous être utiles, expliqua le commandant. Ils disposent d'informations sur les causes de la catastrophe.

Les sourcils du second se froncèrent. Il avait rabattu son casque en arrière. Son haleine formait des nuages gris-blanc dans l'air qui se refroidissait de plus en plus rapidement.

— Ce sont eux les responsables de tout ! jeta-t-il avec rage.

Recimoran se tourna brusquement vers ses passagers.

— Que savez-vous ?

— Ça ne rime plus à rien de garder le silence, dit Rhodan. Vous devez être mis au courant. Le fait est qu'en dehors d'Atlan et de moi, le Ganjo et son amie Merceile se trouvent également sur ce navire.

Les Perdashistes abasourdis se dévisagèrent. Leur chef pensa en premier lieu que les étrangers avaient perdu la raison sous l'influence des brutales variations de température. Puis il se remémora les déclarations confuses de Fentorsh.

— Les deux Cappins ne sont pas physiquement à bord, poursuivit le Terranien, mais nous hébergeons leurs consciences. Leurs *tzlaafs* sont restés sur le *Marco Polo*.

— C'est de la folie furieuse ! les interrompit Vandrocan.

Du givre s'était formé sur ses sourcils, ce qui lui conférait l'apparence d'un spectre géant.

— Ils cherchent à détourner d'eux la responsabilité de cette catastrophe.

Recimoran vit les membres d'équipage présents se disposer en cercle autour des deux étrangers. C'était une menace ouverte. Il suffisait que les nerfs d'un Perdashiste lâchent pour que tous se ruent sur les Terraniens.

Résolu, le commandant s'interposa entre eux et ses hommes.

— Laissez-les en paix ! ordonna-t-il sèchement. Il est tout à fait possible qu'ils aient dit la vérité.

— Quelles raisons aurions-nous de vouloir nuire à ce navire ? interrogea Perry Rhodan. Vous nous avez permis de fuir Aryvanum. De surcroît, nous sommes dans le même bain. Les forces auxquelles nous sommes confrontés ont été amenées à bord par Ovaron. Il a tenté d'effectuer un métatransfert à destination de son propre corps sur le *Marco Polo*. Il est à cette occasion tombé sur une barrière énergétique qui l'a violemment rejeté. C'est un miracle que nous soyons encore en vie ; cette nef aurait tout à fait pu exploser sur-le-champ.

Recimoran leva un bras.

— J'aimerais d'abord que vous me prouviez ce que vous avancez. (Il tira son radiant et le braqua sur les deux hommes.) Si vous en êtes incapable, je devrai vous tuer.

Le Cappin lut de la compréhension dans les yeux de Rhodan et Atlan. Ils savaient parfaitement dans quelle situation il se trouvait.

Vandrocan se plaça à côté du commandant. Il était apparemment insensible au froid.

— Cette histoire de Ganjo est de toute façon de la fumisterie ! jeta-t-il.

Lui aussi dégaina son arme. Recimoran s'étonna de la placidité des deux étrangers. Ils avaient l'air sûrs de leur fait.

Le silence se fit dans la centrale. Les basses températures semblaient tout figer.

L'officier en charge de l'*Odikon* se demandait pourquoi le sort d'inconnus le tracassait autant. Finalement, qu'importait si Rhodan et Atlan mouraient… S'ils n'étaient pas abattus maintenant, ils étaient condamnés à geler avec le reste de l'équipage.

CHAPITRE XV

Debout à la fenêtre, Guvalash contemplait le Fanal, ce gigantesque écran énergétique qui s'était déployé au-dessus d'Aryvanum peu après l'arrivée d'Ovaron. On était au milieu de la nuit mais la clarté répandue était si vive qu'on aurait pu se croire en plein jour. Des milliers de pèlerins ganjasis déambulaient sur les Routes de la Connaissance qui convergeaient toutes sur le temple de Parrinsh.

L'Hexarque les observait avec froideur. Pour lui, ce n'était que des pions anonymes qu'on pouvait aisément conditionner par de rudimentaires techniques de manipulation psychologique. Il ne s'était encore jamais posé de questions sur leur sort individuel. Se prêter à ce genre de considérations était incompatible avec l'exercice du pouvoir.

Le vieillard se détourna brusquement de la fenêtre.

Les Métaguides avaient regagné leurs quartiers et se reposaient. Ils avaient vécu trop de bouleversements ces derniers jours.

Ils n'étaient maintenant plus que cinq, mais leur chef n'était pas certain d'en recruter de nouveaux. Deux d'entre eux avaient péri dans le métapiège, et trois autres avaient été abattus par Ovaron.

Ses acolytes avaient échoué dans leur mission, leur mort était amplement méritée !

Guvalash n'était pas seul. À côté de lui se trouvait le faux Ganjo, cet être artificiel produit par les Takérans.

— À quoi rêves-tu ? demanda l'Hexarque qui s'était jusqu'à présent efforcé en vain de comprendre les pensées les plus secrètes du monstre.

L'androïde secoua la tête et garda le silence.

Le Cappin écrasa du pied quelques capsules aromatiques et attendit que leur forte senteur emplisse la pièce. Le pseudo-Ovaron pinça les lèvres. Peut-être songeait-il qu'il aurait mieux fait de rester auprès de ses créateurs. Mais il avait perdu toute utilité pour eux depuis l'échec de leurs plans sur Molakesh, la planète des Raconteurs. Peut-être considéraient-ils même maintenant sa présence comme dangereuse. Aussi l'avaient-ils laissé à l'Hexarque.

Le vieillard tira un papier de sa robe et lut encore une fois le texte que les Métaguides avaient diffusé à destination de toute la microgalaxie Morshatzas, enjoignant à la population de pourchasser les étrangers.

Il ne se berçait pas d'illusions. Il était peu probable qu'on réussisse à retrouver Perry Rhodan et Atlan de cette façon.

Au stade actuel, cependant, il suffisait qu'ils se sachent constamment traqués. Cela restreindrait leur liberté de mouvement.

Guvalash s'éloigna de la fenêtre.

— Quelle bande d'idiots ! lança-t-il avec écœurement. Que crois-tu qu'il arriverait si tu te montrais maintenant dans la rue ? Ils se jetteraient sur toi et te mettraient en charpie avec volupté. Il ne viendrait à personne l'idée que tu ne puisses être qu'un simulacre.

Il saisit l'androïde par le bras et l'entraîna dans le corridor. Deux prêtres qui méditaient à l'extérieur enfouirent leur visage dans leurs mains à la vue du faux Ganjo.

Le vieil Hexarque ricana. C'était exactement la réaction à laquelle il fallait s'attendre de la part de ses collaborateurs fanatisés.

Une lueur vive jaillit soudain par une fenêtre du couloir. La face de la créature artificielle prit une teinte spectrale.

Guvalash proféra un juron, réalisant qu'il s'agissait d'un changement dans le Fanal émis depuis la pointe de l'obélisque.

Quelle pouvait donc en être la cause ?

Il poussa de côté l'androïde et regarda au-dehors. Le champ protecteur qui s'étendait au-dessus d'Aryvanum rayonnait comme jamais. L'intense clarté baignait chaque recoin de la surface. Subjugués et en extase, des milliers de pèlerins s'étaient jetés à terre. Dans le temple de Parrinsh, seuls les Métaguides étaient à même de comprendre la signification de ce phénomène.

Pour la première fois, le faux Ganjo sembla montrer de l'intérêt.

— Pourquoi l'écran brille-t-il si fort ?

— C'est Ovaron ! répliqua l'Hexarque avec un ricanement sénile. Le vrai, naturellement.

Il activa l'appareil qu'il portait au poignet et observa les divers cadrans. Au bout d'un moment, il hocha la tête et fit signe à son compagnon de le suivre.

— C'est exactement ce que j'avais prévu, déclara Guvalash pour le tranquilliser. À toi de jouer, maintenant !

— Que dois-je faire ?

Le Ganjasi s'apprêta à répondre mais il fut interrompu par l'arrivée des cinq Métaguides que la soudaine débauche de clarté avait réveillés. Les vieillards submergèrent leur chef de questions.

Celui-ci leva les bras pour les arrêter.

— Il n'y a aucune raison de s'inquiéter. Si le Fanal brille si intensément, c'est qu'Ovaron a dû effectuer un métatransfert. Et comme il n'a naturellement pas pu réintégrer son organisme, il a été rejeté.

« La réaction de l'écran protecteur confirme parfaitement notre théorie : l'esprit du Ganjo est intimement lié à l'Ovarash.

Guvalash perçut le soulagement de ses collaborateurs. Jusqu'à ce jour, ils n'avaient pas été certains que la barrière serait suffisamment puissante pour retenir un terzyom-saltor. Les doutes étaient maintenant levés.

— Il est coupé de son corps, poursuivit l'Hexarque. C'est le moment ou jamais de faire appel à son double. Nous allons proclamer partout que Rhodan et Atlan sont de dangereux criminels et les ennemis des Ganjasis, précisant qu'ils projettent l'anéantissement de notre peuple. (Il posa une main sur l'épaule de l'androïde.) Notre ami nous y aidera. C'est lui qui s'exprimera, et tous les habitants de cette microgalaxie pourront l'entendre.

Le vieillard savait que leurs chances de réussite étaient élevées.

Ils disposaient d'une bonne description des étrangers. De surcroît, lors de leur captivité, un enregistrement avait été fait de leurs impulsions individuelles, ce qui faciliterait énormément les recherches.

Guvalash conduisit les cinq Métaguides et le sosie artificiel jusqu'à la salle de transmissions du temple de Farrinsh. Tous les préparatifs nécessaires à une diffusion interstellaire furent rapidement exécutés.

Le Fanal flamboyait toujours au-dessus de l'ancienne planète Sikohat.

Trois cents millions de Ganjasis plongés dans un état euphorique étaient prêts à satisfaire les moindres désirs du faux Ganjo.

L'Hexarque fit effectuer un test d'appel. Puis il invita l'androïde à s'asseoir sur le siège face à la caméra.

— Tu sais ce que tu as à faire, dit-il. Tous les habitants de Morshatzas doivent se lancer sur les traces de Rhodan et Atlan.

« S'ils sont capturés, ils doivent être abattus sur-le-champ avant qu'ils aient le temps de fournir des explications. Seule l'élimination rapide d'Ovaron et de Merceile peut nous éviter des complications.

Quand l'émission débuta, les Métaguides et leur chef se tenaient comme par hasard dans le dos de la créature artificielle. Guvalash savait à quel point il était important de se mettre en scène au bon moment.

L'androïde commença à parler sur un ton grave, déplorant que la joie déclenchée par son retour soit ternie par les agissements de deux criminels sans scrupules.

— Ces hommes ont mérité mille fois la mort, conclut le pseudo-Ganjo. Ils veulent anéantir le peuple ganjasi. Il n'est pas exclu qu'ils soient en rapport avec les Takérans.

Pour finir, des photographies des deux étrangers furent montrées.

L'Hexarque était satisfait. Il tapota le double sur l'épaule.

— Parfait ! Maintenant, les Terraniens ne vont plus avoir une seconde de répit.

— Et que faisons-nous, de notre côté ? demanda un des Métaguides.

— Rien ! déclara Guvalash. Dès que nous saurons où se trouvent Rhodan et Atlan, et avec eux les consciences d'Ovaron et Merceile, nous quitterons Aryvanum pour les rejoindre. Tant que le faux Ganjo sera à notre disposition, nous aurons un avantage, car l'original ne pourra pas ramener son véritable corps dans Morshatzas.

Perry Rhodan appréciait qu'en cet instant critique, Ovaron se soit mis complètement en retrait. Il avait ainsi les mains libres et n'avait pas à craindre que ses capacités de réaction soient affectées par une intervention inopinée du souverain ganjasi.

Le Terranien fixait les radiants que braquaient sur lui les deux Perdashistes.

Il comprit que Vandrocan, en tout cas, n'hésiterait pas à s'en servir.

— Nous avons un moyen de prouver nos dires, énonça tranquillement le Stellarque. Le Ganjo va se projeter dans le corps du commandant.

Le second agita son arme.

— C'est une ignoble ruse ! cracha-t-il. Il ne faut pas les laisser faire !

Recimoran se raidit. Il voulait enfin acquérir une certitude.

— Je suis prêt, dit-il. Si quelque chose devait m'arriver, tu me remplaceras.

Rhodan ne put réprimer un sourire ; cette déclaration consistait en fait en un avertissement à leur égard.

Vandrocan seul maître à bord – c'était la mort assurée pour les deux passagers…

— *Transférez-vous en lui, Ovaron !* pensa le Stellarque. *Prouvez-lui que vous êtes bien celui que vous affirmez être.*

Il sentit le Cappin se concentrer puis perçut soudain un vide en lui.

C'était l'instant critique. Le commandant eut un sursaut, ce qui entraîna une réaction immédiate du second. Il brandit son arme.

L'expression sur le visage de Recimoran se modifia. Les membres d'équipage l'observaient avec anxiété.

— Il ne parle pas ! s'exclama Vandrocan. Quelque chose est arrivé.

Rhodan sentait que le géant était nerveux. Mais tant que son supérieur était sain et sauf, il n'oserait pas tirer sur les deux hommes.

Alors que l'impatience des Perdashistes grandissait, leur chef déclara finalement tout bas :

— C'est la vérité. Le Ganjo est en moi !

— Êtes-vous sûr que ce n'est pas une ruse ? se renseigna un des Cappins.

— Tout à fait ! Il ne nous tient pas rigueur de nous

être dressés contre les Métaguides. Ceux-ci sont également ses ennemis. Ils ont entre leurs mains un double fabriqué par les Takérans et veulent l'utiliser pour prendre le pouvoir.

Recimoran se détendit, et Perry perçut que l'esprit du souverain réintégrait son corps.

— *Il est convaincu*, émit-il, satisfait.

Le responsable de l'*Odikon* transmit à l'équipage toutes les informations qui venaient de lui être communiquées.

— Je peux maintenant vous dire pourquoi vous n'avez pas pu quitter Morshatzas, ajouta-t-il en se tournant vers le Stellarque. (Ses paroles s'adressaient toutefois à la conscience qu'hébergeait celui-ci.) Peu après la disparition d'Ovaron il y a deux cent mille ans, cette galaxie a subi une transformation. Les Ganjasis disposaient alors d'un plus vaste savoir scientifique qu'aujourd'hui.

— Une transformation ? répéta le Ganjo avec la voix de Rhodan.

Le Terranien sentit l'excitation de son locataire et lui laissa délibérément le contrôle de ses organes sensoriels.

— Je vais l'expliquer en détail.

Recimoran ferma un instant les yeux pour réfléchir. Lorsqu'il parla, son regard était dans le vague.

— Six mois après votre disparition, votre ami et confident Moshaken est revenu dans Gruelfin.

— Nous le connaissons, précisa Atlan. Nous avons assisté à son arrivée sur Titan quand nous sommes retournés dans le passé avec le déformateur-annulateur temporel. Et nous l'avons revu bien plus tard.

— Oui, confirma Ovaron. Il était en compagnie de mon autre moi, Ovaron II, et ils ont eu une longue discussion. Mais je vous en parlerai ultérieurement, n'embrouillons pas les choses. Veuillez poursuivre, commandant.

L'officier reprit :

— On peut sans hésitation qualifier Moshaken de prophète ; après tout, il a proclamé que vous réapparaîtriez dans Gruelfin au bout de deux cent mille ans d'absence.

Rhodan laissa échapper un léger sifflement.

— La légende du Ganjo ! Naturellement ! C'est lui qui en est à l'origine !

— *Et les prêtres l'ont détournée à leur usage*, pensa le souverain avant d'ajouter par la voix du Terranien : Vous en savez certainement plus sur les événements ayant suivi son retour, Recimoran.

Soulagé, Perry constata que les Perdashistes avaient rengainé leurs armes.

Dans l'excitation générale, tous semblaient avoir oublié qu'ils se trouvaient dans un navire figé par le froid, et que de nombreux appareils étaient tombés en panne.

— L'époque était rude, poursuivit le commandant. Après votre disparition, le clan de Nandor s'est emparé du pouvoir dans l'Empire Ganjasi.

Rhodan sentit son compagnon mental réagir violemment. Il s'agissait d'ennemis jurés d'Ovaron, et apprendre que c'étaient eux qui l'avaient détrôné devait l'ébranler sérieusement.

— Ils ont commis de graves erreurs, reprit Recimoran. Le résultat fut le déclenchement d'une guerre contre les Takérans. Certains responsables, plus raisonnables que leurs collègues, se remémorèrent alors les ordres qu'avait laissés le Ganjo et se replièrent avec la majorité de la population dans la microgalaxie Morshatzas. Là les attendait un gigantesque cerveau-robot mis au point par le souverain disparu.

« C'est cette machine qui les protégea finalement de l'anéantissement total. Bien que son maître ne fût plus là, elle continua à appliquer ses directives et fit le nécessaire pour que les Ganjasis se bâtissent une nouvelle patrie.

— Mais pourquoi les Takérans ne les ont-ils pas traqués ? voulut savoir Atlan. Comment se fait-il qu'ils ne les aient jamais retrouvés ?

Cette fois, le commandant de l'*Odikon* ne répondit pas immédiatement. Il répugnait manifestement à révéler le plus grand secret de son peuple.

— Vous pouvez parler devant mes amis, dit Ovaron par l'intermédiaire de Rhodan. Ils n'utiliseront jamais ces connaissances contre vous.

Recimoran semblait en être peu persuadé car il poursuivit avec hésitation.

— Cent ans après le départ du Ganjo, Morshatzas cessa soudain d'exister.

— Pardon ? s'écria le Stellarque, incrédule. Mais nous nous y trouvons en ce moment même ! Expliquez-vous mieux, si vous voulez que nous vous croyions !

— La microgalaxie n'a pas été détruite – elle a simplement disparu.

— *Dites-lui de ne pas s'exprimer par énigmes !* lança Perry à la conscience qu'il hébergeait.

Une intervention d'Ovaron se révéla toutefois inutile car Recimoran avait définitivement surmonté ses réticences.

— Le cerveau-robot baptisé « Mère Originelle », qui dirigea la retraite des Ganjasis, assura ensuite le pouvoir politique, militaire et économique. Il réussit même à sauver la totalité de notre flotte. Des milliards d'individus furent amenés sur des mondes aménagés dans ce but. Et puis… (Le commandant marqua une courte pause.) Morshatzas fut arrachée à son emplacement normal et enkystée dans l'hyperespace.

Cette annonce causa un véritable choc. Le Terranien sentit son locataire perdre tous ses moyens. Maintenant, ils savaient pourquoi le Cappin n'avait pas pu atteindre le *Marco Polo*. La barrière qu'il avait percutée était constituée d'hyperénergies supradimensionnelles.

Le maître de l'Empire Solaire frissonna. Si les vieux

Ganjasis étaient arrivés à transférer une petite galaxie du continuum einsteinien dans un autre, ils devaient avoir disposé d'un incommensurable savoir technologique. Même Perry Rhodan était impressionné, lui qui avait souvent vu de quoi étaient capables de nombreuses races étrangères.

— Pour justifier la disparition de Morshatzas, nos ancêtres ont eu recours à une ruse, conclut Recimoran. Ils ont provoqué une explosion géante, une « ultranova ».

« Nous n'en savons pas plus mais pour parvenir à ce résultat, des centaines de soleils ont dû être déplacés et excités au niveau subatomique jusqu'à la déflagration.

« Une fois que les nuages de gaz se furent dissipés, il ne restait plus aucune trace de la microgalaxie. Les Takérans et les autres peuples ont dû supposer qu'elle avait été détruite par une catastrophe naturelle.

— *Fantastique !* avoua Rhodan, ébranlé. *Cela signifie que les Ganjasis se sont complètement isolés.*

— *Pas complètement !* le corrigea la conscience d'Ovaron. *Vous oubliez que nous sommes parvenus par transmetteur dans cette galaxie. Il doit donc exister des sas ou des voies d'accès quelconques. Il est tout à fait logique que mes descendants et le cerveau-robot y aient pensé. Je vais demander à Recimoran s'il a des informations sur de tels passages.*

Sitôt la question posée à voix haute, le commandant de l'*Odikon* répondit :

— Les légendes parlent d'un *portail de transition* ou *transconvoluteur*, probablement une faille dans la structure spatio-temporelle. Seuls les Ganjators et les Métaguides savent où il se trouve mais pour l'utiliser, ils doivent d'abord en formuler la requête auprès de la Mère Originelle. Elle seule peut l'activer.

— Qui sont ces Ganjators ? voulut savoir le souverain.

— Les membres du gouvernement actuel. Vous en apprendrez davantage quand nous atteindrons le système de Syveron.

— *Si* nous l'atteignons, rappela Cotushan, l'ingénieur. Comme c'est parti, nous n'arriverons jamais nulle part !

Recimoran se redressa.

— Nous avons suffisamment parlé, fit-il en conclusion. Maintenant, il faut nous préoccuper du navire.

Rhodan n'ajouta rien, bien qu'il eût encore de nombreuses questions à poser.

Le Stellarque et l'Arkonide suivirent le commandant jusqu'au pupitre principal.

— A-t-on des indications sur les positions de la flotte ganjasie ? voulut savoir le Lord-Amiral.

L'officier secoua la tête.

— Je crains fort que les Métaguides ne s'en soient emparés avec l'aide du faux Ganjo, dit le Terranien. On ne va pas tarder à nous traquer.

— La captivité serait dans notre cas presque souhaitable, remarqua Cotushan. J'ai peu d'espoir de revoir ce navire voler un jour.

Rhodan fit signe à Atlan de ne plus déranger davantage leurs hôtes. Il adressa une demande similaire à Ovaron.

— *Compris*, admit ce dernier. *Laissons les Perdashistes en paix, ils ont suffisamment à faire avec leur bâtiment.*

Les premiers rapports indiquaient que des instruments sensibles avaient été irrémédiablement endommagés par les variations thermiques. L'ingénieur, qui centralisait toutes les annonces et les rentrait dans la positronique principale, afficha un soudain optimisme.

— Si la catastrophe ne se renouvelle pas, nous devrions arriver à prendre de la vitesse, dit-il. Nous ignorons naturellement si nous parviendrons à rejoindre le système de Syveron. Et pour ne rien arranger, tous nos appareils de détection et de localisation sont hors service !

Il releva la visière de son casque et respira prudemment l'atmosphère gelée. Un sourire se dessina sur ses lèvres.

— Ce n'est pas recommandé pour les âmes sensibles,

mais la température commence à se normaliser. Certains indices laissent à penser que l'énergie excédentaire s'échappe du navire.

Perry se doutait que le Cappin ne pensait pas vraiment ce qu'il disait ; il voulait seulement redonner du courage à l'équipage. S'il leur restait un espoir de réussite, les Perdashistes se dépenseraient à fond.

Le Terranien imita le geste de Cotushan. Un air glacial lui brûla les poumons. L'ingénieur lui adressa un sourire ironique.

Ce devait être un homme incroyablement coriace.

Recimoran tira Rhodan par le bras.

— Si nos instruments encore intacts ne se trompent pas, nous avons de la visite, annonça-t-il.

Perry se retourna et avisa l'écran illuminé.

Quelques échos lumineux scintillaient parmi les étoiles de Morshatzas.

— Des vaisseaux ! s'écria le Stellarque.

— Des unités de la flotte ganjasie ! précisa Vandrocan. Nos craintes se sont concrétisées. Le faux Ganjo a pris le commandement et ordonné la traque de l'*Odikon*. (Son visage s'assombrit.) Mais nous ne nous laisserons pas si facilement rattraper.

Dans d'autres circonstances, les meilleures dispositions du géant auraient soulagé Rhodan. Seulement, ils devaient maintenant redouter d'être agressés et anéantis par les propres escadres d'Ovaron.

CHAPITRE XVI

Guvalash attendit patiemment que les ondes vibratoires aient commencé à balayer son corps pour masser sa peau flasque. Il fixa d'un air un peu amusé les cinq Métaguides qui entouraient le siège.

— Vous éprouvez donc des doutes ? ironisa-t-il.

— Oui, dit Fruynsh, le porte-parole du petit groupe. Pour nous, il n'était guère prudent de permettre au faux Ganjo de mobiliser la flotte.

L'Hexarque se laissa aller complètement contre son dossier, ne répondant pas immédiatement. Il démontrait ainsi sa supériorité.

— Et qu'est-ce qui motive cet avis ?

— À présent que les bâtiments sont sur le pied de guerre, Ovaron pourra s'en emparer plus aisément, argumenta nerveusement son interlocuteur.

Guvalash sourit.

— Il est hébergé dans le corps du Terranien Rhodan. Or, lui et Atlan sont en fuite à bord d'un navire perdashiste. Avec l'appui de nos vaisseaux, nous le localiserons et nous le détruirons.

Fruynsh osa insister.

— Le danger de voir le cerveau-robot intervenir n'est pas négligeable.

Le vieillard balaya l'air du revers de la main.

— Pourquoi le ferait-il ? Personne ne sait où il se trouve. S'il est aussi gigantesque que l'affirme la légende, il aurait dû être découvert il y a longtemps. Encore faudrait-il qu'il existe...

Les autres le fixèrent, stupéfaits.

— Oui, fit Guvalash en profitant de la surprise de ses compagnons. Je suis vraiment persuadé que cette chose n'est qu'un leurre. Nous nous laissons abuser depuis des millénaires par un mystérieux groupe qui utilise peut-être une banale positronique comme celle dont nous disposons ici, dans le temple.

Il était parvenu à semer le trouble chez ses acolytes. Ses propos leur avaient fait oublier tous leurs doutes.

L'Hexarque se redressa et patienta jusqu'à ce que l'appuie-tête rembourré se soit mis en place. Une vapeur brûlante lui baigna le visage. Ses cheveux blancs commencèrent à luire.

— Ignorez Rhodan et Ovaron, conseilla-t-il. Ils sont déjà plus morts que vivants. D'autres tâches nous attendent. Nous allons mettre à profit la puissance qui sera bientôt la nôtre.

Et en disant cela, il pensait naturellement « la mienne ».

Un flux d'air chaud le sécha.

Quand il se leva, il sentit peser tout le poids son âge. Il n'en avait plus pour longtemps à vivre, mais ces ultimes années lui apporteraient tout le pouvoir dont il avait toujours rêvé.

Il fit un geste négligent.

— Amenez-moi maintenant l'androïde. Je dois lui parler. Peut-être vais-je l'envoyer dans le système de Syveron. Il est temps que nous déposions les Ganjators.

L'*Odikon* s'arracha péniblement à la trajectoire qu'il avait suivie jusque-là et mit le cap sur un soleil rouge situé à proximité. Ses chances d'atteindre cet astre avant l'arrivée des premiers appareils ennemis étaient faibles.

266

Tous les générateurs étant au repos ou tournant au mini-mum, il ne risquait néanmoins pas d'être repéré pour l'instant.

Face au nombre toujours croissant de nefs s'affichant sur les écrans de détection demeurés intacts, Cotushan fit une proposition pour le moins audacieuse.

— Nous devrions tenter le tout pour le tout, comman-dant. On pourrait à la limite parvenir à fuir sous la cou-verture antidétection du soleil rouge, mais ça ne ferait que retarder l'inévitable. Non, je pense qu'il vaut mieux filer droit sur le système de Syveron, quitte à passer en force.

Recimoran fixa pensivement son ingénieur.

— Quelles sont les probabilités de réussite, à votre avis ?

— Je suis incapable de vous fournir une réponse, pas plus que la positronique centrale, dit l'homme en haus-sant les épaules. Elle dispose de trop peu de données sur les dégâts subis par le bloc-propulsion principal.

— Et la navigation ? se renseigna Vandrocan. Ce que vous nous suggérez, ce n'est finalement rien d'autre qu'un vol en aveugle.

Un muscle tressaillit sur le large visage de Cotushan.

— C'est exact.

Le second se tourna vers le maître du navire.

— Je ne suis pas quelqu'un de timoré. Mais cette pro-position revient à un pur suicide. Vous connaissez parfai-tement l'état de nos systèmes de détection et de pilotage. Nous nous lançons dans une aventure incertaine.

Il était clair que la décision revenait à Recimoran.

Rhodan et Atlan se taisaient. Ils savaient que ce n'était pas le moment de s'immiscer dans la discussion.

— On n'a pas le choix, dit l'ingénieur. Notre com-mandant saura mener l'*Odikon* à bon port.

L'intéressé avait les yeux rivés au sol. Son congénère semblait croire qu'il pourrait manœuvrer le bâtiment en se contentant des coordonnées qu'on lui avait fournies et des instruments encore en état de marche.

— Je... je ne peux pas faire ça ! lança-t-il en secouant la tête.

Cotushan indiqua l'écran où le nombre d'échos de détection avait doublé dans les dernières minutes. Aucune parole n'était nécessaire. S'ils hésitaient plus longtemps, la nef risquait d'être anéantie.

— Peut-être faudrait-il nous rendre, proposa un jeune Perdashiste. Nous n'avons rien à craindre. La traque ne concerne après tout que les étrangers.

Vandrocan sourit avec compassion.

— Vous devriez mieux connaître les Métaguides. Si la possibilité de se débarrasser de témoins gênants se présente à eux, ils ne vont pas s'en priver.

Recimoran se pencha en avant sur son siège. La décision à prendre lui était difficile.

— Nous allons tenter le coup, trancha-t-il finalement. Que toutes les chaloupes de sauvetage soient parées à l'éjection. Gardez constamment vos spatiandres sur vous.

Cet ordre était superflu car en cas d'échec de la tentative, l'*Odikon* exploserait ou raterait son objectif.

Les Ganjasis commencèrent les préparatifs. Plus personne ne se préoccupait de Rhodan et d'Atlan.

— Je crains que le courage des Perdashistes ne soit pas bien récompensé, dit l'Arkonide à son ami. Ce serait un miracle si nous arrivions à rejoindre le système de Syveron avec un vaisseau en aussi mauvais état.

Le Stellarque ne répondit pas. Il savait que beaucoup dépendrait des capacités de Recimoran. Le commandant était assurément un navigateur capable mais il ne pouvait pas accomplir de prodige. Il possédait néanmoins en Cotushan une aide précieuse.

Les machines de rechange poussées au maximum commencèrent à bourdonner.

Des vibrations parcoururent le navire à bout de souffle. Les femmes et les hommes dans le poste central travaillaient en silence et avec acharnement. Ils guettaient avec attention le moindre bruit suspect.

Fentorsh s'approcha du pupitre principal. L'expression absente, sur son visage, s'était envolée. L'Âme-du-Vaisseau prenait à nouveau part aux événements.

— Sa prédiction ne s'est pas encore réalisée, remarqua Atlan mal à l'aise. Ce gars ne me plaît pas. Certes, il est inoffensif mais cette chose sur la tête lui procure un certain pouvoir. En fait, ce qui me dérange, c'est que manifestement aucun Perdashiste ne sait avec précision ce qu'est ce bandeau et comment il fonctionne.

Rhodan sourit.

— Est-ce que je sens une envie de ta part de le mettre pour découvrir ce qui se cache réellement derrière ?

— Rien ne t'échappe !

Les blocs-propulsion s'étaient mis à gronder. Cotushan proférait juron sur juron mais on ne pouvait déterminer s'ils étaient dus à l'état du vaisseau ou à la monstrueuse tension qui l'habitait.

L'*Odikon* prit de la vitesse. Ce n'était pas un mouvement régulier, plutôt une progression saccadée qui aurait été parfaitement insupportable sans les neutralisateurs de gravitation.

— Rien ne nous est épargné, déclara Atlan. Après la chaleur et le froid, maintenant *ça*.

Un craquement assourdissant retentit quelque part sur les ponts supérieurs. L'ingénieur leva brièvement les yeux, secoua la tête et se pencha à nouveau sur les commandes en pestant.

Les témoins lumineux sur les écrans scintillèrent et s'éteignirent les uns après les autres. Le navire continuait à accélérer. Il semblait ne jamais vouloir se décider à plonger dans l'espace linéaire.

— *Qu'en pensez-vous ?* émit mentalement Ovaron.

— J'ai l'impression de jouer ma vie sur un jet de dés, répondit Rhodan.

L'*Odikon* vibrait et gémissait – mais il tenait toujours.

Pour l'instant !

*
* *

Les navires ganjasis qu'on distinguait maintenant sur les écrans de l'*Odikon* n'appartenaient pas à l'escadre précédemment repérée. C'était la preuve, s'il en fallait, qu'on les recherchait partout dans ce secteur.

— Les Métaguides sont bien organisés, reconnut Recimoran à contrecœur. Ils ont mobilisé toute la flotte grâce au faux Ganjo.

— Je ne comprends pas pourquoi la Mère Originelle demeure passive, pensa Ovaron. *Florymonth pourrait au moins apparaître pour s'informer de notre situation.*

— Il me semble qu'il subsiste de nombreuses zones d'ombre entre vous et vos alliés, répondit Rhodan. *Ce mystérieux cerveau-robot joue peut-être son propre jeu.*

Le Ganjasi rejeta une telle éventualité. Il considérait que la machine était digne de confiance. Il attribuait sa neutralité à l'intervention de son sosie.

— Les derniers événements ont semé le trouble en elle, émit le Cappin. *Il est temps que nous atteignions le système de Syveron. Je veux parler avec les Ganjators. Ce sont les responsables actuels mais, contrairement aux Métaguides, je les crois honnêtes.*

— Nous ne savons rien d'eux, rétorqua Perry, extrêmement sceptique. *Peut-être sont-ils à la solde de Guvalash.*

— Je ne pense pas.

— Interrogeons Recimoran, proposa le Terranien.

— Ce n'est pas le moment.

Rhodan regarda le pupitre de pilotage. Ovaron avait raison. Les Perdashistes étaient pleinement occupés par la conduite du navire. L'*Odikon* se déplaçait maintenant dans la zone de libration. Tout semblait fonctionner correctement.

Le Stellarque savait toutefois que la navigation était plus qu'aléatoire.

Les coordonnées ne pouvaient pas être contrôlées par la positronique centrale défectueuse. Cotushan était le seul homme à bord à avoir des chances de réparer le cerveau mais on avait un besoin pressant de lui pour diriger la nef.

— Nous ne savons en fait pas où nous nous dirigeons, résuma succinctement Recimoran. Espérons seulement que nous sommes dans la bonne direction.

Le principal danger était de rater le système de Syveron ou d'entrer en collision avec un soleil. Il n'était pas assuré que le navire endommagé arriverait à effectuer les manœuvres d'évitement nécessaires.

Le commandant ne précisa pas s'il pouvait identifier les constellations qui surgissaient sur les écrans. Son visage crispé ne prêtait toutefois pas à un grand optimisme.

Vandrocan lança vivement :

— Je croirai sérieusement à nos chances de succès quand je me trouverai dans le quartier général des Perdashistes sur Erysgan !

— Nous réussirons ! intervint Fentorsh.

Recimoran était agréablement surpris que le petit homme se montre à nouveau positif. Il s'exprimait pour la première fois depuis la catastrophe.

— Le rideau sombre qui voilait l'avenir a disparu, poursuivit l'Âme-du-Vaisseau. Cela signifie que le désastre est derrière nous.

— Vous vous êtes déjà trompé, rappela le commandant.

— C'était dû à mon excitation. Je commence juste à savoir utiliser correctement le bandeau.

CHAPITRE XVII

Nombreux étaient les Perdashistes à considérer Remotlas comme un incompétent. Il n'en était pas moins depuis sept ans à la tête du quartier général sur Erysgan. Il le devait à son incroyable ardeur au travail et à ses succès incontestables dans le domaine de l'organisation. Il avait réussi à fondre en une unité des groupes d'opposants auparavant hétéroclites. Il s'était ainsi arrangé pour que ces factions mettent en commun leurs forces et agissent avec davantage d'efficacité.

Sous sa direction, les rebelles avaient même accumulé une certaine richesse. Ils avaient besoin de cet argent pour mettre leurs plans à exécution.

Ils étaient tolérés par les Ganjators malgré la pression constante des Métaguides et de leurs adeptes qui exigeaient leur éradication.

Mais en dépit de toutes ces vertus, Remotlas possédait un défaut rédhibitoire : c'était un fanatique. Ce qui le rendait souvent aveugle aux réalités. Nombreux aussi étaient ceux qui le rejetaient.

À ce jour, personne ne s'était toutefois présenté pour combler le vide qu'aurait assurément laissé son départ. Le seul candidat était le jeune commandant Recimoran ; or, celui-ci préférait pour l'instant sillonner Morshatzas à bord de l'*Odikon*. Le travail sédentaire lui paraissait par trop fastidieux. Il avait refusé toutes les propositions qui lui avaient été faites de se joindre à l'état-major.

Quand, ce matin, Remotlas quitta ses appartements – qui se situaient dans les niveaux supérieurs du complexe souterrain où étaient également stockés de précieux instruments et des armes –, il ne se doutait pas encore qu'une journée riche en événements l'attendait. Il n'avait dormi que quatre heures, ayant assisté la nuit précédente à une réunion avec des délégués de Ploga. De telles discussions étaient épuisantes mais il savait qu'elles étaient nécessaires. Pour arriver enfin à abattre le Culte du Ganjo, il fallait parvenir à fédérer tous ces groupes isolés.

Il entra dans son bureau, au-dessus de l'entrée duquel pendait un panneau décoré et orné de l'inscription « Faites plutôt confiance aux vivants ! ».

Le chef des Perdashistes aurait bien aimé que tous les Ganjasis fassent leur cette devise. Au lieu de cela, des millions de dévots attendaient le retour d'un individu qui n'était plus depuis longtemps qu'une légende.

Dans la pièce s'entassaient documents et appareils de toutes sortes. Quatre femmes et trois hommes étaient assis autour d'une petite table.

Il les salua brièvement et s'installa à côté d'eux. Il voulait élaborer aujourd'hui un plan pour Jerlamp. Les rebelles rencontraient de graves difficultés sur ce monde car ils étaient en rivalité directe avec les prêtres du Culte. Quatre de leurs frères risquaient quotidiennement leur vie. Il s'agissait de perfectionner leurs équipements pour améliorer leur réactivité et les rendre plus indépendants.

Avant même qu'il ait pu parler, un voyant s'alluma.

— Message spécial, lança un de ses collaborateurs.

Remotlas regarda involontairement le chronographe. Pour qu'un appel soit émis à un moment pareil, il fallait s'attendre à des soucis supplémentaires.

Le Cappin soupira.

Depuis que la rumeur d'un retour imminent du Ganjo s'était amplifiée, les Perdashistes vivaient des heures difficiles.

Sur l'écran apparut l'emblème de l'État : un dé avec un chiffre, qui symbolisait la méthode par laquelle les dirigeants étaient choisis tous les dix ans. La Mère Originelle présélectionnait parmi les habitants de la microgalaxie les cinquante mille Ganjasis les plus capables. Afin d'éviter tout favoritisme ou la formation de partis, cinquante mille bulletins étaient à chaque fois imprimés. Des robots tiraient au sort les vingt et un individus qui formeraient le gouvernement. Vingt d'entre eux se répartissaient les portefeuilles de ministres et le dernier devenait leur chef, le « Premier Ganjator ».

À la grande surprise des personnes réunies, ce fut justement celui-ci qui s'afficha sur l'écran.

Remotlas était un fin observateur. Il remarqua immédiatement que Mayshat était déprimé au plus haut degré. Sa silhouette paraissait plus voûtée que d'habitude. Le maquillage et l'éclairage ne parvenaient pas à effacer les séquelles d'une longue nuit de travail.

Depuis qu'il dirigeait le bureau central, le Perdashiste avait eu deux fois l'occasion de le rencontrer. Il était probablement encore plus mal loti que lui.

Il bénéficiait des bonnes grâces du vieillard à qui il était toutefois impossible de l'aider officiellement. Le Ganjasi se demandait avec une réelle inquiétude qui serait son successeur. On ne pouvait écarter l'hypothèse qu'un prêtre au service des Métaguides arrive un jour au pouvoir.

La bonhomie habituelle du Premier Ganjator brillait par son absence. Il déclara sèchement :

— Je vous informe que le gouvernement a démissionné en bloc pour laisser le champ libre à notre souverain légitime, Ovaron.

Un texte s'incrusta ensuite sur l'écran devenu noir, proclamant que le Ganjo s'exprimerait dans les prochaines heures.

Sous le choc, Remotlas fixait le moniteur sans bouger. Il ne pouvait pas croire ce qu'il venait d'entendre.

Un de ses collaborateurs soupira, ce qui le ramena à la réalité. Il repoussa sa chaise en arrière.

— Quelque chose ne colle pas ! s'écria-t-il. Quelqu'un essaie de trahir les Ganjasis. Je ne crois pas à ce retour si inopiné. Nous devons immédiatement convoquer une assemblée extraordinaire. Gnensh, avertissez toutes les sections. Il faut à tout prix empêcher que cette nouvelle sonne le glas de notre organisation.

Le Cappin interpellé manipula les commandes de ses mains tremblantes.

— Tout cela est si soudain ! jeta-t-il avec excitation. Je ne comprends pas.

Le responsable du quartier général pinça les lèvres.

— Essayez d'établir une liaison avec Mayshat. Et tenez la presse à l'écart. Pas un mot pour l'instant.

— Le Premier Ganjator n'avait pas l'air particulièrement ravi, commenta une des collaboratrices. Quelqu'un doit lui avoir forcé la main. Et ça ne peut certainement pas être le Ganjo, s'il est vraiment de retour. Il se serait plutôt assuré le soutien du gouvernement.

— C'est exact ! dit Remotlas. Il y a sûrement un impondérable. Je suis persuadé que les Métaguides se cachent là-derrière. L'Hexarque s'apprête manifestement à abattre ses cartes.

— On pourrait à nouveau envisager un attentat, intervint un Ganjasi.

— Nous ne sommes pas des assassins ! rétorqua le chef de l'organisation. Mais Guvalash ne nous laisse pas d'autre choix que de nous salir les mains.

Il retomba lourdement sur son siège. Il lui fallut quelques minutes pour remettre de l'ordre dans ses pensées et prendre les décisions qui s'imposaient.

Loin devant eux brillait un soleil bleu vif. Il se détachait de la noirceur du cosmos comme un diamant illuminé de mille feux.

— Un spectacle magnifique, fit Recimoran. Je commençais déjà à douter de le revoir un jour.

Vandrocan se tourna vers les deux étrangers et leur sourit.

— Voici Syveron, dit-il. La plus belle étoile de Morshatzas !

À la seule vue de la joie exprimée par le Perdashiste, Rhodan et Atlan avaient compris qu'ils étaient arrivés au but. Malgré toutes les difficultés rencontrées, les Cappins étaient parvenus à amener le navire endommagé à bon port, dépassant les espérances les plus folles des rares optimistes du bord.

— Nous nous mettrons en contact radio avec notre quartier général durant la prochaine heure, annonça le commandant.

Perry lui adressa un regard étonné.

— Vous commettez là une grande imprudence. Il vaut mieux ne pas attirer l'attention.

— Le gouvernement tolère les Perdashistes, assura le Ganjasi. Nous n'avons rien à craindre.

— La situation a changé. Pour la population, le faux Ganjo *est* Ovaron. Ils feront tout ce qu'il exige. Je recommande donc davantage de précautions.

— Votre méfiance est totalement injustifiée ! clama l'officier.

Pour lui, le sujet était clos.

— *Il est regrettable que vous n'ayez pas réussi à le persuader*, pensa Ovaron, déçu. *Vos inquiétudes sont à mon avis fondées.*

« *À présent que nous avons pu échapper à nos pour-suivants, Recimoran commet l'erreur d'annoncer notre arrivée en fanfare. Les communications qu'il veut établir vont bien entendu être espionnées. Les Métaguides et leurs séides réagiront sur-le-champ.*

— *Que devons-nous faire ?* émit Rhodan.

Le souverain réfléchit.

— *Il faudrait voir si les Perdashistes ne peuvent pas nous procurer une chaloupe et du matériel. Ils baignent en ce moment dans l'euphorie et accepteront peut-être.*

Perry afficha son scepticisme mais décida de suivre quand même le conseil. Il ne désirait pas subir les consé-quences de la légèreté de Recimoran.

Le commandant n'avait toutefois pas actuellement de temps à se consacrer à ses hôtes.

Il s'entretenait avec Vandrocan et Cotushan du texte qu'ils allaient émettre.

Durant cette discussion, les deux passagers apprirent des choses intéressantes sur le système de Syveron et sa sixième planète. Les trois Perdashistes abordèrent aussi le sujet du gouvernement, ce qui donna ample matière à réflexion à Rhodan/Ovaron et Atlan/Merceile.

L'hypercom fut finalement testé et déclaré opération-nel. Il avait été également endommagé, mais l'ingénieur était parvenu à le remettre en service.

Après trois vaines tentatives pour entrer en contact avec son quartier général, Recimoran marqua une pause. Des plis soucieux barraient son front.

— Je ne comprends pas. Remotlas ou un de ses repré-sentants aurait dû depuis longtemps se manifester.

— Essayons encore une fois, proposa Vandrocan.

Le Stellarque suivait les efforts de l'équipage avec un malaise certain.

Même s'ils ne réussissaient pas dans leur entreprise, il était toujours possible que leurs signaux soient repérés.

Tandis que le second demeurait devant l'hyperémetteur, le commandant se laissa retomber sur son siège.

Rhodan profita de l'occasion pour lui parler.

— Je voudrais vous présenter une requête. Il vaudrait mieux éviter qu'Atlan et moi soyons sur ce navire quand il se posera sur Erysgan.

Le regard perplexe que le Cappin retourna au Stellarque révélait son incompréhension.

— Mettez une chaloupe à notre disposition et fournissez-nous tous les équipements nécessaires ; vous n'aurez plus ensuite à vous soucier de nous. Cela vous relèvera de toute responsabilité et vous épargnera probablement de longues et fastidieuses explications.

Recimoran secoua la tête.

— Je ne saisis pas pourquoi vous ne voulez pas rester à bord.

— Et si…

Perry s'interrompit quand les haut-parleurs se mirent soudain à cracher et à siffler.

Le commandant se pencha en avant.

— Le signal est très mauvais, déclara Cotushan. Mais ça doit être au niveau de l'émetteur.

Une voix masculine rauque couvrit brusquement les bruits.

— C'est Remotlas ! s'écria l'ingénieur.

Rhodan tendit l'oreille. Les paroles étaient à peine compréhensibles.

— Nous devons… tout de… arrêter. Les Ganjators… déposés. Apparemment… Ganjo… pouvoir.

— Quoi ? cria Recimoran.

— Je m'y attendais presque, dit le Stellarque. Les Métaguides ont vite réagi. Le gouvernement légitime a été contraint de se retirer. À présent, c'est le faux Ovaron qui règne. Et il fera tout ce que Guvalash exige de lui.

Le commandant du navire était devenu blême.

— Il faut signaler à Remotlas que le véritable Ganjo se trouve à notre bord.

Il lâcha quelques paroles précipitées dans le micro. C'était une décision complètement irresponsable aux yeux du Terranien, mais il ne pouvait rien faire pour s'y opposer.

Pour toute réponse, le chef de l'organisation réitéra ses mises en garde contre les agissements des nouveaux maîtres d'Erysgan. Finalement, le responsable de l'*Odikon* coupa la communication.

— Et maintenant ? se renseigna Cotushan.

— On ne change rien au plan, fit Recimoran. Le coup d'État vient à peine d'avoir lieu. Les Métaguides n'ont pas déjà pu placer leurs pions partout. Nous ne rencontrerons aucune difficulté sur l'astroport. Commençons tout de suite les procédures d'atterrissage.

— Et notre chaloupe ? rappela Rhodan sans détour.

Ce n'était plus le moment de prendre des gants. Leur survie était en jeu.

— Très bien, acquiesça l'officier, à la surprise du Stellarque. Peut-être vaut-il mieux que nous nous présentions sur Erysgan de façon séparée. Je vous remettrai tout ce dont vous avez besoin.

Perry le remercia. Le commandant balaya l'air du revers de la main.

— Cette mesure de sécurité va aussi dans notre sens, Terranien. Il est toujours possible que notre navire soit fouillé à son arrivée.

Les passagers furent emmenés par deux jeunes astronautes dans un hangar où on leur remit deux spatiandres, des armes et divers matériels.

— *Je n'aurais jamais pensé que ça pourrait marcher*, émit Ovaron. *Je suis vraiment soulagé.*

Recimoran ne tarda pas à se présenter en personne.

— J'aimerais que nous nous retrouvions sur Erysgan, dit-il en remettant une enveloppe à Rhodan. Ces documents vous permettront de localiser notre quartier général. Vous trouverez également à l'intérieur deux plaques d'identité en usage sur la planète.

— Merci !

Perry glissa l'objet dans sa poche pectorale.

— Au cas où vous seriez capturés, détruisez tout, ajouta le Cappin. Voilà. J'espère que nous nous reverrons bientôt.

— Soyez prudent, recommanda le Stellarque. Vous ne savez pas comment les nouvelles autorités réagiront à l'arrivée de l'*Odikon*. Faites demi-tour avant qu'il ne soit trop tard.

Le commandant hocha la tête et quitta le hangar.

Un des jeunes Perdashistes demanda à Rhodan :

— Saurez-vous piloter la chaloupe ?

— Naturellement, assura le Terranien. La conscience que j'héberge s'y connaît en technologie ganjasie. Mes mains et mes sens seront à sa disposition.

— Très bien. (L'homme indiqua l'engin.) Hâtez-vous. Nous commençons bientôt la manœuvre d'atterrissage.

Les deux amis pénétrèrent dans l'astronef de forme ovoïde. L'éclairage s'alluma automatiquement. Perry jeta un œil à la ronde. Le poste de contrôle offrait quatre places. Une paroi blindée le séparait de la salle des machines.

Il entendit le panneau se refermer doucement dans leur dos. Quelques minutes plus tard, ils étaient dans le vide.

*
* *

Ovaron donna de plus amples informations à Rhodan sur Erysgan. C'était la sixième des quinze planètes du soleil Syveron. Elle mesurait quatorze mille kilomètres de diamètre, avec une gravité légèrement inférieure à celle de la Terre. La température moyenne s'élevait à trente degrés Celsius. La capitale, Cappinosha, se situait sur le continent Mirgo, le deuxième par la taille sur les sept existants.

— *Je ne peux rien vous dire de plus*, regretta le Cappin. *Les renseignements dont je dispose datent finalement de deux cent mille ans. La plupart ne sont plus valables.*

— *Vous avez raison*, acquiesça Rhodan. *Ils ne feraient que nous embrouiller.*

Tout comme son vaisseau-mère, la chaloupe avait souffert de la catastrophe. Les systèmes de détection fonctionnaient de façon aléatoire et son unique bloc-propulsion répondait mal aux commandes.

L'*Odikon* n'était plus qu'un minuscule point lumineux sur l'écran d'observation extérieure.

— Le navire de Recimoran s'apprête à atterrir, commenta Atlan. S'il accapare entièrement l'attention des autorités de l'astroport, c'est le moment idéal pour nous poser.

L'écho disparut. Le croiseur était passé au-dessus de la face nocturne de la planète.

— On va le revoir encore une fois, dit le Lord-Amiral. L'angle d'incidence est peu prononcé.

— Il est temps pour nous de rallier Erysgan, décida Rhodan.

La protection antidétection de la chaloupe qui, heureusement, fonctionnait toujours fut mise en service. Comme elle n'était efficace qu'à longue distance, Perry dut néanmoins se montrer particulièrement vigilant en raison de l'intense trafic spatial. Il ne faisait aucun doute qu'ils seraient repérés durant la phase d'approche ; à peine à terre, ils devraient abandonner d'urgence leur appareil.

— *Avec un peu de chance, personne ne se préoccupera de nous*, fit Ovaron, confiant. *Tout dépendra de l'agitation que provoquera l'arrivée de l'*Odikon.

Ils suivaient la progression du navire des Perdashistes

qui plongeait à présent dans les couches supérieures de l'atmosphère.

— Il semble ne plus y avoir d'échanges radios, constata l'Arkonide. C'est pour le moins surprenant, le contrôle au sol aurait dû tout de même se manifester.

C'est alors que le drame se produisit. Un éclair vif fulgura à l'emplacement qu'occupait le vaisseau. Il disparut rapidement, cédant la place à un nuage gris-blanc.

Le Stellarque reprit en premier ses esprits.

— C'est… c'était l'*Odikon* ! s'écria-t-il, incrédule.

— Il a explosé ! commenta laconiquement Atlan.

— Et ce n'est pas un accident, ajouta Perry. Il a été abattu depuis la surface. C'est un acte hostile.

Une onde de panique émanant de la conscience du Ganjo atteignit le Terranien.

— *Nous devons filer d'ici, vite !*

— *Non !* le contra Rhodan. *Si nous prenons la fuite, nous serons inévitablement repérés. La seule solution consiste à nous poser en urgence et à abandonner la chaloupe dans les plus brefs délais.*

— *C'est ignoble !* cracha mentalement Ovaron. *Ce sont vraiment des criminels.*

Il ne faisait aucun doute pour les deux hommes et les esprits qu'ils hébergeaient que les Métaguides étaient responsables de la destruction de l'*Odikon*. Guvalash et ses complices avaient réagi de façon foudroyante. Ils désiraient probablement éviter que le souverain réussisse à fuir du corps de Rhodan par métatransfert.

— *Recimoran s'est montré trop léger*, pensa le Ganjasi. *Nous l'avions pourtant mis en garde mais il n'en a pas tenu compte.*

Le petit navire s'était à présent enfoncé dans l'atmosphère, entouré de nuages argentés tourbillonnants. Une masse grise grossissait rapidement sur leurs écrans : un océan. Ils demeurèrent un certain temps dans la zone du terminateur avant d'aborder la face nocturne, noyée dans l'obscurité.

Loin au-dessous scintillaient les lumières d'une vaste métropole.

— Ce doit être la capitale, Cappinosha, dit Rhodan.

Toute la membrure du vaisseau vibrait. Le bloc-propulsion ne travaillait plus que par à-coups. Ovaron transmit en hâte à son hôte les manœuvres à effectuer. Il les exécuta sur-le-champ.

S'ils voulaient arriver en vie à la surface, il devait faire aveuglément confiance au Cappin.

— *Ça n'a pas l'air bon*, déclara ce dernier qui étudiait les contrôles avec les yeux du Stellarque. *On va casser du bois, comme vous dites !*

— Accroche-toi ! jeta le Terranien à l'Arkonide.

Un harnais se déploya autour du corps des deux hommes pour les maintenir fixement à leur siège.

Le navire gémissait tel un être vivant soumis à la torture. Il commença soudain à plonger vers le sol. Perry enfonça la manette de poussée jusqu'à la butée sans attendre les conseils de son locataire. Il n'y eut aucune réaction.

— *C'est bien ce que je craignais*, émit le Ganjo.

Les pensées de Rhodan s'agitaient fébrilement. Ce n'était pas la première fois qu'il se trouvait dans une telle situation. Seulement là, il pilotait un petit appareil dont la technologie lui était largement inconnue. Certes, il pouvait se fier aux indications d'Ovaron mais le délai entre la perception du danger et l'action entreprise était accru, ce qui risquait de leur être fatal.

Perry ne mettait normalement jamais plus d'une seconde à réagir, et c'était déjà trop pour ce type de manœuvres.

— *Je ne peux rien y changer*, regretta le Cappin.

— *Je sais !* émit le Stellarque en retour.

— Le vaisseau tombe comme une pierre ! s'écria

Atlan avec excitation. Il est temps de faire quelque chose !

— *Peut-on évacuer avant le crash ?* demanda Rhodan à la conscience du Ganjo.

— *Hélas non. Cet engin sert essentiellement à des vols de reconnaissance ; il ne dispose pas de système d'éjection.*

Le Terranien fixait les écrans comme hypnotisé. Il voyait défiler à toute vitesse les nuages grisâtres. Loin en dessous d'eux s'étendait Cappinosha, dont les lumières paraissaient s'étaler d'un horizon à l'autre. Perry distingua les pistes d'atterrissage d'un gigantesque astroport : une immense surface blanche illuminée, de forme rectangulaire.

Le bloc-propulsion commença à hoqueter. La chaloupe de l'*Odikon* était agitée de soubresauts, elle ne parvenait pas à conserver une accélération constante.

Les dispositifs de secours avaient totalement lâché. Les générateurs antigrav étaient coupés de leur alimentation en énergie. Rhodan s'insulta mentalement pour ne pas avoir préalablement vérifié le matériel qui leur avait été confié. Ils auraient certainement eu le temps d'effectuer quelques réparations indispensables. Maintenant, il était trop tard.

Les lueurs de la capitale s'évanouirent.

— *Nous survolons la chaîne de montagnes qui encercle presque complètement Cappinosha*, expliqua Ovaron. *Elles s'élèvent par endroits à plus de huit mille mètres. Si nous nous engageons là-dedans, nous sommes à coup sûr fichus.*

— *Qu'y a-t-il de l'autre côté ?* voulut savoir Rhodan.

— *Une vaste savane qui descend progressivement jusqu'à la mer*, répondit le Ganjo. *L'océan est pour nous tout aussi dangereux que les hauts sommets. Nous devons nous poser dans la plaine si nous voulons échapper à d'éventuelles troupes de recherche.*

— *Ce sont des vœux pieux*, rétorqua Perry, sarcastique. *Je suis déjà content d'avoir amené la chaloupe ici sans la briser.*

Quelques taches de lumière apparurent en dessous d'eux.

— *Des campements provisoires ou des villages*, avança Ovaron.

Les instruments de vol, contrôlés par la positronique de bord, affichaient des valeurs alarmantes.

— On va raser la montagne, détermina Atlan. Pourvu qu'on passe au-dessus !

Le vaisseau réagissait à peine aux impulsions de commande. Rhodan voyait déjà le choc fatal se produire quand le bloc-propulsion fonctionna comme par miracle une minute entière à plein régime, lui permettant de remonter d'une centaine de mètres. Perry serrait les dents, concentré sur son pilotage.

— Arrêtez ! intima le Ganjo. Vous n'arriverez à rien comme ça !

La chaloupe piqua du nez vers la plaine, et le Stellarque parvint à la redresser de justesse alors qu'elle était pratiquement au niveau du sol. L'altimètre indiquait encore cent vingt-huit mètres. Ce qui en disait long sur la fiabilité des appareils de mesure.

L'engin se cabra et poursuivit en cahotant sur plusieurs dizaines de mètres. Les passagers auraient été jetés à bas de leur siège si leurs harnais ne les avaient pas retenus fermement. Le petit navire bascula sur lui-même et s'écrasa à terre. La verrière de plastronite explosa et une pluie d'éclats tranchants s'abattit sur les deux hommes. Un éclair jaillit des circuits d'alimentation énergétique de la salle des machines. Sans leurs spatiandres, le Terranien et l'Arkonide auraient été carbonisés.

Des flammes s'élevèrent un peu partout.

— Nous devons filer d'ici ! cria Atlan.

Il arracha les sangles qui le maintenaient fixé à son

siège et, titubant au milieu des débris et des instruments épars, se dirigea vers la brèche béante.

Rhodan eut plus de mal à se libérer. Les sécurités de son harnais s'étaient bloquées. Il dut mobiliser toute sa force pour se dégager. Quand il y réussit, il fut frappé par une deuxième décharge. Le revêtement extérieur de sa tenue commença à se craqueler. La fumée et les flammes bouchaient la vue au Stellarque, mais il marcha instinctivement en direction de la verrière brisée.

La pensée que la chaloupe pouvait exploser à tout moment lui donna des ailes.

Il atteignit l'ouverture et se hissa au travers. Il se laissa ensuite glisser sur la coque lisse. Ses pieds entrèrent en contact avec un sol meuble. Manifestement, ils avaient atterri dans une prairie. Avec l'obscurité ambiante, on ne distinguait pas grand-chose de l'environnement.

Atlan se tenait à quelques mètres en retrait de l'épave en flammes. Son spatiandre reflétait la lueur du brasier, lui conférant une apparence fantasmagorique.

— Déguerpissons ! s'exclama Rhodan. Les premiers engins ennemis ne vont pas tarder à rappliquer ! En plus, tout risque d'exploser. *De quel côté se trouvent les montagnes ?* demanda-t-il à la conscience du Cappin.

— *Je vais vous diriger*, se proposa le Ganjo.

Ils commencèrent à s'éloigner. Mais à peine avaient-ils couvert cent mètres que des points lumineux scintillèrent à l'horizon.

— Des aéroglisseurs ! annonça Atlan, alarmé. Toute une escadrille. Ils ont allumé leurs projecteurs.

Les deux hommes pressèrent le pas.

CHAPITRE XVIII

Debout à l'entrée du tunnel à moitié effondré, Remotlas pressait ses collaborateurs en vociférant. Le quartier général de l'organisation subissait une attaque de l'extérieur et le plan de crise numéro un avait été immédiatement mis en application.

Le chef des rebelles s'y était attendu dès l'annonce du Premier Ganjator et avait pris les mesures nécessaires. Il avait ordonné une heure plus tôt l'évacuation des locaux. Tout le monde était au courant pour la fin de l'*Odikon*, et tous savaient quel sort effroyable serait le leur s'ils ne se dépêchaient pas.

Sur ses consignes, de nombreux sites de secours avaient été préalablement aménagés. Les Perdashistes étaient en train de se replier sur l'un d'eux.

Une violente secousse ébranla la station enfouie profondément sous terre.

Des explosions retentissaient loin au-dessus. Les assaillants tentaient de traverser les plafonds blindés de la centrale, ce qui provoquait la détonation immédiate des bombes disposées là en prévision d'une telle intrusion. Tous les accès s'effondraient.

Des femmes et des hommes, lourdement chargés, se hâtaient le long du tunnel. À nouveau, Remotlas regretta l'absence de transmetteurs. Ce n'était pas faute de l'avoir fréquemment proposé ces dernières années, mais il s'était vu systématiquement répondre que c'était trop coûteux. Il n'avait jamais réussi à faire accepter ce choix.

Soncrelsh, un individu tout en longueur, demeurait à son niveau. Il transportait un terminal de décryptage positronique sur le dos, fixé par des sangles. Il avait dû se trouver proche d'une galerie qui s'était effondrée, à en juger la poussière blanche qui couvrait ses vêtements.

— Ils vont nous traquer dès qu'ils auront pris complètement le contrôle de la planète, prédit-il avec son habituelle diction traînante. La destruction de l'*Odikon* n'était que le début.

Le responsable des Perdashistes opina du chef. Il se sentait épuisé. Cacher son abattement aux autres lui coûtait beaucoup d'efforts.

— Nous devons nous presser, conseilla-t-il.

L'agent de liaison avec Ronash leva la tête, tout ouïe. Les explosions retentissaient à présent en succession rapide et faisaient vibrer toute la structure du quartier général. Une armoire posée contre un mur du couloir s'effondra dans un vacarme d'enfer. Un feu se déclara, détruisant à jamais des milliers de cristaux enregistreurs irremplaçables.

Remotlas contemplait ce spectacle de désolation, le visage pétrifié. La lueur du brasier se reflétait sur ses traits durcis.

Instinctivement, Soncrelsh se recroquevilla. Il glissa les pouces sous ses bretelles pour soulager le poids de la charge sur ses épaules.

— Je vais mieux, maintenant. N'attendez pas trop longtemps, chef.

Il s'élança en avant et disparut au milieu des nuages de poussière et des flammes.

Une équipe de sécurité tenta de maîtriser l'incendie qui commençait à s'étendre. Des efforts bien inutiles. L'essentiel était de dégager cette voie de retraite le temps que tout le monde ait pu fuir de là.

Freyen s'approcha en claudiquant.

— Que va-t-il advenir de nous ? sanglota-t-il.

Son responsable indiqua le tunnel.

— Filez ! ordonna-t-il sèchement.

Le boiteux se pencha pour ramasser une chemise. Il la pressa contre sa poitrine après avoir sauvé les papiers qui se consumaient déjà.

Six robots, les seuls dont disposaient les Perdashistes, transportaient les lourdes banques de données. Il fallait impérativement les protéger ; elles constitueraient le cœur du nouveau quartier général.

Quelques retardataires s'engouffrèrent dans la galerie.

Puis Remotlas se retrouva seul. Le sol trembla suite à une violente déflagration. Le Cappin s'engagea dans le tunnel mais ce fut pour constater que la voûte s'était effondrée devant lui. Tels des doigts levés en signe de menace, des poutrelles métalliques se dressaient à la verticale, lui barrant le chemin. Il bifurqua par un couloir latéral pour gagner l'une des plus grandes salles du complexe souterrain.

De la poussière et des gravats recouvraient les armoires vidées et les tables. Au plafond, les lampes brillaient encore mais elles vacillaient après chaque explosion.

Le Ganjasi cracha par terre et regarda tout autour de lui.

Ses collaborateurs avaient emporté tout ce qui pouvait être sauvé.

Il songea un bref instant à Recimoran. Son ami était maintenant mort. Peut-être lui aussi tomberait-il bientôt victime des Métaguides.

Il se rendit dans le local voisin où se trouvait un émetteur. Il le mit sous tension et poussa un soupir de soulagement quand les témoins lumineux s'allumèrent. Il attira alors à lui une chaise renversée et s'assit dessus.

— Ici Remotlas, chef des Perdashistes ! jeta-t-il dans le microphone. L'attaque criminelle contre l'*Odikon* et l'assaut donné à notre quartier général ne sonneront pas le glas de notre organisation ! Nous sommes toujours suffisamment forts pour reprendre la lutte. Seulement, à l'avenir, nos arguments ne seront plus des mots mais des armes ! Nous opposerons la violence à la violence. Nous anéantirons les Métaguides !

Cet appel était certainement entendu dans tout Cappinosha, au grand mécontentement de Guvalash et ses séides, impuissants à l'interdire.

L'homme repoussa son siège. Il était temps d'activer le dispositif d'autodestruction et de battre en retraite. Il regagna la salle principale et ouvrit une trappe, dévoilant un étroit logement. Il en retira un petit mécanisme qu'il régla rapidement.

Il lui restait dix minutes pour disparaître dans le tunnel et prendre suffisamment de distance avec la centrale. Il referma la cache et répandit des gravats par-dessus. Il était toujours possible que des policiers ennemis surgissent ici dans les prochaines minutes. Il ne fallait pas qu'ils trouvent la bombe avant qu'elle ne détone.

Remotlas se précipita dans le corridor auxiliaire et réalisa alors avec effroi que la galerie était obstruée. Il continua néanmoins à avancer afin de mieux estimer l'ampleur de la catastrophe.

Peut-être y avait-il un moyen de se frayer un passage ? Il dégaina son radiant et tira. L'empilement de débris porté à incandescence s'affaissa sur lui-même, libérant une ouverture suffisante pour qu'il puisse se faufiler au travers. Vu qu'il ne portait pas de spatiandre, il dut toutefois attendre que le matériau igné ait refroidi. Une précieuse minute s'écoula. Les nerfs du Ganjasi étaient tendus. Il était parfaitement conscient que la Mort pouvait le rattraper à tout instant.

Il se jeta dans la brèche et accéda enfin à l'autre tronçon du couloir.

Il déboucha en plein cœur d'un incendie.

Remotlas bloqua sa respiration mais l'air extrêmement chaud lui brûlait déjà les poumons.

Toussant et crachant, il se précipita en avant. Il n'avait pas le choix : il devait se ruer dans le brasier ardent. Le rebelle plaqua ses mains contre son visage pour le protéger.

La chaleur devenait insupportable. Il ne voyait pratiquement plus rien et essayait d'arracher les lambeaux de vêtements enflammés qui collaient à sa peau. Tout son corps était en feu. Des morceaux du plafond lui tombèrent sur la tête et il sentit ses cheveux se consumer.

Il arriva enfin au tunnel principal, à moitié asphyxié. L'incendie n'avait pas atteint ce secteur. Toutefois, d'épais nuages de fumée voilaient l'entrée obscure.

Remotlas voulut regarder l'heure mais sa vision demeurait floue. Il devait peut-être lui rester deux ou trois minutes.

Il poursuivit en chancelant. Les lumières étaient éteintes. Ses doigts tâtonnèrent le long des parois. Par moments, il trébuchait sur des objets gisant à terre, que des fugitifs avaient abandonnés derrière eux. Un grondement retentit à ses oreilles, semblable au tonnerre : des explosions, encore et toujours…

Le Perdashiste s'accorda une pause et s'appuya contre un mur pendant plusieurs secondes. Le contact avec la pierre froide lui procura une sensation de bien-être.

Il reprit sa fuite et déboucha enfin à l'extrémité du tunnel.

L'endroit était désert. Quelqu'un avait laissé allumé un projecteur portable dont le cône lumineux pointait sur les murs nus d'un puits anti-g.

Des sacs vides servant à transporter du matériel reposaient à côté.

Remotlas s'empara de la lampe et éclaira le trou béant. Il n'y avait personne.

Il estima qu'il bénéficiait encore d'une minute et demie.

Il sauta et s'enfonça lentement dans les profondeurs.

Une explosion retentit alors. Quand l'onde de choc atteignit le Cappin, elle avait perdu suffisamment d'intensité pour ne plus présenter de danger. Il fut toutefois projeté contre le mur. Les générateurs antigrav lâchèrent. Le Perdashiste dégringola de plusieurs mètres dans le vide et s'écrasa violemment sur le sol dur. Il demeura étendu là, sans bouger. Instinctivement, il attendait que se produise quelque chose de pire. Mais le plafond ne s'écroula pas sur lui et les parois du puits restèrent en place.

La lampe s'était éteinte durant la chute. Remotlas la ralluma précipitamment. La lumière éclaira une petite plate-forme dégravitée, à l'entrée d'une étroite galerie. Il poussa un soupir de soulagement. Ses amis ne l'avaient pas oublié.

Il rampa jusqu'à l'appareil et se laissa le temps de la réflexion. Il ne pouvait se permettre de s'aventurer plus profond dans le système de tunnels. Les risques étaient trop grands de tomber sur l'ennemi. Ses hommes arriveraient peut-être à le récupérer. Les Métaguides n'allaient pas découvrir si rapidement cette issue de secours. Leur première idée serait que tous les rebelles présents dans le quartier général avaient succombé à l'assaut.

Remotlas fit démarrer l'engin qui glissa sans un bruit dans le corridor.

Il savait que le sort du peuple ganjasi dépendait de cet affrontement implacable. Les adversaires des Perdashistes avaient tous les avantages de leur côté. Néanmoins, il était décidé à poursuivre le combat et à venger la mort de Recimoran.

*
* *

Rhodan et Atlan étaient allongés à l'abri sur une pente caillouteuse et observaient la plaine. Le jour n'allait plus tarder à se lever ; c'était le moment où la nuit jetait toutes ses forces dans la bataille pour se maintenir en place et résister en étendant ses ombres ténébreuses.

Leurs spatiandres ne fonctionnaient plus très bien. Ils avaient été endommagés lors de la catastrophe qu'avait subie l'*Odikon*, et les deux hommes n'avaient pas pu enfiler les nouveaux qui leur avaient été confiés. Ils étaient restés dans l'épave, définitivement hors de portée.

Un des glisseurs lancés à leur recherche décrivit un cercle autour du lieu du crash. Quelques minutes s'écoulèrent, puis le pilote ouvrit le feu. Des faisceaux d'énergie concentrés jaillirent des canons de l'engin. La chaloupe explosa dans une gerbe de flammes.

— Ils ne prennent aucun risque, dit Atlan d'une voix sombre. Ils ne se sont même pas donné la peine de la fouiller.

Rhodan se redressa derrière les rochers.

— Nous devons poursuivre, décida-t-il. Les prêtres vont à présent ratisser ce secteur. S'ils nous découvrent, ils nous abattront sans sommations.

La conscience d'Ovaron se manifesta.

— *Où aller ? Je propose que nous nous retirions d'abord au cœur des montagnes. On trouvera certainement quelques grottes.*

Le Stellarque réfléchit un moment.

— Il vaudrait mieux filer directement sur Cappinosha, dit-il à voix haute afin qu'Atlan puisse suivre la conversation. Il sera plus facile de passer inaperçus en nous fondant dans la foule. N'oubliez pas que Recimoran nous a donné des plaques d'identité. De surcroît, il n'y a qu'en ville que nous pourrons établir le contact avec des Perdashistes.

Ovaron se laissa convaincre, bien que ses pensées fussent entièrement tournées vers les dangers que présentait une vaste métropole.

Perry jeta un dernier regard à la plaine. Les feux de position des glisseurs s'étaient maintenant dispersés, signe manifeste que les recherches avaient commencé. Le Terranien regrettait que leurs spatiandres ne disposent plus d'unités de vol en état de marche. Cela aurait facilité leur fuite.

Leur objectif, la capitale planétaire, se situait de l'autre côté des montagnes. Rhodan savait néanmoins grâce au Ganjo que le massif était entrecoupé de nombreuses vallées, ce qui rendrait leur progression moins pénible. Si rien ne venait les retarder, Ovaron estimait qu'il leur faudrait deux jours pour atteindre Cappinosha.

La pâle lueur du matin naissant s'élargissait graduellement à l'horizon. Les cônes lumineux de projecteurs balayaient encore le paysage par moments. Les deux hommes durent à plusieurs reprises trouver refuge derrière des rochers.

Ils descendirent dans une combe en majeure partie noyée dans un épais brouillard. Les fugitifs avaient depuis longtemps rabattu en arrière les casques de leurs spatiandres. Un air humide les frappa au visage.

— Je ne vois pas grand-chose, admit le Stellarque.

Ils s'immobilisèrent.

— J'entends de l'eau couler par là, remarqua Perry. Ce doit être une rivière. Si nous la localisons, nous arriverons plus facilement à nous orienter.

Ils marchèrent quelques minutes avant de tomber sur un ruisseau. Atlan mit ses mains en coupe et but plusieurs gorgées.

— La brume est pour l'instant notre meilleure alliée, fit Rhodan. Elle nous cache aux regards des commandos de recherche.

Ils continuèrent le long du torrent. Le jour s'était à présent entièrement levé. Le disque blême du soleil brillait à travers le brouillard.

Les voiles laiteux qui cernaient les deux amis commencèrent à se dissoudre, ce qui les contraignit à quitter le fond de la combe pour remonter la pente accidentée. Ils devaient constamment veiller à pouvoir trouver immédiatement un abri si un glisseur des prêtres venait à passer.

Les naufragés prirent des forces, avalant les concentrés qu'ils avaient reçus des Perdashistes.

Ils avaient maintenant une vue sur toute la vallée. Elle était bordée de chaque côté par des forêts. Quelques bâtiments aplatis, évoquant des bunkers, avaient été construits près du cours d'eau. Ovaron était incapable de se prononcer sur leur rôle.

Rhodan et l'Arkonide avançaient désormais rapidement. Quelques appareils se dessinèrent dans le ciel aux alentours de midi et contraignirent les deux hommes à se réfugier dans les bois.

— Ils n'abandonnent pas ! dit Atlan. À présent qu'ils savent que quelqu'un a probablement survécu à l'*Odikon*, ils s'agitent.

— Nous devons atteindre la ville, répliqua Perry. Il n'y a que là que nous serons à l'abri.

Il ne put s'empêcher de lever les yeux vers les hauts sommets. Cappinosha semblait un but inaccessible, hors de leur portée.

Quand des mains secourables se tendirent vers lui et l'aidèrent à descendre de la plate-forme, Remotlas réalisa qu'il avait presque perdu connaissance. C'était un miracle qu'il ait pu parvenir ici tout seul. Du plastoderme liquide fut pulvérisé sur son visage brûlé. Quelqu'un pressa l'embout d'un appareil respiratoire contre sa bouche. Emplir ses poumons lui parut soudain plus facile.

Les Perdashistes le déposèrent précautionneusement

sur un brancard dégravité et l'emmenèrent. Le blessé ne vit pas grand-chose du trajet. La rétine de ses yeux était grillée.

Il entendit claquer des portes et retentir des voix excitées, auxquelles vinrent s'ajouter des bruits d'outils et le bourdonnement de machines. Le Cappin referma les paupières, satisfait et apaisé, car il savait maintenant qu'il se trouvait dans le quartier général de secours. Ils y seraient provisoirement en sécurité. Les Métaguides ne pouvaient pas se consacrer entièrement aux Perdashistes. Ils avaient encore d'autres problèmes à régler. Cela permettrait à l'organisation résistante de souffler un moment.

La civière anti-g s'immobilisa dans une petite chambre. Remotlas fut déposé délicatement dans un lit.

— Ce n'est pas trop grave ! délara quelqu'un. (Il reconnut le docteur Kratansh.) Dans deux jours, vous pourrez vous remettre au travail.

Le chef des rebelles ôta l'embout de sa bouche et releva la tête.

— Deux jours, gémit-il. Je ne peux pas attendre si longtemps. On a besoin de moi maintenant, vous le savez bien.

Le médecin soupira. Il n'avait pas oublié que son patient pouvait se montrer très obstiné.

— Restez au moins étendu quelques heures, le temps que vos brûlures guérissent et que votre vue se rétablisse.

Remotlas n'entendit pas ces dernières paroles. Il s'était déjà assoupi, complètement épuisé.

Ils avaient marché toute la nuit, couvrant une grande distance. Leurs activateurs cellulaires leur permettaient de se passer de sommeil pour des durées assez longues.

Ils tombèrent sur une route deux heures après le coucher du soleil. Elle faisait plus de cinquante mètres de large, et était bordée de chaque côté par des rambardes de métal.

Rhodan s'immobilisa.

— Si nous la suivons, il y a de fortes chances que nous arrivions directement à Cappinosha.

— *Ce serait plutôt idiot*, pensa Ovaron.

Depuis deux jours, la conscience du Ganjo n'avait pas connu une minute de calme. Sa nervosité était palpable.

— *Qu'est-ce qui vous gêne* ? demanda Perry.

— *Elle est à coup sûr surveillée*, répliqua le Cappin.

Atlan avait entre-temps appris à interpréter à bon escient les silences de son ami. Quand son regard se perdait dans le vague, on pouvait être certain qu'il était en conversation muette avec son locataire. Merceile était plus taciturne, heureusement.

Le Terranien se tourna vers l'Arkonide.

— Ovaron croit que c'est trop dangereux par là.

— Tentons notre chance quand même. Peut-être tomberons-nous sur un véhicule discret qui pourra nous emporter.

— Il y a peu de trafic, constata Rhodan. Il n'est pas impossible que la route soit barrée plus loin ou qu'elle soit tout simplement désaffectée.

La voie passait juste en contrebas du plateau rocheux sur lequel ils se tenaient. Elle décrivait des lacets avant de déboucher sur une vaste plaine qui s'étalait jusqu'à l'horizon. Au-delà devait se situer Cappinosha.

De leur poste d'observation, les deux hommes arrivaient à distinguer quelques agglomérations peu étendues. Leur attention fut bientôt attirée par une colonne bien ordonnée de petits véhicules qui descendait de la montagne.

Ils étaient aplatis et larges, avec un creux en forme d'entonnoir au milieu. Le Stellarque en compta une demi-douzaine.

— Je ne vois aucun chauffeur, remarqua Atlan.

— Ils sont sans doute téléguidés. J'aimerais bien savoir à quoi ils servent. Je ne peux apercevoir ni cargaison, ni armement. (Rhodan se pencha davantage par-dessus le rebord du plateau.) Peut-être ont-ils livré de la marchandise dans une quelconque cité et reviennent-ils à présent à Cappinosha.

— *C'est une* infocolonne, expliqua Ovaron. *Je me souviens qu'il en existait déjà à mon époque. C'est un centre de calcul mobile qui voyage de ville en ville pour collecter des nouvelles et les diffuser ensuite.*

— *Les véhicules sont trop petits*, pensa le Terranien. *Nous nous ferions remarquer si nous arrivions avec !*

Ils descendirent la pente et allèrent s'accroupir à l'ombre d'un rocher au bord de la route. Les deux naufragés ôtèrent leurs spatiandres voyants et les dissimulèrent au milieu des éboulis. Ils ne conservèrent que leurs armes et divers équipements.

— *C'est un endroit dangereux*, émit le Ganjo. *Nous ne pouvons pas rester ici.*

Perry commençait sérieusement à perdre patience.

— Prenez le contrôle de mon corps, alors, et trouvez-nous une solution !

Il s'était intentionnellement exprimé à voix haute. Atlan devint immédiatement attentif et se redressa.

Ovaron ne répondit rien, mais Rhodan pouvait sentir son énervement.

— Si dans une heure, nul appareil convenant davantage à nos besoins ne s'est présenté, nous poursuivrons à pied, décida-t-il.

L'infocolonne défila en dessous d'eux sans un bruit. Les engins à la coque métallique reflétaient la lumière du soleil. Ils ne possédaient ni roues ni chenilles. On ne distinguait non plus aucun champ répulseur.

Une excroissance hémisphérique s'élevait sur le toit de chaque véhicule.

— *Ils sont en route pour Cappinosha*, commenta

Ovaron. *Ils apportent aux Métaguides des nouvelles de toute la planète.*

Si ceux-ci utilisaient déjà les ressources techniques du gouvernement, il serait difficile de les prendre par surprise. Le Stellarque regrettait de ne rien savoir des moyens à disposition des Perdashistes. Une organisation qui possédait ses propres vaisseaux devait pourtant être capable d'opposer une résistance sérieuse. Il n'était toutefois pas certain que leur influence fût aussi grande sur Erysgan, la planète-capitale, qu'elle pouvait l'être sur d'autres mondes.

Recimoran avait informé les deux hommes que les Ganjators toléraient les rebelles. Il n'en irait pas de même pour Guvalash et le faux Ganjo qui n'hésitaient pas à faire preuve d'une extrême brutalité.

Les pensées de Rhodan furent à nouveau interrompues. Un gros engin descendait la route depuis les montagnes.

Cette fois également, Ovaron reconnut immédiatement par les yeux de son hôte ce dont il s'agissait.

— *Un convoyeur de fret ! Je suis certain qu'il se dirige vers l'astroport de Cappinosha.*

— *Croyez-vous qu'il y a du personnel à bord ?*

— *Ce n'est pas impossible.*

Ils observèrent le véhicule avec attention. Il occupait presque toute la largeur de la chaussée et se composait de trois segments, celui du milieu étant le plus court. La partie avant atteignait dix mètres de haut et était hérissée de nombreuses tiges, probablement des antennes. À mi-hauteur dépassait un habitacle arrondi. On distinguait à l'intérieur deux jeunes hommes vêtus de tenues bleu clair, peut-être des uniformes. Le dernier élément était le plus important, une construction cubique dont les panneaux extérieurs paraissaient amovibles. Les pilotes pouvaient s'y rendre sans mettre pied à terre.

— La chose se déplace plutôt vite, détermina Atlan. Merceile croit que c'est un véhicule-transmetteur.

— Ovaron également.

— Hum ! fit l'Arkonide, et il jeta un regard interrogateur à son compagnon. Quelles sont tes intentions ?

Rhodan escomptait descendre sur la route pour faire signe aux conducteurs.

Le Ganjo, qui lisait toutes ses pensées, intervint brusquement pour le prendre sous contrôle et l'en empêcher.

Perry poussa un juron inaudible.

— *Ça pourrait être un piège !* l'avertit le Cappin. *En tout cas, ça ne me plaît pas.*

— *Nous devons profiter de cette chance*, insista le Terranien.

— *Alors, on va le faire à ma façon.*

Le responsable de l'Empire Solaire voulut poser une question, mais son locataire effectua un métatransfert à cet instant. Il quitta le corps qui l'abritait pour pénétrer dans celui d'un des chauffeurs. Le résultat fut l'arrêt immédiat du convoyeur de fret, dont les deux occupants descendirent sans plus tarder.

— Ovaron les y a forcés, expliqua Rhodan à l'Arkonide.

Ils virent les deux hommes se rendre à l'arrière pour y chercher quelque chose.

Le Stellarque fit signe au Lord-Amiral.

— Viens !

Ils se précipitèrent vers l'engin et grimpèrent dans la cabine de pilotage sans être vus.

Perry se laissa tomber sur un siège et jeta un regard rapide sur la multitude d'instruments du tableau de bord.

— Cette fois, Merceile va devoir nous aider, dit-il.

L'ancien Prince de Cristal baissa la tête et attendit que la conscience de la jeune femme lui donne les instructions nécessaires. La biotechnicienne dut toutefois admettre qu'elle était incapable de manœuvrer le véhicule.

Rhodan et Atlan étaient déconcertés. Ovaron réintégra finalement le corps de son hôte.

— *Vite !* murmura-t-il mentalement. *Celui que j'ai possédé est maintenant inconscient. Il ne se souviendra de rien. Son compagnon s'occupe encore de lui.*

Sachant parfaitement que ce n'était pas le moment de se perdre en politesses, il reprit immédiatement Perry sous son contrôle.

Les mains du Terranien actionnèrent les commandes. Le convoyeur s'ébranla et s'élança sur la route. Derrière, quelqu'un poussa un cri.

Le Ganjo montra à Rhodan comment diriger le véhicule-transmetteur.

— *Je dois me projeter cette fois dans le corps du deuxième chauffeur*, annonça-t-il. *Comme cela, nous pourrons être certains qu'aucun d'entre eux ne se souviendra de nous.*

— *Qu'avez-vous trouvé dans leurs pensées ? C'est un piège ?*

— *Ils l'ignorent. Leur rôle était de conduire l'engin de Ramshan à Cappinosha. Ça ne veut rien dire.*

Le navigateur hexadim se transféra derechef. Presque au même moment, les hurlements de l'homme laissé en arrière se turent. Perry se pencha par la portière et vit l'individu traîner son camarade inconscient sur le bord de la chaussée.

Ovaron revint dans le corps du Stellarque au bout de quelques secondes.

— *Nous devons maintenant filer au plus vite*, pensa-t-il. *Tôt ou tard, des véhicules passant par là découvriront les deux pilotes et les emmèneront.*

Le Terranien perçut la perplexité du Cappin. Ce dernier n'arrivait pas à comprendre comment la technologie de son peuple avait pu si peu évolué en deux cent mille ans.

Rhodan lui rappela les nombreux revers qu'avaient

subis les Ganjasis durant ces millénaires. Leur civilisation avait fréquemment échappé de peu à la destruction totale.

— *Il est possible que vous ayez raison*, acquiesça le Ganjo.

Après qu'ils eurent couvert quelques kilomètres, Atlan proposa de se rendre à l'arrière. Il voulait étudier le transmetteur.

— Il se pourrait que nous soyons obligés de fuir dans la précipitation, annonça-t-il. Peut-être faudra-t-il alors l'utiliser.

— *Dites-lui que ça ne marchera pas*, avertit Ovaron.

Perry voulut répondre mais, à ce moment, quatre glisseurs tombèrent du ciel sans crier gare et atterrirent devant eux sur la route.

Rhodan poussa un juron.

Les portières des engins coulissèrent, laissant échapper des douzaines d'hommes armés qui se déployèrent instantanément. Leurs radiants étaient braqués sur le convoyeur de fret.

— *C'était bien un piège !* pensa le Ganjo avec amertume. *Vous ne vouliez pas me croire.*

Abattu, le Stellarque regardait les soldats qui se précipitaient maintenant vers eux. Ils n'avaient aucun moyen de fuir ; il était totalement impossible à Ovaron de se transférer pour posséder chaque agresseur à tour de rôle.

Le véhicule s'immobilisa.

Rhodan bondit et s'engagea dans l'ouverture derrière le siège.

— Désormais, nous n'avons plus le choix ! cria-t-il. Nous devons utiliser le transmetteur, qu'importe où nous sortions !

*
**

Remotlas ôta le bandeau humide qui lui ceignait la tête et battit des paupières, aveuglé par l'intense clarté. Quelques secondes lui suffirent pour s'y habituer. Il put à nouveau voir clairement. Il avait certes toujours l'impression d'avoir du sable dans les yeux, mais c'était supportable. Il pouvait aussi respirer plus librement.

Néanmoins, quand il voulut se redresser, une sensation de faiblesse le terrassa et il se laissa retomber en tremblant de tout son corps.

— Patience, fit doucement le médecin, ça ira mieux bientôt.

Le responsable des Perdashistes lui décocha un regard méfiant et allongea lentement les jambes hors du lit.

Kratansh s'assit à côté du blessé et releva la manche de sa veste. Il saisit ensuite son pistolet à injections et le pressa sur le bras du patient qui montrait également des signes de brûlures.

— Cela vous aidera à vous remettre sur pieds. Mais ne faites pas trop d'efforts, sinon je ne réponds de rien.

Remotlas arriva tout juste à opiner du chef. Des cercles multicolores tourbillonnaient devant ses yeux. Le sang battait contre ses tempes.

Je suis incapable de me déplacer ! réalisa-t-il avec rage.

Il se redressa sur ses jambes flageolantes. Sa bouche était desséchée. La peau artificielle était tendue sur son visage brûlé ; il chercha instinctivement un miroir. Son reflet, qu'il aperçut finalement sur le mur derrière le lit, l'effraya. Ses joues étaient creuses et les médecins l'avaient débarrassé de ses cheveux grillés.

Une tête de mort ! pensa le Ganjasi, ébranlé, avant de passer une main hésitante sur sa figure.

— Votre nouvel épiderme sera bientôt correctement irrigué par les vaisseaux sanguins et plus rien ne le distinguera alors du véritable, promit Kratansh.

Il tendit une perruque à son patient.

— Une prothèse capillaire biologique. Elle va se souder à votre cuir chevelu. D'ici quelques jours, vous aurez retrouvé votre apparence originale.

Remotlas posa le postiche sur son crâne.

— Où sont les hommes ? demanda-t-il.

Le médecin pointa son pouce derrière lui.

— Vous n'entendez pas le bruit ? Tout le monde est au travail. Notre nouvelle centrale doit être rendue opérationnelle au plus vite.

Le responsable hocha la tête, satisfait. Il était content de voir que les autres Perdashistes possédaient assez d'initiative personnelle pour prendre les mesures nécessaires sans qu'il ait à intervenir.

Il quitta l'infirmerie et s'engagea dans le corridor où régnait une forte odeur de peinture et de détergents. Des robots affairés déambulaient ici et là. Deux hommes qui circulaient en portant une lourde charge hélèrent leur chef au passage.

Kratansh s'était avancé sur le seuil. Il s'adossa au chambranle et sourit.

— Allez-y ! L'organisation a besoin de vous. Et c'est la première fois qu'elle en est consciente.

Remotlas connaissait parfaitement les lieux. Le fait d'avoir toujours voulu contrôler en personne les stations de repli jouait aujourd'hui en sa faveur.

Toutefois, avant de passer à l'action, il lui fallait disposer de davantage d'informations.

Il devait savoir ce qui se tramait dans le bâtiment du gouvernement. Et en particulier déterminer ce qui était arrivé aux Ganjators. Eux seuls pouvaient renverser la situation et sauver les Perdashistes.

Le destin prenait parfois des chemins étranges. Il pouvait transformer des adversaires potentiels en alliés.

Remotlas sentit une nouvelle énergie inonder son corps. Il poussa la porte menant à la pièce principale et se remit au travail.

Tandis que le Stellarque s'engageait à quatre pattes dans l'étroit passage situé derrière les sièges afin de se rendre à l'arrière de l'appareil, Atlan dégaina son arme et découpa un trou d'un mètre de diamètre dans la verrière. Les Ganjasis qui s'approchaient du convoyeur virent la lueur du faisceau énergétique et s'immobilisèrent.

— *Que proposez-vous ?* se renseigna nerveusement Merceile. *Nous devrions rejoindre immédiatement Rhodan/Ovaron.*

Le Lord-Amiral eut un rire moqueur.

— Vous croyez ? (Il parlait intentionnellement à voix haute.) L'installation ne sera pas opérationnelle tout de suite. Il va falloir retenir les hommes dehors un petit moment.

— *Ils sont au moins trente*, lui rappela la jeune femme. *S'ils attaquent de façon coordonnée, nous n'avons aucune chance.*

— Ils ne vont pas risquer de détruire le précieux véhicule-transmetteur, sinon ils auraient déjà ouvert le feu.

Atlan tendit le bras et visa à travers le trou dans l'habitacle. Un épais rayon fusa de la gueule de son radiant et passa juste au-dessus de la tête des assaillants.

Les soldats coururent se réfugier de chaque côté de la chaussée, plongeant derrière les rambardes ou les rochers.

— Ils n'ont pas encore reçu d'instructions précises, déclara l'Arkonide. Mais leur responsable est probablement déjà en contact radio avec Guvalash ou un de ses acolytes.

Sa conscience capta une hésitation de la part de Merceile.

— *Vous ne craignez donc jamais pour votre propre vie ?*

— Quoi ? (L'immortel fut si surpris qu'il s'arrêta de

tirer.) *Quiconque a vécu aussi longtemps que moi n'a pas à redouter la mort !*

— *La chance pourrait tourner*, remarqua la jeune Cappin.

Atlan observait la route. Jusqu'à présent, les soldats n'avaient ni quitté leurs abris ni ouvert le feu. Il distingua quelques hommes dans un engin volant, un peu plus bas. Il s'agissait manifestement des officiers, en attente de consignes.

— *Ils savent qu'ils nous ont attirés dans un piège*, pensa-t-il.

— *Et le transmetteur ?*

Le Lord-Amiral secoua la tête. Il ne croyait pas qu'ils puissent arriver à fuir par là. Leurs ennemis avaient sans doute escompté une telle décision de leur part et s'y étaient préparés.

L'Arkonide observa l'un des glisseurs qui s'élevait au-dessus de la route.

— *Attention !* lança-t-il sèchement. *Il s'apprête à nous attaquer.*

Il se jeta derrière le siège du conducteur et se dirigea à quatre pattes vers l'élément central du convoyeur, qui abritait le moteur. Une explosion retentit dans son dos. Le pare-brise vola en éclats, puis un éclair éblouissant enveloppa toute la cabine de pilotage. Atlan fut aveuglé et saisi par l'onde de choc.

Quand il se redressa, il pensa avec rage :

— *Une salve d'énergie ! Ils ont choisi de ne plus prendre de gants.*

Il poussa la porte donnant sur la partie réservée au transmetteur. L'étroitesse du passage révélait que ce dernier n'était pas prévu pour être utilisé en l'état. Si on voulait s'en servir pour convoyer rapidement du matériel et des personnes, il fallait d'abord relever les parois latérales.

Rhodan se tenait près d'un pupitre de contrôle. Sous

les directives d'Ovaron, il était en train d'effectuer les préparatifs requis. La classique ogive lumineuse s'était déjà formée mais l'ondoiement bleu noir censé se manifester au centre ne se distinguait pas encore. L'appareil manquait apparemment de puissance.

Le convoyeur fut secoué par un deuxième impact.

Un violent éclair illumina fortement la porte d'accès au local.

— On ne peut pas attendre plus longtemps ! cria Perry. L'engin va exploser d'un instant à l'autre.

L'Arkonide jeta un regard sceptique au transmetteur. S'ils se précipitaient dedans maintenant, ils courraient le risque de se retrouver pour l'éternité prisonniers du néant entre les dimensions. Auquel cas les atomes composant leurs corps ne se réassocieraient plus jamais.

Mais ils n'avaient pas le choix.

Atlan suivit des yeux son ami terranien qui s'élançait.

Un bref scintillement accompagna sa dématérialisation.

— *À quoi songez-vous ?* demanda l'ancien Prince de Cristal à la conscience de Merceile tandis qu'il se hâtait vers l'ogive.

Par crainte, elle garda ses pensées secrètes et ne lui répondit même pas.

— *Amusez-vous bien !* émit-il ironiquement. *En dix mille ans, jamais une femme n'a eu autant accès à l'intimité de mon cerveau.*

Une bordée d'injures mentales lui parvint.

Atlan se rua dans le transmetteur. Des éclairs fulgurèrent derrière lui. Le convoyeur était peut-être en train d'exploser. Les soldats supposeraient alors que les fugitifs avaient trouvé la mort.

Il sentait que la douleur de la dématérialisation serait terrible, et il se demanda où ce saut allait les conduire.

À condition qu'il les amène bien quelque part !

CHAPITRE XIX

L'entrepôt était si gigantesque que Mantosh avait du mal à le considérer comme son lieu de travail. Son lieu de travail, c'était plutôt ce bureau entièrement vitré situé en plein centre, ou bien la salle de contrôle adjacente d'où il pouvait effectuer toutes les opérations nécessaires, mais pas ce monstrueux bâtiment qui s'élevait en bordure de l'astroport de Cappinosha, un parmi tant d'autres.

Le Cappin haïssait les périodes de creux où nul navire ne se présentait pour remplir ou vider ses soutes. Il se sentait alors perdu au milieu de cette immense halle. Il n'y avait pratiquement rien à faire car tout ce qui était inventaire ou manutention de matériel était réalisé par des robots. Son rôle consistait uniquement à les superviser.

Ce jour-là – on était sur Terre le 12 avril 3438 –, il somnolait dans son fauteuil, les pieds posés sur la table. Un silence de mort planait dans le dépôt. Pas un vaisseau n'avait atterri depuis le matin. Et aucun n'était prévu. Ni aujourd'hui, ni demain. Les incertitudes liées au retour du Ganjo et au retrait du gouvernement paralysaient toute activité.

Mantosh ne s'intéressait pas à la politique. Il savait qu'il n'avait de toute façon pas la moindre influence sur des événements aussi éloignés de son quotidien.

Une sirène retentit soudain.

Le bruit n'était pas particulièrement fort. Le logisticien mit même quelque temps pour réaliser ce qui le dérangeait dans sa quiétude. Certes, on lui avait déjà dit que des incidents n'étaient pas à exclure, avec pour corollaire le déclenchement immédiat d'une telle alarme, mais il avait refoulé cette information dans un coin reculé de son cerveau. Cette procédure était pour lui purement théorique.

Il lui fallut bien une minute pour saisir de quoi il retournait.

Il balança ses jambes hors de la table, se leva d'un bond et se précipita vers la chambre de contrôle. Il vérifia les instruments et constata que le signal avait été émis par le transmetteur.

Mantosh fronça les sourcils. L'appareil était toujours paré à émettre comme à recevoir, mais jamais un tel incident ne s'était produit au cours de ces dernières décennies. C'était peut-être un problème d'alimentation énergétique.

Le Cappin se demandait s'il devait rendre compte au sujet du dérangement. Il se décida finalement à aller d'abord jeter un œil sur l'origine du dysfonctionnement.

Il quitta la salle et sauta sur une bande transporteuse. Bien qu'il fût âgé de cent cinquante ans, il possédait un corps souple et résistant. Chaque jour, il s'entraînait plusieurs heures pour se maintenir en forme.

Il passa entre de longues rangées d'armoires. Des appareils de levage et des tapis roulants avaient été installés un peu partout. Lors des livraisons, ils permettaient d'acheminer rapidement le matériel.

Le transmetteur se situait au fond de la halle. Aucune cloison ne le séparait du reste de l'entrepôt. Sept voies convergeaient sur lui, six en sortaient.

Mantosh distinguait le sommet du dispositif par-dessus les rayonnages. Tout semblait en ordre. Peut-être y avait-il eu une fausse manœuvre ? Il était tout à fait envisageable que de la marchandise prévue pour un autre dépôt ait abouti ici.

Il aperçut enfin l'ogive flamboyante et tressaillit en voyant deux individus de haute taille en sortir. Ils chancelaient et cherchaient vainement à reprendre le contrôle de leurs corps.

Le superviseur n'arrivait pas à se souvenir avoir jamais vu des hommes se matérialiser là. C'était un appareil destiné au fret. Celui servant au trafic passager se trouvait à l'autre bout de l'astroport, sur une aire spéciale.

Le Ganjasi remarqua seulement alors l'étrange habillement des inconnus.

Involontairement, sa main droite se porta à son ceinturon. Mais il ne possédait pas de radiant. À quoi lui aurait-il servi ?

Mantosh sauta de la bande transporteuse. Il chercha du regard un outil ou une barre de métal qu'il pourrait utiliser au besoin comme arme. Il avisa une manivelle rangée sur une étagère proche et s'en empara. Il se sentit aussitôt rassuré.

Il s'approcha prudemment des deux intrus. L'un d'eux s'était entre-temps effondré et reposait, inconscient, sur le sol. Le deuxième, qui arborait de longs cheveux blancs, s'appuyait contre la rambarde latérale du trottoir roulant. Il était plié en deux, si bien que le Cappin ne pouvait pas voir son visage.

Il s'avança furtivement, son outil à la main, prêt à en faire usage.

Quand il fut juste à côté du visiteur, celui-ci se redressa comme s'il avait pressenti le danger.

Les deux hommes se dévisagèrent. Puis Mantosh abattit son arme primitive.

L'inconnu rentra précipitamment la tête dans les épaules, et la manivelle le frappa au niveau de la nuque. Il s'écroula en gémissant.

Le superviseur se pencha pour lui assener un deuxième coup.

Et à cet instant, une conscience étrangère pénétra en lui.

S'il ne faisait pas partie des Ganjasis qui maîtrisaient le métatransfert, il en avait suffisamment entendu parler pour réaliser ce qui se passait. Un effroi glacé le parcourut. Confus, Mantosh regarda tout autour de lui. Il n'y avait que ces intrus dans les parages. Normalement, le méta-inducteur aurait dû se transformer instantanément en une masse de protoplasme frémissant. Or, rien de tel ne se produisait. D'où venait donc l'esprit qui s'était projeté en lui ? Il ne voyait qu'une explication : il émanait bien de l'un des deux hommes, seulement son corps d'origine était ailleurs.

Un ordre mental clair et précis traversa le cerveau du Cappin :

— *Laisse tomber la manivelle !*

Sa main serrée s'ouvrit sans qu'il puisse s'y opposer. L'acier heurta le sol avec fracas.

Il identifia alors que la conscience qui l'avait envahi était celle d'une femme. Il se crispa involontairement.

— *Tu dois rester calme !* lui fut-il ordonné. *Tu n'as rien à craindre tant que tu ne commets pas d'acte irréfléchi.*

Mantosh sentait sa raison prête à basculer dans la folie. Les yeux écarquillés, il vit sa victime se redresser péniblement.

— Merci, Merceile ! souffla l'individu aux cheveux blancs.

Il s'exprimait avec un curieux accent. Probablement n'était-ce pas un Erysganien.

Le superviseur se contracta, craignant que l'étranger ne le frappe, mais l'homme préféra se tourner vers son compagnon étendu devant le transmetteur, mort ou inconscient.

— *Tu vas maintenant regagner ton bureau, comme si de rien n'était*, lui intima la femme. *Tu ne parleras à personne de ce qui s'est passé. Si tu ne suis pas ces instructions, nous reviendrons et nous te tuerons.*

Mantosh ne douta pas un seul instant qu'elle appliquerait cette menace s'il ne se pliait pas à ses exigences.

— *Je vais... tout faire !* promit-il en bégayant. *Je... je ne m'occupe pas des affaires des autres.*

— *Disparais, à présent ! Nous effacerons toutes les traces qui pourraient te trahir.*

Le Cappin décela de la chaleur et de la compréhension derrière la dureté implacable de ces pensées. Cela le calma. Il sentit la conscience étrangère le quitter.

Il pivota avec un soupir de soulagement. Dans son excitation, il faillit même tomber sur une des bandes qui s'éloignaient du transmetteur.

**

L'Arkonide se pencha sur Rhodan et le retourna sur le dos. Le Stellarque respirait régulièrement. Son visage était blême.

— *Et Ovaron ?* s'enquit Merceile, inquiète.

— *Aucune idée. Peut-être est-il inconscient, si ce terme a un sens dans son état désincarné. Avez-vous découvert où nous sommes ?*

— *En bordure de l'astroport de Cappinosha*, répondit la bionormalisatrice. *Ce Mantosh n'a rien pu me cacher.*

— *Parfait !* s'écria le Lord-Amiral en hochant la tête de satisfaction. *Dès que Perry sera revenu à lui, nous chercherons à entrer en contact avec les Perdashistes.*

Elle s'étonna de la détermination inébranlable de son hôte mais garda ce sentiment pour elle.

Le Terranien se réveilla en gémissant. Atlan l'aida à se remettre sur pied et lui décrivit brièvement ce qui était arrivé.

Rhodan plongea la main dans une poche et en sortit

l'enveloppe que Recimoran lui avait remise à bord de l'*Odikon*. Il prit également les plaques d'identité.

— Elles nous seront utiles mais je crains que les documents, eux, ne nous servent à rien. Ils sont censés nous indiquer où est le quartier général des Perdashistes. Or, ceux-ci l'ont probablement déjà évacué à l'heure qu'il est.

L'Arkonide acquiesça.

Le responsable de l'Empire Solaire choisit quelques papiers et les parcourut en diagonale. Il hocha la tête.

— C'est bien ce que je supposais : il s'agit d'une description de la centrale. Mais on ne trouvera certainement plus rien là-bas. Des noms de contacts sont également inscrits. Dommage, ils auraient pu nous être utiles. Ces Ganjasis sont sans doute depuis longtemps morts ou incarcérés. (Il saisit une autre feuille.) Là, il est question d'un endroit appelé Kalumbin et du chemin à suivre pour y aller. Vu le symbole indiqué là, ce doit être un quartier voué au plaisir. Peut-être devrions-nous nous y rendre.

Il jeta tous les documents à terre et les enflamma d'une brève décharge de son radiant. Ils attendirent jusqu'à ce qu'ils se soient complètement consumés.

En suivant les signes peints au sol dans les rues de Cappinosha, les deux amis étaient arrivés à Kalumbin. Il s'agissait d'un énorme dôme à la surface duquel apparaissaient des images sans cesse changeantes, des images annonciatrices d'insouciance et de jouissance. La vaste structure semblait flotter en l'air.

De nombreux hommes se pressaient devant des ouvertures de coupe hexagonale.

Rhodan adressa un clin d'œil à Atlan puis s'avança.

Les portes n'étaient pas surveillées. Ils se laissèrent

pousser par les Cappins massés là. La cohue était telle qu'on ne pouvait pas voir grand-chose.

Perry regarda attentivement autour de lui. Ce fut ainsi qu'il découvrit les quatre soldats.

Debout sur une estrade légèrement surélevée de l'autre côté de l'entrée, ils observaient les visiteurs. Ce n'était toutefois pas le pire.

Près d'eux, également en hauteur, était accroché un écran de télévision de trois mètres de diamètre. Les visages du Terranien et de l'Arkonide s'affichaient en grand sur le disque scintillant.

Le Stellarque baissa instinctivement la tête, mais personne n'avait l'air de se préoccuper d'eux pour l'instant.

— *Il est temps de trouver une bonne cachette*, pensa Ovaron.

Rhodan ne répondit pas, entièrement concentré sur son environnement immédiat. Il parvint à se laisser entraîner par la foule et à pénétrer dans le dôme. Atlan demeurait collé à lui pour ne pas le perdre.

Le sol se déroba soudain sous leurs pieds. Ils se retrouvèrent en compagnie de quatre Ganjasis dans une sorte de nacelle qui descendit lentement dans une salle en contrebas.

Ils arrivèrent dans ce qui ressemblait fort à une discothèque. Des centaines d'hommes et de femmes se trémoussaient sur un parquet luminescent.

Un Cappin barbu aux yeux globuleux, qui arborait un bonnet à pointe en herbes tressées, se tenait à l'écart. Par moments, il poussait de petits cris auxquels venaient faire écho les danseurs.

Rhodan s'approcha. Peut-être ce personnage pourrait-il leur apprendre quelque chose. Mais avant qu'il ait pu lui adresser la parole, une nouvelle nacelle descendit.

Les quatre soldats étaient à l'intérieur.

Perry n'avait maintenant plus de temps à perdre.

Il saisit l'individu par le bras.

— Vous devez nous aider ! souffla-t-il. On nous traque.

Le Ganjasi se retourna et aperçut le Terranien et l'Arkonide. À l'expression sur son visage, on devinait qu'il savait exactement à qui il avait affaire. Le chef de l'Empire Solaire se raidit, prêt à ouvrir le feu.

Mais l'autre se contenta de hocher la tête et leur fit signe de le suivre.

Rhodan vit que les gardes s'avançaient à présent sur la piste de danse et vérifiaient les identités. Il resserra sa prise sur la crosse de son arme. Le Cappin s'arrêta devant le mur du fond. Une fente, suffisamment large pour laisser se glisser un homme solidement bâti, se dessina bientôt.

— *Vous ne devriez pas lui faire confiance !* reprocha Ovaron au Terranien.

Le Stellarque s'engagea après l'étranger, Atlan fermant la marche. Le passage se referma derrière eux. Ils demeurèrent quelques secondes durant dans l'obscurité totale puis une lampe s'alluma devant eux, éclairant le visage de l'inconnu.

— C'est un miracle que vous soyez encore en vie, dit-il d'une voix cassée à force d'avoir crié. Et c'en est un autre que vous ne soyez pas tombés entre les mains de ces fichus prêtres !

La lumière vacillante s'éloigna lentement. Ils la suivirent jusqu'à ce qu'ils entendent finalement comme un grattement. Une autre porte s'ouvrait.

Ils furent soudain baignés dans une forte clarté et constatèrent qu'ils se trouvaient dans une salle carrée où des installations techniques de toutes sortes s'entassaient. Sans perdre de temps, leur guide s'assit devant un poste émetteur et saisit un microphone dans lequel il jeta quelques paroles dans une langue inconnue. Un écran s'illumina peu après, révélant un Cappin aux longs cheveux bruns, visiblement harassé. Le Ganjasi barbu céda sa place.

— Vous pouvez lui parler maintenant, dit-il.

Rhodan et Atlan s'approchèrent. Les yeux de leur interlocuteur brillaient d'une lueur vive.

— Je m'appelle Remotlas, se présenta-t-il. Je suis hyperphysicien, mais aussi le chef du mouvement perdashiste. Mon objectif est de balayer les Métaguides et de libérer le gouvernement légitime.

Le Terranien et l'Arkonide l'observaient attentivement. Cet homme semblait particulièrement résolu.

— Je sais qui vous êtes, poursuivit-il. Hélas, vous constituez actuellement plus un danger pour notre organisation qu'un soutien. Cela peut toutefois changer. Nous œuvrerons ensemble pour atteindre les objectifs que je définirai.

— Ne croyez-vous pas que nous avons également notre mot à dire ? jeta Perry.

— Pas pour l'instant, objecta Remotlas. Nous devrons attendre le moment propice.

On ne dirait pas, en le voyant, qu'il est capable d'une telle patience ! pensa le Stellarque.

— Nous conviendrons d'un rendez-vous, promit le chef des Perdashistes. Nous pourrons alors nous entretenir de tout cela. Vous avez ma parole que nous nous occuperons de vous.

L'image pâlit. Rhodan et Atlan échangèrent un regard perplexe. Le Terranien capta un flux de pensées d'Ovaron mais l'ignora.

Le Ganjasi au bonnet à pointe s'éclaircit la voix.

— Il a dit que vous aviez sa parole, rappela-t-il tranquillement. Dans les temps que nous vivons, vous ne pourrez espérer mieux !

De la Voie Lactée à Gruelfin, les fausses religions instaurées dans le seul but d'asservir les masses n'ont décidément rien à s'envier… Que d'atrocités commises et à venir au nom du Ganjo, que de révélations consternantes éclatant à son retour dans sa galaxie-patrie ! Au terme de ses deux cent mille ans d'exil, Ovaron découvre peu à peu que certains de ses plans ont porté leurs fruits mais que des impondérables ont poussé sa création la plus aboutie, la « Mère Originelle », à isoler les Ganjasis du reste de l'Univers.

Hélas, Métaguides machiavéliques et Takérans avides de conquête n'ont jamais désarmé – malgré les Perdashistes et ces autres résistants insoupçonnés que Rhodan/ Ovaron et Atlan/Merceile vont bientôt rencontrer dans les entrailles de Syveron VI.

Des êtres inspirant davantage la terreur que la confiance, l'envie de fuir que l'idée d'une alliance, tels sont LES FARROGS D'ERYSGAN…

REPARTEZ AUX ORIGINES DE LA SAGA
PERRY RHODAN !

Découvrez ou retrouvez les premiers épisodes et les débuts mythiques de la plus grande série de science-fiction au monde avec la réédition/compilation en volumes triples dont le numéro un est paru en **avril 2005** !

« Opération *Astrée* »...
« La Terre a peur »...
« La Milice des Mutants »...

Tels sont les titres des romans originaux repris dans l'ordre de leur parution dans le **Volume I**.

Et notez déjà le prochain rendez-vous historique en *avril 2006* avec le **Volume II** qui sera composé des trois romans suivants :

« Bases sur Vénus »...
« Les Vainqueurs de Véga »...
« La Forteresse des Six-Lunes »...

Achevé d'imprimer sur les presses de

BUSSIÈRE

GROUPE CPI

à Saint-Amand-Montrond (Cher)
en janvier 2006

FLEUVE NOIR
12, avenue d'Italie
75627 Paris Cedex 13
Tél. : 01-44-16-05-00

— N° d'imp. : 53067. —
Dépôt légal : janvier 2006.
Imprimé en France